DIE ZEIT

Das Junior-Lexikon

IN SECHS BÄNDEN

DIE ZEIT

Das Junior-Lexikon

IN SECHS BÄNDEN

3 Han - Lei

Herausgegeben von
Zeitverlag Gerd Bucerius GmbH & Co. KG, Hamburg
und Wissen Media Verlag GmbH, Gütersloh

Herausgeberin und Redaktionsleiterin ZEIT:
Dr. Susanne Gaschke
Redaktionsleiterin Wissen Media Verlag:
Dr. Beate Varnhorn

Projektleiterin Wissen Media Verlag: Katja Baier

Redaktion ZEIT: Christian Staas
Redaktion Wissen Media Verlag:
Christian Adams, Petra Bischof, Anke Braun, Antonia Hansmeier, Dr. Manfred Hoffmeister, Dr. Ulrike Hönsch, Christina Langner, Tanja Loos, Heike Linnemannstöns, Hans-Georg Michel, Ursula Rzepka, Peter Wassen-Lamberty

Layout und Einbandgestaltung: Kay Lübke
Datenaufbereitung und Satz:
Dirk Bischoff, Jo.Pelle Küker-Bünermann
Karten- und Grafikredaktion: Dr. Matthias Herkt
Bildredaktion: Ursula Franz, Anka Hartenstein, Sonja Rudowicz, Svenja Schumann, Thekla Sielemann
Herstellung: Joachim Weintz

Druck und Bindung:
MOHN Media Mohndruck GmbH, Gütersloh
Printed in Germany

DIE ZEIT

ISBN Gesamtwerk: 978-3-577-07640-1
ISBN Band 3: 978-3-577-07643-2

Vorwort

Eine ganze Weile war es Mode, darüber zu klagen, wie schnell unser Wissen angeblich »veraltet«. Damit war gemeint, dass sich die Welt so schnell verändert, dass die Menschen kaum noch alles mitbekommen, wahrnehmen und begreifen können, was um sie herum geschieht. Ein bisschen klang dieses Gerede vom veraltenden Wissen auch immer so, als müsse man sich gar nicht mehr bemühen, irgendetwas genau zu wissen – es konnte sich ja morgen schon geändert haben. Wenn es tatsächlich so wäre, dann wären das schlechte Zeiten für Lexika, für Bücher, die davon leben, dass ihr Inhalt sich viele Jahre hält.

Wir ahnen jedoch aus unseren Alltagserfahrungen, dass es sich so nicht verhält: Es gibt massenhaft Dinge, die im Großen und Ganzen so bleiben, wie sie sind, und über die man durchaus genau Bescheid wissen kann. Manchmal sogar muss. Und nicht immer »veraltet« eine bestehende Erkenntnis, wenn eine Neue hinzukommt. Meist wird es dann einfach noch mehr, was man wissen sollte.

Richtig ist allerdings, dass es schwer sein kann zu entscheiden, welche Informationen wichtig und richtig sind: Von allen Seiten senden, funken, blinken Medien – Zeitungen, Fernsehsender, Rundfunk, das Internet – uns interessante Dinge entgegen. Was können wir in unserer begrenzten Zeit lesen und verstehen? Was stimmt, was stimmt nicht?

Ein Lexikon ist in Zeiten der Informationsüberflutung eine große Hilfe. Nicht, weil es alles Wissen der Welt enthielte – das kann selbst das beste Nachschlagewerk nicht. Aber es kann etwas anderes: Es kann Informationen, die viele Menschen gut gebrauchen können, prüfen, sortieren und – begrenzen. Und so wird das alte, als »langsam« beschimpfte Medium Buch plötzlich zur Abkürzung: Bevor ich mich durch endlose, ungeordnete und vielleicht sogar widersprüchliche Datenmengen wühle, sagt mir das Lexikon schnell das Wichtigste über Abgeordnete, Belichtungsmesser oder Chromosomen, über Wildkatzen, Yin und Yang oder auch die Zehn Gebote. Und natürlich zu vielen anderen Themen. Herausgeber und Redaktion stehen dafür gerade, dass die Informationen stimmen und dass man sie verwenden kann – für den Vortrag ebenso wie für eine Hausaufgabe. Wir haben den »normalen« Inhalt eines Nachschlagewerks – 10 000 Stichworte, erklärt und bebildert – um 60 Beiträge von ZEIT-Autoren ergänzt, die noch mehr bieten: Sie machen Zusammenhänge sichtbar, sie beantworten Fragen, die über die nackten Tatsachen hinausgehen. Wie kommt das Fischstäbchen auf meinen Teller? Warum hat Deutschland keinen König? Wann fingen die Menschen an, Musik immer und überall hören zu wollen? Was geschieht eigentlich in einem Computer?

Die Redaktion hofft, dass diese Beiträge interessant und vergnüglich zu lesen sind – und dass sie das leisten, was die ZEIT auch als Zeitung für Erwachsene tun möchte: Orientierung geben. Hintergründe ausleuchten. Erklären, wie es sich wirklich verhält. Solche Texte für junge Leser zu schreiben, war für die Autoren eine Herausforderung: Es ist nämlich sehr viel schwerer, Auskunft zu geben, wenn man sich nicht auf das herausreden kann, was der Leser vermeintlich sowieso schon weiß. Aber es hat uns großen Spaß gemacht. Und den wünschen wir allen Lesern unseres ZEIT Junior-Lexikons, auch und gerade denen, die älter als 14 Jahre sind.

Susanne Gaschke
Herausgeberin ZEIT Junior-Lexikon

Wie benutzt man dieses Lexikon?

Stichwort

Die Stichwörter sind fett gedruckt und alphabetisch geordnet. Die Umlaute ä, ö, ü werden behandelt wie die Buchstaben a, o, u (z. B. folgt Flöte auf Flossen); ß wird wie ss eingeordnet. Buchstaben mit Akzenten (z.B. á, é, í) werden wie solche ohne Akzente behandelt.

Manchmal sind für ein und dasselbe Stichwort unterschiedliche Schreibweisen möglich. Wir haben für dieses Lexikon die Form gewählt, die am gebräuchlichsten ist. Andere Schreibweisen, wie auch Synonyme, stehen in schräger Schrift hinter dem Hauptstichwort (z. B. **Coffein** [das], *Koffein* ...). In Zweifelsfällen wird das Auffinden eines Stichworts durch Verweise erleichtert. Findet man ein Stichwort unter C nicht, könnte es z. B. auch unter K oder Z zu finden sein oder umgekehrt (z. B. **Koffein** → Coffein). Das Gleiche gilt für V und W, F und Ph (z. B. **Photographie** → Fotografie), J und Y (z. B. **Joga** → Yoga). Bei gleich lautenden Stichwörtern mit verschiedenen Bedeutungen werden die Erläuterungen aneinander gereiht und mit Ziffern versehen: **1.** ... **2.** ...

Besonders wichtige Begriffe und interessante Themen werden in deutlich hervorgehobenen Übersichtsartikeln und in ZEIT-Beiträgen behandelt.

Angaben zum Stichwort

Hinter dem Stichwort stehen in eckigen Klammern [ ] folgende Angaben:

1. die Aussprache, falls diese von der deutschen Schreibweise abweicht;
2. bei Hauptwörtern das grammatikalische Geschlecht (der, die, das). Ist ein Begriff im Plural gebräuchlicher, steht Pl. in der eckigen Klammer;
3. die sprachliche Herkunft bei Lehn- und Fremdwörtern. Sie ist nur dann angegeben, wenn sie zur Erläuterung des Begriffs beiträgt, und steht in abgekürzter Form in der eckigen Klammer:

arab.	= arabisch
chin.	= chinesisch
engl.	= englisch
franz.	= französisch
griech.	= griechisch
hebr.	= hebräisch
ital.	= italienisch
lat.	= lateinisch
niederländ.	= niederländisch
österreich.	= österreichisch
russ.	= russisch
schweiz.	= schweizerisch
span.	= spanisch

Zeichen

*	geboren
†	gestorben
→	Verweis
%	Prozent
®	registered

Lautschrift

Für die Lautschrift werden – zusätzlich zu den bekannten deutschen Buchstaben – folgende Zeichen der internationalen Lautschrift verwendet:

Vokale und Diphthonge (Doppelvokale)

ː	der vorausgegangene Vokal wird lang gesprochen
'	Betonung der nachfolgenden Silbe
a	kurzes a (wie in *kann*)
aː	langes a (wie in *Magen*)
æ	sehr offenes kurzes ä (wie in engl. *match*)
ʌ	kurzes dumpfes a (wie in *Butler*)
ã	nasaliertes a (wie in *Montblanc* [ː mɔ̃ːblã])
ai	Diphthong (wie in *Mai, Brei*)
au	Diphthong (wie in *Baum*)
e	halb langes geschlossenes e (wie in *gebt*)
eː	langes geschlossenes e (wie in *Beere*)
ə	kurzes dumpfes e (wie in *Masse, Linie*)
əː	langes dumpfes e (wie in *Churchill* [ː tʃəːtʃil])
ɛ	kurzes offenes e (wie in *Fest, Gänse*)
ɛː	langes offenes e (wie in *ordinär*)
ɛi	Diphthong (wie in *Rio de Janeiro* ['riu di ʒa' nɛiru])
ɛ̃	nasaliertes e (wie in franz. *jardin* [ʒar'dɛ̃])
i	kurzes i (wie in *bin, sind*)
iː	langes i (wie in *Bibel, Lied*)
ɔ	kurzes offenes o (wie in *Ross*)
ɔː	langes offenes o (wie in engl. *Wallstreet* ['wɔːlstriːt])
ɔ̃	nasaliertes o (wie in *Montblanc* ['mɔ̃'blã])
ɔi	Diphthong (wie in *heute*)
ɔu	Diphthong (wie in engl. *Bowling* ['bɔuliŋ])
o	halb langes geschlossenes o (wie in *Obst*)
oː	langes geschlossenes o (wie in *Moos*)
œ	kurzes offenes ö (wie in *Köln*)
ø	halb langes geschlossenes ö (wie in *Fischöl*)
øː	langes geschlossenes ö (wie in *nervös*)
œ̃	nasaliertes ö (wie in franz. *Verdun* [vɛr'dœ̃])
u	kurzes u (wie in *kurz*)
uː	langes u (wie in *Gruß*)
y	kurzes ü (wie in *schützen*; franz. *Tartuffe* [tar'tyf])
y'	langes ü (wie in *führen, lyrisch*)

Konsonanten

ç	ch (wie in *ich*)
x	ch (wie in *machen*; span. *Junta* ['xunta])
ŋ	ng (wie in *Klang, Bank*)
s	stimmloses s (wie in *essen, weiß*)
z	stimmhaftes s (wie in *Saal, Waise*)
ʃ	stimmloser sch-Laut (wie in *schaffen*; engl. *Shakespeare* ['ʃɛikspiə])
ʒ	stimmhafter sch-Laut (wie in *Journal* [ʒur'naːl], *Etage* [e'taːʒə])
θ	stimmloser Lispellaut (wie in engl. *Commonwealth* ['kɔmənwɛlθ])
ð	stimmhafter Lispellaut (wie in engl. *father* ['faːðə])

Abkürzungsverzeichnis

bzw.	beziehungsweise
ca.	circa
cm	Zentimeter
Jh.	Jahrhundert
kg	Kilogramm
km	Kilometer
m	Meter
Mio.	Millionen
Mrd.	Milliarden
n. Chr.	nach Christus
nm	Nanometer
Pl.	Plural
Sg.	Singular
St.	Sankt, Saint
t	Tonne
u. a.	unter anderem; und andere(s)
u. Ä.	und Ähnliches
u. a. m.	und anderes mehr
ü. M.	über dem Meeresspiegel
usw.	und so weiter
v. a.	vor allem
v. Chr.	vor Christus
z. B.	zum Beispiel
z. T.	zum Teil

ZEIT-Beiträge

Band 1: A – Detail

Band 2: Deutsche Demokratische Republik – Hamster

Band 3: Handball – Leiter

Band 4: Lektoren – Parzival

Band 5: Pascal – Soziologie

Band 6: Spacelab – Z

H
(Fortsetzung)

Handball: Deutschlands Torhüter Henning Fritz versucht einen Torwurf des polnischen Endspielgegners bei der Weltmeisterschaft 2007 abzuwehren.

Handball [der], *Hallenhandball,* ein aus dem *Feldhandball* entwickeltes Torspiel, bei dem der Ball nur mit den Händen oder Armen gefangen und geworfen werden darf. Mit dem Ball in der Hand dürfen nicht mehr als drei Schritte gelaufen werden. Länger als drei Sekunden darf der Ball nicht festgehalten werden. Regelverstöße werden durch Freiwürfe, in schweren Fällen durch Strafwürfe geahndet. Die Spielzeit beträgt 2 x 30 Minuten. Der Torraum, ein Halbkreis mit 6 m Radius, darf nur vom Torwart betreten werden. Das Spielfeld misst in der Regel 40 m in der Länge und 20 m in der Breite. Es spielen zwei Mannschaften von je vierzehn Spielern. Von jeder Mannschaft dürfen jeweils nur sechs Feldspieler und ein Torwart gleichzeitig auf dem Spielfeld sein, die übrigen Mannschaftsmitglieder sind Auswechselspieler.

Was ist … Handel

Handel bezeichnet die Beschaffung von Gütern und deren Verkauf, ohne dass die Substanz der Güter dabei verändert wird. Die Bedeutung des Handels ist umso größer, je weiter die *Arbeitsteilung* vorangeschritten ist. Handel informiert und berät Nachfrager und Anbieter über Art, Menge und Qualität der angebotenen und nachgefragten Güter. Er stellt Kontakt zwischen Produzenten und Verwendern bzw. Endverbrauchern her. Durch Zusammenstellung von Gütern verschiedener Produzenten *(Sortiment)* erleichtert er den Abnehmern Preis- und Qualitätsvergleiche. Durch Transport der Güter überbrückt er die Entfernung zwischen Orten der Produktion und der Verwendung. Schließlich gleicht Handel durch *Lagerhaltung* zeitliche Unterschiede zwischen Erzeugung und Verwendung aus.

Tausch und Arbeitsteilung: Gegenstand des Handels ist der Tausch von Gütern. Beim *direkten Tausch* oder *Naturaltausch* werden zwei Güter gegeneinander getauscht. Für das eine erhält man eine bestimmte Menge des anderen. Beim *indirekten Tausch* übernimmt *Geld* die Funktion des Tausch- und Zahlungsmittels und der Kreis der Beteiligten erweitert sich: So verkauft ein Handwerker Erzeugnisse gegen Geld an seine Kunden und verwendet wiederum Einnahmen zum Kauf von Produktionsmitteln und Vorprodukten. In beiden Fällen macht Arbeitsteilung bzw. die Konzentration auf die Tätigkeit, die man am besten beherrscht, Handel erforderlich. Durch seine spezialisierte Tätigkeit bestimmt Handel die Produktivität der Wirtschaft wesentlich mit. Viele Waren wären ohne grenzüberschreitenden Handel gar nicht verfügbar.

Geschichte des Welthandels: Nach Zerfall des Römischen Reiches, das dem Handel einen einheitlichen Wirtschaftsraum geboten hatte, bildete *Byzanz* ein wichtiges Zentrum des Fernhandels zwischen Ost und West. Der Handelsverkehr zwischen Europa und dem Orient erhielt durch die *Kreuzfahrer* und deren Eroberungen weiteren Auftrieb. Davon profitierten ab dem 12. Jh. Handelsstädte in Spanien (Barcelona), Frankreich (Marseille, Lyon), Oberitalien (Pisa, Venedig, Genua) und Süddeutschland (Augsburg, Ulm, Nürnberg, Regensburg). Zugleich wurden die Nord- und Ostseeanrainer zu einem wichtigen, von der *Hanse* beherrschten Handelsgebiet. Am Ausgang des Mittelalters entstanden mächtige internationale Handelshäuser, z. B. die Augsburger Familienverbände Fugger und Welser. Portugal und Spanien wurden im Zeitalter der Entdeckungen führende See- und Kolonialmächte, die den Fernhandel mit Asien und der Neuen Welt abwickelten. Diesen Rang machten ihnen ab Ende des 16. Jh. die Niederlande und v. a. England streitig. Unter dem Einfluss der *Freihandelslehre* weitete sich im 19. Jh. der Welthandel stark aus. Es bildete sich eine weltwirtschaftliche Arbeitsteilung zwischen nord- und mitteleuropäischen Industrieländern und den Rohstoffländern im Osten und in Übersee heraus. Die USA wuchsen seit Beginn des 20. Jh. in ihre Rolle als wichtigste Welthandelsmacht hinein.

Abbau von Barrieren, fairer Handel: Um den grenzüberschreitenden Handel zu erleichtern, wurde 1947 das *Allgemeine Zoll- und Handelsabkommen – GATT* gegründet. Dessen Ziel war es, in internationalen Verhandlungsrunden Handelshindernisse abzubauen. Dabei ging es v. a. um Mengenbeschränkungen, *Zölle* und die Benachteiligung ausländischer Produkte auf Inlandsmärkten. Nachfolger des GATT mit erweiterten Aufgaben wurde 1994 unter dem Dach der UNO die Welthandelsorganisation *(WTO)*. Außerdem entstanden verschiedene regionale Freihandelszonen. In Europa macht der *Europäische Binnenmarkt* innerhalb der EU den freien Austausch von Waren und Dienstleistungen möglich. Weiter reichende Ziele, v. a. im Sinn einer *nachhaltigen Entwicklung*, hat der *faire Handel* (englisch Fair Trade). Er will eine Handelspartnerschaft, die über bessere Handelsbedingungen für benachteiligte Produzenten in Entwicklungsländern deren Lebensbedingungen verbessert, u. a. durch Ausschaltung des Zwischenhandels, Garantiepreise und Zuschläge bei niedrigen Welthandelspreisen.

Händel, Georg Friedrich, *1685, †1759; deutscher Komponist und Musiker der Barockzeit. Er war als Geiger und Cembalist am Hamburger Opernhaus tätig, wirkte in Italien und als Hofkapellmeister in Hannover. 1712 ließ er sich endgültig in seiner Wahlheimat London nieder. Das Oratorium »Messias« ist sein bekanntestes Werk. Daneben schrieb er Kammermusik, Orgelkonzerte und Orchesterwerke (»Wassermusik«, »Feuerwerksmusik«).

Handfeuerwaffen [Pl.], die Schusswaffen, die von einem Einzelnen getragen und bedient werden können, z. B. Gewehr, Karabiner, Muskete, Panzerfaust und Pistole.

Handgranate [die], ein Sprengkörper, der mit einer Hand geworfen werden kann. Handgranaten werden im Nahkampf eingesetzt.

Handikap ['hændikæp, das, engl.], eine Benachteiligung, Beeinträchtigung, Erschwerung.

Handke, Peter, * 1942; österreichischer Autor. Er gilt als wichtiger Vertreter der Gegenwartsliteratur. In seinen Theaterstücken und in seiner Prosa greift er immer wieder aktuelle Konflikte und Diskussionen, aber auch Autobiografisches auf. Bekannt wurde er u. a. durch das Theaterstück »Publikumsbeschimpfung«, die Erzählung »Die Angst des Tormanns beim Elfmeter« oder den Roman »Mein Jahr in der Niemandsbucht«.

Handwerk [das], das Handwerk ist die älteste Form der gewerblichen Tätigkeit. Im Mittelalter war es in *Gilden, Zünften* und *Innungen* organisiert und bildete das Zentrum der Stadtwirtschaft. Mit dem Aufkommen von Fabriken in der zweiten Hälfte des 18. Jh. vollzog sich dann ein Wandel. Viele Produkte, die gut in Serie hergestellt werden konnten, fielen nun der Industrie zu. Andere Güter, die individuelle Fertigung erfordern, blieben beim Handwerk. Die Grundlage des Handwerks in Deutschland ist heute die Handwerksordnung. Der Handwerksmeister ist zugleich Unternehmer, Kapitalgeber und erster Arbeiter. Ihm unterstehen die Gesellen und die Auszubildenden. Die ordnungsgemäße Durchführung der Ausbildung wird von den Handwerkskammern und Innungen kontrolliert. Sie nehmen auch die Gesellen- und Meisterprüfungen ab.

Handy ['hændi, das], ein kleines → Mobiltelefon. Siehe auch ZEIT-Beitrag →»Handy: Das Telefon-Wunder«, Seite 14–17.

Hanf [der], ein bis 3 m hohes Kraut, das zur Fasergewinnung angebaut wird. Die Samen enthalten ein Öl, das zur Seifenherstellung dient. *Indischer Hanf* liefert das Rauschmittel Haschisch, *Amerikanischer Hanf* das Marihuana.

Hanse: Originalgetreuer Nachbau einer Hansekogge unter vollen Segeln auf der Ostsee; das Schiff wurde einer 600 Jahre alten, 1962 bei Bremen gefundenen Kogge nachempfunden.

Hannover: Das Neue Rathaus am Maschsee wurde 1913 fertiggestellt.

Hannibal, * 247/246 v. Chr., † 183 v. Chr.; größter Feldherr Karthagos. Im Kampf gegen Rom im Zweiten Punischen Krieg überquerte er mit seinem Heer, das auch Elefanten mit sich führte, Pyrenäen und Alpen und besiegte die Römer am Trasimenischen See (217 v. Chr.) und bei Cannae (216 v. Chr.). Hannibal blieb 13 Jahre in Italien. Es gelang ihm nicht, Rom zu erobern. Wegen der Bedrohung Karthagos durch die Römer wurde er zurückgerufen und unterlag den Angreifern 202 v. Chr. bei Zama. Die Karthager mussten Frieden schließen. Auf der Flucht vor den Römern nahm sich Hannibal das Leben.

Hannover, Landeshauptstadt und größte Stadt in Niedersachsen, 516000 Einwohner. Hannover liegt an der Leine und am Mittellandkanal. Die Stadt war Schauplatz der Weltausstellung »EXPO 2000« und alljährlich findet hier die größte Industriemesse Europas statt *(Hannover Messe)*.

Hanoi, Hauptstadt von Vietnam, am Roten Fluss, rund 2,8 Mio. Einwohner.

Hanse [die, althochdeutsch, »Schar«, »Bund«], ursprünglich im Mittelalter eine genossenschaftliche Vereinigung von Kaufleuten zur gegenseitigen Hilfe im Auslandshandel. Später übernahmen die Heimatstädte der Kaufleute die Aufgaben der Hanse. Ende des 13. Jh. kam es im Deutschen Reich zu einem ersten

Fortsetzung → Seite 18

Ganz Ohr: Ein Leben ohne Handy ist für viele heute unvorstellbar

Handy

Das Telefon-Wunder

Von Burkhard Straßmann

Natel heißt das Mobiltelefon in der Schweiz, das ist die Abkürzung von Nationales Autotelefon-Netz. In den USA sagt man *cell phone* oder *cellular.* In England redet man von *mobile phone.* Und in Schweden nennt man das Ding schlicht *mobil* oder umgangssprachlich *ficktelefon* (ficka heißt Tasche!). Nur in Deutschland spricht man vom Handy.

Die Sprachforscher wissen nicht sicher, woher dieser Begriff stammt. Die Telekom könnte der Urheber sein, sie nannte 1988 ein mehr als ein Pfund schweres, nur mit Mühen tragbares Telefon Handy. Aber auch der Hersteller Motorola kommt als Urheber infrage: Im Krieg lieferte er der US-Armee tragbare Funkgeräte namens Walkie-Talkie. Eine leichtere Version hieß Handie Talkie. Sicher ist nur, dass Handy falsches Englisch ist, so wie Dressman, Ego-Shooter oder Showmaster – hört sich schick an, wird aber in England und den USA nicht verstanden. Obwohl … neuerdings hört man aus Amerika, dass der Begriff Handy auch dort zunehmend in Gebrauch ist.

Das erste Mobiltelefon

Mobiltelefone waren zunächst ausschließlich Autotelefone. Einer der ersten Benutzer war Bundeskanzler Konrad Adenauer. 1958 konnte er deutschlandweit aus dem Auto heraus telefonieren; die Gespräche mussten allerdings noch von Hand vermittelt werden. Solche Telefone waren alles andere als handlich – die Röhrengeräte wogen 16 Kilogramm und beanspruchten fast den gesamten Kofferraum. Sie kosteten annähernd so viel wie das Auto, in dem sie montiert wurden. Das spezielle Mobilfunknetz (A-Netz) war damals das größte flächendeckende Netz der Welt.

Mehr Handys als Einwohner

Mit dem Ausbau des Mobilfunknetzes verbesserte sich der Komfort beim Telefonieren. Die Funk- oder Basisstationen standen dichter beieinander, sodass die Mobilgeräte weniger Leistung brauchten und kleiner werden konnten. Das B-Netz (ab 1972) ermöglichte das Selberwählen. Doch um einen Mobilfunker im Auto erreichen zu können, musste man noch immer wissen, in welchem Vorwahlbereich er sich aufhielt. Das erste echte Handy kam dann 1983 auf den Markt. Es war der sogenannte Backstein von Motorola, das DynaTac 8000X. Es wog knapp ein Kilogramm, und mit einer Akkuladung konnte man eine Stunde lang telefonieren.

1992 startete das digitale D-Netz, die Voraussetzung für eine massenhafte Verbreitung des Mobilfunks. Es gab gleich zwei Anbieter und damit erstmals in Deutschland Konkurrenz bei der Telekommunikation: Telekom (D1) und Mannesmann (D2). Zu Anfang wurden Menschen, die sich mit ihrem brikettgroßen Gerät auf die Straße trauten, noch als Snobs und Angeber verspottet: Es konnte sich doch kein normaler Mensch im Ernst für so wichtig halten, dass er überall, am Strand, beim Einkaufen und auf dem Klo, erreichbar sein musste! So dachte man damals. Als der Autor dieser Zeilen beruflich ein Handy brauchte, bekam nur seine Freundin die Nummer. Wer ihn erreichen wollte, musste seine Freundin zu Hause anrufen, die Freundin rief, wenn es dringend war, ihn an, er rief – aus einer öffentlichen Telefonzelle – zurück. Die Gesprächstarife im Mobilfunk waren einfach noch viel zu teuer, um es anders zu machen. Außerdem war es peinlich, mitten unter Fremden zu telefonieren.

Heute gibt es in Deutschland mehr Handys als Einwohner. 2005 telefonierten weltweit schon zwei Milliarden Menschen mobil. Schon Kindergartenkinder wünschen sich ein Handy. Und damit auch die Alten nicht zu kurz kommen, gibt es Handys mit dicken Tasten und extra großen Buchstaben und Zahlen.

Das Handy hat unser aller Leben verändert, positiv wie negativ. Die Party fällt aus, ein Freund von mir hat Liebeskummer, meine Aktie verliert an Wert? Ich erfahre es sofort und kann reagieren. Ein Bergsteiger klemmt in der Gletscherspalte? Ein Urlauber ist in der Türkei mit dem Auto von der Straße abgekommen? Handy raus, ADAC anwählen, Hilfe ist unterwegs. Voraussetzung: Ich »habe ein Netz«, also Funkkontakt zu einer Basisstation. Und der Akku darf nicht leer sein. Andererseits: Man kann nie mehr wirklich verschwinden, allein sein, seine Ruhe

Gar nicht handlich: Das erste Handy von Motorola (1983) wog knapp ein Kilogramm

haben. Der Auftrag zu diesem Artikel erreichte den Autor im Urlaub in Transsilvanien (Rumänien). Die Kollegin, die ihn anrief, saß gerade in Portugal am Strand – ebenfalls im Urlaub. Und die Scham, in der Öffentlichkeit zu telefonieren? Die gibt es nicht mehr. In der Eisenbahn kann man das Schlafen oder Lesen vergessen und wird stattdessen unfreiwillig Zeuge von Ehedramen oder juristischen Auseinandersetzungen – schon weil fast alle Mobiltelefonierer schreien, als wäre ihr Gesprächspartner taub. Die schrägsten Klingeltöne erschrecken und nerven Theatergänger, Kino- und Gottesdienstbesucher.

Damit ein Handy irgendwo auf der Welt erreicht werden kann, muss der Zentralrechner des jeweiligen Netzbetreibers seinen Aufenthaltsort kennen. Deshalb meldet sich jedes eingeschaltete Handy regelmäßig mit einem Ortungssignal (legt man das Gerät neben das Radio, kann man das Signal hören). Das Ortungssignal interessiert nicht nur den Netzbetreiber, sondern unter Umständen auch die Polizei. Durch geschickte Auswertung des Signals über mehrere Basisantennen kann sie zum Beispiel gestohlene Handys aufspüren. Aber natürlich auch die Besitzer von Handys. Kriminelle können dadurch entdeckt oder verfolgt werden.

»Elektrosmog« und heiße Ohren

Handys können jedoch nicht nur stören und Datenschützer nervös machen. Sie stehen auch im Verdacht, der Gesundheit zu schaden. Beim Mobilfunk werden Signale mit Hilfe elektromagnetischer Wellen übertragen. Basisstationen und Handys strahlen. Nicht wenige Menschen sind davon überzeugt, dass sie »elektrosensibel« sind, dass elektromagnetische Felder oder »Elektrosmog« bei ihnen Kopfschmerzen und Krankheiten auslösen. Neue Standorte für Basisstationen sind deswegen oft umstritten. Dabei ist die Strahlenbelastung durch die Antennen eines Sendemastes vernachlässigbar, verglichen mit der Belastung durch ein funkendes Handy.

Ein funkendes Handy erwärmt – ähnlich wie ein Mikrowellengerät – Gewebe. In diesem Fall das Körpergewebe in Ohrbereich. Es gibt zahlreiche wissenschaftliche Untersuchungen zur Frage, ob dies die Gesundheit gefährden kann. Die meisten Forscher fanden selbst bei Vieltelefonierern auch nach Jahren keine körperlichen Veränderungen; einige wenige stellten aber eine Zunahme von Hirntumoren fest.

Handys haben mal groß angefangen: Heute passen sie bequem in die Hosentasche

Handy-Basisstationen wie diese sind die Knotenpunkte des Mobilfunknetzes

Die geringste gesundheitliche Gefahr, die vom Handy ausgeht, ist der sogenannte SMS-Daumen. Es handelt sich um eine Sehnenscheidenentzündung, die man bekommt, wenn man übermäßig viele Kurzmitteilungen schreibt. Der 1992 eingeführte Short Message Service, anfangs ein Gratisangebot, wurde schnell besonders unter Jugendlichen beliebt. SMS sind billiger, schneller und unverbindlicher als ein Gespräch; und mit 160 Zeichen ist meist das Wichtigste gesagt.

Die kleinen Alleskönner

SMS ist ein Beispiel dafür, dass das Handy heute nur noch unter anderem ein mobiles Fernsprechgerät ist. Man kann mit modernen Handys hervorragende Fotos machen und Filme produzieren; ganze Musiksammlungen finden darauf Platz; man kann Texte schreiben, mit Tabellen arbeiten, ins Internet gehen, fernsehen und das Handy als Navigationsgerät benutzen. Man kann mit ihm Tickets kaufen und Rechnungen bezahlen und es als Spielekonsole gebrauchen. Das Dual-SIM-Handy erlaubt den gleichzeitigen Betrieb eines privaten und eines beruflichen Handys in einem Gerät. Und das leidige Problem des zu schnell leeren Akkus steht auch vor der Lösung: Das Handy, das sich durch Körperwärme auflädt, ist in Sicht.

Was seit der Einführung des Handys indes immer wieder gefordert wird und immer noch fehlt, ist eine Handy-Etikette. Wir brauchen verbindliche Verabredungen darüber, was man einfach nicht tut: zum Beispiel im Restaurant telefonieren. Ins Gerät brüllen. Leute ohne deren Wissen mit dem Handy fotografieren oder filmen. Paragraf 1 der »Handyquette« (von Handy und dem englischen Wort für Etikette, *etiquette)* aber müsste auf jeden Fall lauten: Der wichtigste Knopf beim Handy ist der Ausschaltknopf!

lockeren Zusammenschluss von Handelsstädten unter Führung von Lübeck. Die Deutsche Hanse hatte mit 160 Mitgliedern (vom Niederrhein bis Livland und Russland und von Stockholm bis Göttingen und Breslau) im 14./15. Jh. ihre Blütezeit. Ihre wichtigsten Stützpunkte *(Kontore)* befanden sich in London, Brügge, Bergen, Visby und Nowgorod. Im 16. Jh. verdrängten die Engländer und Niederländer die Hanse aus ihren Stützpunkten. Am Ende des Dreißigjährigen Krieges hatte die Hanse keine Bedeutung mehr. Bremen, Hamburg und Lübeck nennen sich noch heute »Freie Hansestadt«.

Hantel [die], aus einer Stange mit beiderseits angebrachten Gewichten bestehendes Sportgerät für Gewichts- und Krafttraining und zum Gewichtheben.

Harakiri [das], außerhalb von Japan die Bezeichnung für *Seppuku,* eine rituelle Selbstmordart. Harakiri kam im 12. Jh. auf und war ursprünglich auf die Samurai beschränkt. 1873 wurde Harakiri verboten.

Harare, die Hauptstadt von Simbabwe (ehemals Salisbury), 1,4 Mio. Einwohner.

Hardrock [der], *Hard Rock,* eine sehr laute, stark rhythmisierte Rockmusik.

Hardware ['ha:dwεə, die, engl.] → Computer.

Hare-Krishna-Bewegung, eine 1966 gegründete Jugendreligion, die auf dem Hinduismus aufbaut. Die Anhänger der Sekte sind zum unbedingten Gehorsam verpflichtet und geben den Kontakt zu Familien und Freunden auf. Sie tragen als äußeres Zeichen gelbe Gewänder und geschorene Haare. Auch → Jugendreligionen.

Harfe: Typisch für die Harfe sind Akkordspiel und Glissando (das Gleiten der Finger über die Saiten).

Keith Haring und Prinzessin Caroline von Monaco vor einem Graffiti des Künstlers

Harem [der], die Frauengemächer in islamischen Ländern, die außer dem Hausherrn kein Mann betreten darf.

Harfe [die], ein altes Saiteninstrument, das mit den Fingern gezupft wird. Heute ist die große Standharfe mit 46–48 Saiten gebräuchlich. Mit Pedalen lässt sich die Saitenstimmung ändern. Als Melodieinstrument wird die Harfe neuerdings beim Jazz eingesetzt.

Haring ['hæriŋ], Keith, * 1958, † 1990; US-amerikanischer Maler. Mit seinen lachenden und tanzenden bunten Strichmännchen wurde er zum Hauptvertreter der Graffiti-Kunst.

Harmonie [die], allgemein Übereinstimmung, Zusammenklang. In der Musik ist Harmonie der Zusammenklang verschiedener Töne als Akkord. Man unterscheidet spannungslose und spannungsreiche, auflösungsbedürftige Akkorde.

Harmonium [das], ein Tasteninstrument in Form eines Klaviers und mit orgelähnlichem Klang. Ein Luftstrom, der mit Hilfe von Blasebälgen erzeugt wird, bringt frei schwingende Metallzungen zum Klingen.

Harn [der], *Urin,* das flüssige Ausscheidungsprodukt der Nieren, das aus Wasser, Salzen und Ab-

Harz: Die 1500 Einwohner zählende Stadt Stolberg liegt im Südharz. Sie ist bekannt für ihre Renaissance-Fachwerkhäuser.

fallprodukten des Körpers sowie aus *Harnstoff* und *Harnsäure* besteht. Von den Nieren gelangt der Harn über die beiden *Harnleiter* in die *Harnblase.* Hier wird er gesammelt und dann ausgeschieden.

Harpune [die], ein Wurfpfeil oder -speer mit Widerhaken, der an einer langen Leine (Fangleine) befestigt ist. Naturvölker verwenden die Harpune vor allem zur Jagd auf Wassertiere. Sporttaucher machen mit der Harpune Jagd auf Fische.

Harsch [der], Schnee mit verfestigter Decke, entsteht durch Tauen und erneutes Gefrieren.

Harz [der], ein deutsches Mittelgebirge im Nordwesten, in der Tiefebene zwischen Leine und Saale. Es teilt sich in den Oberharz im Westen (600–800 m) mit dem *Brocken* (1142 m) und den Unterharz im Osten (300–400 m).

Harze [Pl.], Absonderungen verschiedener Pflanzen (z. B. Nadelhölzer, Wolfsmilchgewächse, Doldenblütler), die in besonderen Zellen gebildet und in Harzkanäle geleitet werden, von wo sie bei Verletzungen austreten. Erstarrtes Harz aus dem Tertiär ist bekannt als *Bernstein.* Künstlich hergestellte Harze *(Kunstharze)* dienen als Grundstoffe für Lacke, Firnisse, Seifen und Arzneien.

Haschisch [das], das Harz des Indischen Hanfs. Es wirkt als Rauschmittel und kann geraucht, getrunken und gegessen werden. Der Genuss verändert die Sinneswahrnehmungen. Das Raum- und Zeitgefühl wird aufgehoben. Haschisch erzeugt keine körperliche Sucht, kann aber zu psychischer Abhängigkeit führen. Auch → Drogen.

Haselnuss [die], die essbare Frucht des Haselstrauches, der in nördlich gemäßigten Zonen vorkommt. Die Sträucher tragen getrenntgeschlechtliche Blüten (weibliche Knospen und männliche Kätzchen).

Hasen [Pl.], eine weltweit verbreitete Familie der Hasentiere, keine Nagetiere. Charakteristisch für alle Hasen sind die langen Ohren. Viele haben auch verlängerte Hinterbeine, mit denen sie lange Fluchtsprünge ausführen. Bei uns leben der *Feldhase* als Einzelgänger und das gesellige *Kaninchen.*

Hasen: Der Feldhase ist aufgrund der intensiven Landwirtschaft gebietsweise sehr selten geworden.

Hasenscharte [die], eine angeborene Spaltung der Oberlippe, die manchmal bis zur Spaltung des Gaumens reicht *(Wolfsrachen).* Eine Hasenscharte kann durch eine Operation behoben werden.

Hauff, Wilhelm, * 1802, † 1827; deutscher Erzähler und Lyriker der Romantik. Hauff schuf ein umfangreiches volkstümliches Werk. Weltbekannt sind seine Märchen (z. B. »Kalif Storch«, »Zwerg Nase«, »Der kleine Muck«, »Das kalte Herz«) sowie Novellen und der geschichtliche Roman »Lichtenstein«.

Hauptmann, Gerhart, *1862, †1946; deutscher Dichter des Naturalismus. Hauptmann stellt in seinen Dramen oft unbeschönigt soziale Missstände dar. Bekannt sind »Die Weber«, »Der Biberpelz«, »Fuhrmann Henschel«, »Die Ratten«. Später trugen seine Dramen oft märchenhafte Züge. Hauptmann erhielt 1912 den Nobelpreis für Literatur.

Hauptsatz [der], ein Satztyp, der im Unterschied zum *Nebensatz* eine vollständige Äußerung darstellt.

Hauptschule [die], in Deutschland die Bezeichnung für eine Schule, die die Klassen 5–9 oder 10 umfasst, bei 6-jähriger Grundschule oder selbstständiger Orientierungsstufe die 7.–9. Klasse. Sie ist eine der drei Schultypen, die auf der Grundschule aufbauen. Auch → Bildungswesen.

Hauptwort [das] → Substantiv.

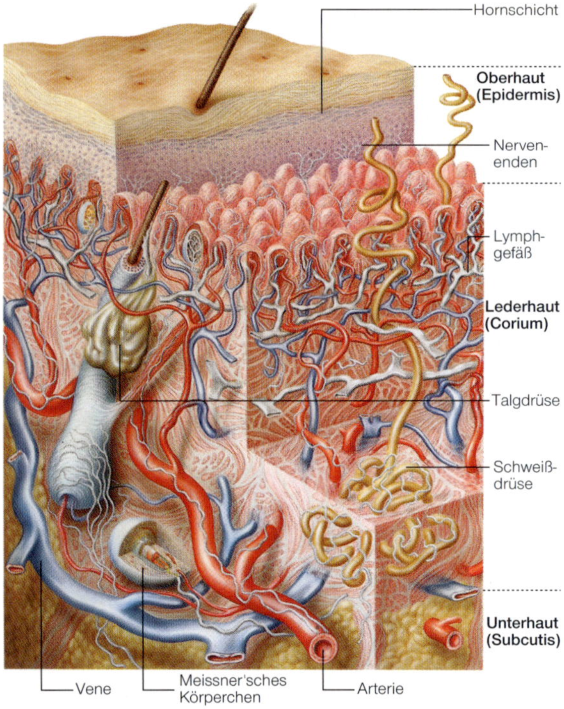

Haut: Die Grafik zeigt den Schichtenaufbau der Haut.

Hausfriedensbruch [der], das widerrechtliche Eindringen in fremde Räume oder Grundstücke.

Haushaltsplan [der], *Budget, Etat,* die Gegenüberstellung der voraussichtlichen Einnahmen (z. B. Steuern) und Ausgaben (z. B. Bau von Schulen oder Straßen) für ein Haushaltsjahr in Staat, Ländern, Bezirken, Kreisen und Gemeinden, aber auch in anderen öffentlichen Einrichtungen. Der Haushaltsplan muss von dem zuständigen Parlament verabschiedet (genehmigt) werden. Der ordentliche Haushaltsplan enthält alle regelmäßig wiederkehrenden Ausgaben und Einnahmen, der außerordentliche Haushaltsplan einmalige Ausgaben für außergewöhnliche Zwecke.

Hausse ['(h)oːs(ə), die, franz., »Steigen«] → Börse.

Haustiere → Seite 21.

Haut [die], ein Gewebe, das den Körper vielzelliger Tiere nach außen abschließt. Beim Menschen und den meisten Wirbeltieren ist die Haut aus drei Schichten aufgebaut: Oberhaut, Lederhaut und Unterhaut. Sie dient als Schutz gegen äußere Einwirkungen, als Sinnesorgan (z. B. für Temperatur, Druck oder Schmerz), als Atmungsorgan (Hautatmung) und zur Wärmeregulation (durch Schweißabsonderung). In der mit der *Oberhaut* verbundenen *Lederhaut* sitzen Haarbälge, Talg- und Schweißdrüsen, Nervenzellen und Blutgefäße. In der *Unterhaut* befinden sich Fettzellen und Bindegewebe. Die Hautfarbe wird durch die Menge der Pigmente bestimmt. Durch Verhornung kann die Haut Krallen, Hörner, Schuppen oder Panzer bilden.

Hautkrankheiten [Pl.], durch äußere Einwirkungen oder auch durch innere Ursachen entstehende krankhafte Veränderungen der Körperoberfläche. Äußere Einwirkungen können z. B. Pilze (Fußpilz), Bakterien oder Viren sein, aber auch allergisch wirkende Stoffe (Nesselfieber, Ekzeme) oder Strahlen (Sonnenbrand). Zu den inneren Ursachen gehören z. B. Störungen des Hormonhaushalts (Akne) und manche Infektionskrankheiten (Masern, Röteln, Scharlach).

Mehr wissen ...

Zum Nutzen der Menschen: Haustiere

In der Jungsteinzeit wurden die Menschen sesshaft und mussten zur Beschaffung ihrer Nahrung nicht mehr unbedingt auf die Jagd gehen. Langsam lernten sie, den Boden zu bestellen, so dass er ihnen ihre Lebensgrundlage lieferte. Ohne Haustiere wäre diese Entwicklung undenkbar gewesen. Sie halfen den Menschen als Zug- und Lasttiere, lieferten Dung und Wolle und waren selbst ein wichtiger Bestandteil der menschlichen Ernährung. Immer mehr wurden die Haustiere auf bestimmte Eigenschaften hin gezüchtet und damit den menschlichen Bedürfnissen angepasst. Viele Haustiere sind heute auf den Menschen angewiesen und könnten in der Natur nicht mehr überleben.

Der Golden Retriever wird besonders bei der Jagd auf Flugwild eingesetzt.

Domestikation:

Wie entwickelte sich ein derartig enges Verhältnis zwischen Mensch und Tier? Wir können uns vorstellen, dass hin und wieder junge Wölfe in die Obhut von Menschen gelangten. Die Menschen hatten Freude an den tapsigen Wolfsjungen, und diese schlossen sich eng an ihren neuen »Leitwolf« an. Der Anschluss an den Menschen fiel dem Wolf leicht, weil er als Rudeltier an soziale Regeln gewöhnt war und gelernt hatte, sich einem Leittier unterzuordnen. Durch Anpassung und Zucht wurde aus dem Wolf ein Haushund, ein zuverlässiger Helfer des Menschen, zu bedingungslosem Gehorsam fähig, kräftig, geschickt und mutig. So etwa kann man sich die Haustierwerdung, die Domestikation des Wolfes, vorstellen. Die ältesten eindeutig bestimmbaren Haushundfunde sind 9500 Jahre alt und stammen aus Europa. Möglicherweise begann die Domestikation des Wolfs aber noch viel früher.

Sehr alte Haustiere sind auch Schaf und Ziege. Vor mehr als 9000 Jahren gelangten ihre wilden Vorfahren in Südwestasien in den Hausstand. Ihre Anbindung ans Haus war einfach, da die genügsamen Tiere sich ihre Nahrung in der Umgebung selbst suchten. Für die Domestikation des Rindes, das anspruchsvollere Nahrung braucht, war die Entwicklung der Landwirtschaft eine wichtige Voraussetzung. Zunächst verfütterten die Menschen Reste ihrer Feldfrüchte, später züchteten sie sogar spezielle Futterpflanzen. Die Herdentiere erhielten Schutz vor Unwetter und Raubtieren und lieferten Milch, Fleisch, Wolle, Fell und Leder, aber auch Arbeitskraft und wertvollen Dünger. Die ältesten Funde von Hausrindern sind 8500 Jahre alt und stammen aus dem östlichen Griechenland und von der Insel Kreta.

Vor mehr als 8500 Jahren begannen die Menschen, das Wildschwein zu zähmen. Das gesellige Tier war für den Lebensbereich des Menschen wie geschaffen. Durch Zucht veränderten sich Aussehen und Wesen des Hofgenossen: Sein Rüssel wurde kürzer, die Hauer kleiner, das Haarkleid schütterer, sein Fleisch fetter und das ganze Tier viel sanfter.

Pferde faszinierten die frühen Menschen ganz besonders, wie man an steinzeitlichen Höhlenmalereien sehen kann. Zuerst diente das Pferd nur als Fleischlieferant und Reittier bei der Jagd, später als Zugtier. Heute werden Pferde vor allem für Sportzwecke und zur Freizeitgestaltung gehalten.

Auch viele andere Tiere wurden ans Haus gebunden und in geschützter Gefangenschaft gehalten: Kaninchen, Hühner, Gänse und Enten sowie die kleinsten Haustiere, die Bienen. Heute ist der Mensch von zahlreichen Haustieren umgeben, die den verschiedensten Zwecken dienen: als Arbeits- und Zugtiere, als Lieferanten von Häuten, Wolle, Milch, Fleisch und Honig oder einfach als Hobbytiere, die den Menschen durch ihren Gesang, ihre Schönheit oder Freundschaft erfreuen.

Tiere zu Hause:

Welches Kind hätte nicht gerne einen Wellensittich, einen Hamster oder gar einen Hund? Bei aller Freude, die man mit Tieren haben kann, sollte sich die ganze Familie bewusst machen, dass mit dem Kauf auch Verantwortung für eine lange Zeit übernommen wird. Ein Hund braucht etwa 15 Jahre Zuwendung und Versorgung, ein Meerschweinchen wird 10 Jahre und ein Goldhamster immerhin 2 Jahre alt. Zur beiderseitigen Freude bietet man dem kleinen Hausgenossen eine artgerechte Umgebung und die Ernährung, Zuwendung und Abwechslung, die er braucht. Das heißt, dass man mehrmals am Tag mit dem Hund »Gassi« gehen muss, auch wenn es in Strömen regnet oder man überhaupt keine Lust hat. Ein Aquarium mit Goldfischen oder Guppys muss regelmäßig gereinigt werden, damit die Fische nicht erkranken. Und auch Papageien brauchen tägliche Ansprache und Beschäftigung, sonst reißen sie sich vor Langeweile die Federn aus. Wenn man bereit ist, diese Zeit und Arbeit zu investieren, kann ein Haustier viel Freude bereiten.

Havanna, *La Habana,* Hauptstadt von Kuba, 2,2 Mio. Einwohner. Die Stadt wurde 1515 von Spaniern an der Südküste gegründet, 1519 an den heutigen Platz an die Nordküste verlegt.

Havarie [die], ein Sachschaden an einem Schiff und dessen Ladung.

Havel [die], rechter Nebenfluss der Elbe, 343 km lang. Er entspringt in der Mecklenburgischen Seenplatte, fließt durch Berlin und mündet bei Havelberg.

Havel, Václav, * 1936; tschechischer Dramatiker und Politiker. Havel hatte in der Tschechoslowakei Publikationsverbot (1970–1989) und wurde als Kritiker des Regimes seit 1979 mehrfach inhaftiert. Nach dem politischen Umschwung 1989 wurde er Staatspräsident (1989–1992) und nach der Gründung der Tschechischen Republik ihr erster Staatspräsident (1993–2003).

Hawaii-Inseln [Pl.], *Hawaii,* eine Inselgruppe im Pazifik und Staat der USA, 1,21 Mio. Einwohner, Hauptstadt *Honolulu.* Zu den Inseln gehören 8 größere und zahlreiche felsige, unbewohnte kleinere Inseln vulkanischen Ursprungs. Die Hauptinsel ist Hawaii. Die 1778 von J. *Cook* entdeckten Inseln schlossen sich um 1800 zu einem Königreich zusammen, wurden 1898 durch die USA eingenommen und 1959 ein Bundesstaat der USA.

Havanna: Das Kapitol (im Bildhintergrund), 1929 als Regierungssitz errichtet, beherbergt heute die Akademie der Wissenschaften.

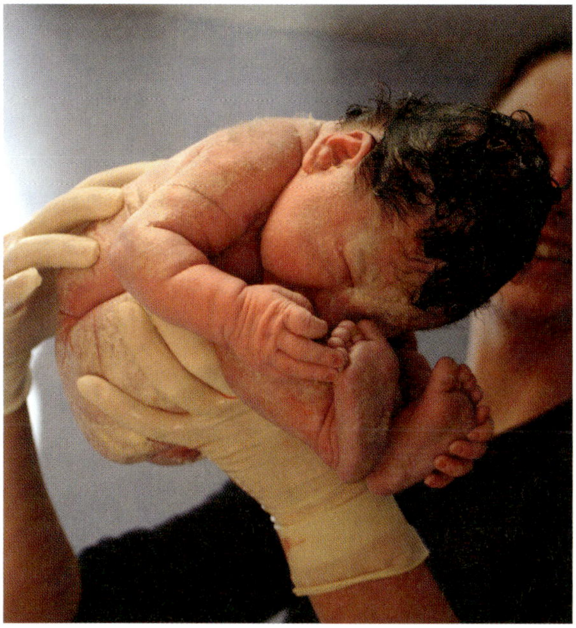

Hebamme mit einem Neugeborenen; Hebammen können auch Männer sein, sie heißen dann Entbindungspfleger.

Hawking ['hɔːkiŋ], Stephen William, *1942; britischer Physiker und Mathematiker. Er ist einer der brillantesten Wissenschaftler der Gegenwart und arbeitet an einer einheitlichen Beschreibung von Anfang, Entwicklung und Zukunft des Universums in einer alles erklärenden »Weltformel«. Sein Hauptwerk ist »Eine kurze Geschichte der Zeit«.

Haydn, Joseph, *1732, †1809; österreichischer Komponist. Haydn ist der Begründer der Wiener Klassik. Er war Lehrer *Beethovens* und mit *Mozart* befreundet. Haydn gilt als Schöpfer der klassischen Sinfonie. Neben seinen Sinfonien, Instrumentalkonzerten, Serenaden, Streichquartetten und Klavierwerken sind besonders seine beiden Oratorien »Die Schöpfung« und »Die Jahreszeiten« sehr bekannt geworden.

Heavy Metal ['hevi 'metl, der, engl.], *Heavy Metal,* Stilrichtung der Rockmusik seit Mitte der 1970er Jahre und eine Form des *Hardrock.* Heavy Metal wird bestimmt von harten, verzerrten Gitarrentönen.

Hebamme [die], eine Person, die für die Geburtshilfe ausgebildet und geprüft ist. Hebammen sind bei der Geburt sowie der Betreuung von Mutter und Kind nach der Geburt tätig.

Hebbel, Friedrich, *1813, †1863; deutscher Dichter. Hebbel schildert Menschen, die in einen schuldhaften Konflikt mit der bestehenden Weltordnung geraten und daran zugrunde gehen. Seine Hauptwerke sind »Maria Magdalene«, »Herodes und Mariamne«, »Agnes Bernauer«, »Gyges und sein Ring«, »Die Nibelungen« (Trilogie); ferner schrieb er lyrische Gedichte und Tagebücher.

Hebel [der], ein um eine Achse oder einen Punkt (Drehpunkt) drehbarer Stab zum Heben einer Last oder zur Verstärkung des Drucks (z. B. eine Brechstange, Waage oder Zange). 250 v. Chr. wurde von *Archimedes* das Hebelgesetz aufgestellt.

Hebräer [Pl.], andere Bezeichnung für die Juden.

Hebriden [die], eine Inselgruppe mit über 500 Inseln, von denen rund 50 bewohnt sind, zusammen rund 7300 km^2; vor der Nordwestküste Schottlands gelegen, 60 000 Einwohner.

Hecht [der], ein lang gestreckter Raubfisch in Süßgewässern. Der Hecht ist ein gewandter Schwimmer, der seine Beute blitzartig überfällt. Er wird bis 1,4 m lang und 35 kg schwer. Der Hecht wird als Speisefisch geschätzt.

Hecht: Der Raubfisch lauert fast unbeweglich auf seine Beute, um sie dann blitzartig zu packen.

Heck [das], das Hinterteil eines Schiffs.

Hedin, Sven Anders, * 1865, † 1952; schwedischer Asienforscher. Er entdeckte die Quellen des Indus und des Brahmaputra, erforschte den Transhimalaya und unternahm 1923 eine Reise um die Welt. Hedin schrieb neben wissenschaftlichen Büchern viel gelesene Reiseberichte.

Heer [das], die Landstreitmacht eines Staates.

Hefen [Pl.], einzellige Schlauchpilze, die sich vorwiegend durch Knospung, aber auch durch Sporen vermehren. Sie können Zucker zu Alkohol und Kohlendioxid vergären. Hefen werden daher z. B. zur Bierherstellung verwendet und als Treibmittel zum Backen, wobei die Kohlendioxidentwicklung genutzt wird.

Hegel, Georg Wilhelm Friedrich, * 1770, † 1831; deutscher Philosoph, ein bedeutender Vertreter des deutschen Idealismus. Hegel war in Heidelberg und Berlin als Hochschullehrer tätig. Er entwickelte eine besondere Methode der Erkenntnis, die *Dialektik.* Über seine Zeit hinaus wirksam wurde vor allem seine Geschichtsphilosophie.

Hegemonie [die, griech., »Führerschaft«], die Vorherrschaft bzw. die Vormachtstellung eines Staates gegenüber anderen Staaten.

Heide [die], eine flache, offene Landschaft mit niedrigem Bewuchs, Gras, Heidekraut, Sträuchern und

Heidekraut: In bunten Kissen ziert das Heidekraut die Landschaft wie hier in Flandern.

Heidelberg: Das Heidelberger Schloss, die größte deutsche Schlossruine, ist der Hauptanziehungspunkt der Stadt.

nur vereinzelten Bäumen auf nährstoffarmen Böden. Das größte Gebiet in Deutschland ist die *Lüneburger Heide* in Niedersachsen.

Heidegger, Martin, * 1889, † 1976; deutscher Philosoph und der bedeutendste Vertreter des → Existenzialismus in Deutschland. In seinen Veröffentlichungen, vor allem in »Sein und Zeit«, greift er die Frage nach dem Sinn des Seins auf.

Heidekraut [das], *Erika,* immergrüne kleine Sträucher mit winzigen Blättern und rosavioletten vierzipfeligen Glockenblüten.

Heidelberg, eine Stadt in Baden-Württemberg, am Neckar, 143 000 Einwohner. Heidelberg hat eine barocke Altstadt, die vom Heidelberger Schloss aus dem 13. Jh. überragt wird.

Heilbutt [der], ein Speisefisch, mit 1–2 m der größte Plattfisch. Er kommt in den nördlichen Meeren vor.

Heilige [Pl.], in vielen Religionen Menschen, die besonders fromm oder standhaft waren, z. B. Märtyrer, die ihr Leben für ihren Glauben hingegeben haben. In der katholischen Kirche erfolgt nach einem Prüfungsverfahren die Heiligsprechung durch den Papst. Die evangelische Kirche kennt keine Heiligenverehrung.

Heilige Drei Könige, Legendengestalten, die ihren Ursprung im Neuen Testament haben (nach Matthäus kamen Weise aus dem Morgenland, um das Jesuskind anzubeten). In der folgenden Zeit wurden aus den Weisen Könige, die die Namen *Caspar, Melchior* und *Balthasar* erhielten. Sie werden am 6. Januar, dem *Dreikönigstag,* gefeiert.

Heilige Familie [die], Maria, Joseph und das Christuskind.

Heiliger Geist, nach christlicher Lehre die dritte Person der Dreieinigkeit, Gott Vater, Gott Sohn und Heiliger Geist. Er wird oft als Taube dargestellt.

Heiliges Land, nach Überlieferung des Alten Testaments Bezeichnung für Palästina.

Heiliges Römisches Reich *Deutscher Nation,* der Name des Deutschen Reichs, das im 9./10. Jh. aus dem Ostfränkischen Reich hervorging und bis 1806 bestand. Der Zusatz »Deutscher Nation« stammt aus dem 15. Jh. Der Begriff »heilig« betont die christliche Tradition des Kaisertums.

Heilpflanzen [Pl.], Pflanzen, deren Teile zur Herstellung von Arzneien oder für sonstige medizinische Zwecke verwendet werden. Schon in alter Zeit kannte man viele Heilpflanzen; heute sind über 50 000 Arten bekannt (z. B. *Aloe, Baldrian, Melisse, Minze*).

Heilpraktiker [Pl.], Personen, die im Heilgewerbe tätig sind und ihre Patienten besonders nach homöopatischen und naturheilkundlichen Grundsätzen behandeln. Die Ausbildung erfolgt an einer Heilpraktiker-Schule.

Heinrich der Löwe und seine Gemahlin Mathilde, Glasfenster im Lübecker Dom

Heilquellen [Pl.], Quellwässer mit hohem Gehalt an bestimmten Salzen (Mineralquellen) oder mit höherer Temperatur (Thermalquellen), die eine heilsame Wirkung auf bestimmte Krankheiten haben.

Heilsarmee [die], eine christliche Bewegung, die von dem englischen Prediger William *Booth* 1878 gegründet wurde. Sie ist eine weltweite Organisation. Ihr Hauptbetätigungsfeld liegt in den Großstädten mit dem Ziel, durch Armenpflege und Gefangenenfürsorge und Verkündigung des Wortes Christi die Menschen zur persönlichen Heilung und zu einem geordneten Leben zu führen.

Heine, Heinrich, * 1797, † 1856; deutscher Schriftsteller. Heine war seit 1831 in Paris als Korrespondent deutscher Zeitungen tätig. Er war Wegbereiter eines zeitkämpferischen Journalismus und stellte mit Witz und Ironie Schwächen des politischen Systems bloß. Er schrieb Gedichte (»Buch der Lieder«), Prosa (»Reisebilder«) und satirische Versepen (»Deutschland. Ein Wintermärchen«).

Heinemann, Gustav, * 1899, † 1976; deutscher Politiker. Heinemann gehörte zu den Mitbegründern der CDU, war aber seit 1957 Mitglied der SPD. Nach verschiedenen Ministerämtern war er 1969–1974 Bundespräsident.

Heinrich der Löwe, * um 1129/1130, † 1195; Herzog von Sachsen (1142–1180) und Bayern (1156–1180). Er trieb eine planmäßige Erwerbspolitik, vor allem im östlichen Sachsen, förderte die Ostsiedlung und den Handel im Ostseeraum, gründete u. a.

München und Schwerin (Neugründung Lübecks) und baute Braunschweig zu seiner Hauptstadt aus. Als er sich 1179/1180 weigerte, Kaiser *Barbarossa* in Oberitalien militärisch zu unterstützen, wurde er geächtet. Daraufhin ging er 1182 in die Verbannung nach England. Ihm blieb nur sein Hausbesitz Braunschweig-Lüneburg. 1194, nach dem Tod Barbarossas, versöhnte sich Heinrich der Löwe mit dessen Nachfolger Kaiser *Heinrich VI.;* die Machtstellung der Welfen konnte er jedoch nicht zurückerobern.

Heinrich der Seefahrer, * 1394, † 1460; portugiesischer Königssohn. Er entsandte Forschungsschiffe an die afrikanische Westküste und gab damit den Anstoß für die portugiesische Seemachtstellung. Er gründete in Sagres die erste Seefahrtschule der Erde sowie eine Sternwarte.

Heisenberg, Werner, * 1901, † 1976; deutscher Physiker. Er entwickelte u. a. die *Quantentheorie* und stellte die *Unschärferelation* auf, wonach zwei bestimmte physikalische Größen (Ort und Impuls eines Teilchens) nicht gleichzeitig beliebig genau gemessen werden können. Heisenberg erhielt 1932 den Nobelpreis für Physik.

Hektar [das], Kurzzeichen ha; ein Flächenmaß, 1 ha = 10 000 m^2.

hektisch, ruhelos, sprunghaft, überreizt.

Hekto..., ein Vorsatz bei Maßeinheiten: das Hundertfache, z. B. 1 Hektoliter = 100 Liter.

Hel [die], in der germanischen Göttersage die Unterwelt, Wohnstätte der Toten, auch die Göttin der Unterwelt.

Helena, in der griechischen Sagenwelt die Tochter des Zeus und Gattin des griechischen Königs Menelaos. Helena wurde vom trojanischen Königssohn Paris geraubt, was den *Trojanischen Krieg* zur Folge hatte.

Helgoland, eine deutsche Nordseeinsel (Schleswig-Holstein), 45 km vor der Elbe- und der Wesermündung, 1400 Einwohner. Sie besteht aus dem rund 60 m hohen Oberland (steil aufragender roter Buntsandsteinfelsen) und dem tiefer gelegenen Unterland mit Hafen. 1,5 km östlich der Hauptinsel liegt die Düne mit Badestrand, die bis Anfang des 18. Jh. mit Helgoland verbunden war. Auf der Insel gibt es eine biologische Forschungsstation und eine Vogelwarte.

Helgoland: Nordwestlich der Insel befindet sich der 48 m hohe Felsturm »Lange Anna«.

Helikopter [der] → Hubschrauber.

Helium [das], ein chemisches Element mit dem Zeichen He. Das farblose und unbrennbare Edelgas kommt in der Luft, in Uranmineralien und in Erdgasquellen vor. Da es leichter als Luft ist, wird es beispielsweise als Traggas für Luftschiffe und Ballons verwendet. Außerdem wird es als Füllung für Leuchtstoffröhren und als Kühlmittel in der Kernphysik gebraucht.

Hellas, die antike Bezeichnung für das griechische Festland.

Helsinki, die Hauptstadt von Finnland, auf einer Landzunge des Finnischen Meerbusens im Süden des Landes, 559 000 Einwohner. Helsinki wurde 1550 vom Schwedenkönig Gustav *Wasa* gegründet und ist heute die größte Stadt Finnlands.

Hemingway, Ernest, * 1899, † 1961; US-amerikanischer Schriftsteller. Hemingway war als Kriegsberichterstatter im Nahen Osten und im Spanischen Bürgerkrieg. Sein knapper Erzählstil wurde charakteristisch für die moderne Kurzgeschichte. Seine Hauptwerke sind: »Wem die Stunde schlägt«, »Der Schnee vom Kilimandscharo« und »Der alte Mann und das Meer«. 1954 erhielt er den Nobelpreis für Literatur.

Hemisphäre [die], Halbkugel, besonders die Erdhalbkugel oder die Großhirnhälfte.

Hendrix, Jimi, eigentlich *James Marshall*, *1942, †1970; US-amerikanisches Rockidol der 1960er und 1970er Jahre. Er schuf auf seiner Gitarre einen völlig neuen Klang, indem er Verstärker u.a. elektronische Effekte einsetzte.

Hengst [der], ein männliches Pferd.

Henkel, Fritz, *1848, †1930; deutscher Industrieller. Zur Herstellung von Waschmitteln gründete er 1876 die Firma *Henkel & Cie.* in Aachen (seit 1878 in Düsseldorf ansässig), die zu einem der größten Chemieunternehmen der Welt wurde.

Hera, die griechische Göttin der Erde, der Frauen und der Ehe, die Gemahlin des Göttervaters Zeus. Ihr entspricht bei den Römern *Juno.*

Herakles, lat. *Herkules,* ein Halbgott der griechischen Sagenwelt, Sohn des Zeus. Er vollbrachte 12 außergewöhnliche, Mut und Kraft erfordernde Arbeiten und erlangte schließlich Unsterblichkeit.

Heraklit, *Herakleitos, H. von Ephesos*, *etwa 540 (544) v.Chr., †480 (483) v.Chr.; griechischer Philosoph. Er gehört zu den bedeutendsten griechischen Naturphilosophen und beschäftigte sich mit der Frage nach dem Ursprung der Welt und der Ordnung, die alles zusammenhält. Für ihn war die Welt in ständiger Veränderung begriffen (»alles fließt«) und Schauplatz eines ewigen Kampfes gegensätzlicher Prinzipien.

Heraldik [die], *Wappenkunde,* behandelt die Entstehung, Veränderung und Bedeutung von Wappen.

Herbizid [das], ein chemisches Mittel zur Bekämpfung von unerwünschten Land- oder Wasserpflanzen.

Herbst → Jahreszeiten.

Herder, Johann Gottfried, *1744, †1803; deutscher Schriftsteller. Seine Schriften über die neuere deutsche Literatur und den Ursprung der Sprache hatten großen Einfluss auf den jungen Goethe sowie allgemein auf die deutsche Klassik und Romantik.

Heringe [Pl.], eine Familie kleiner Knochenfische, die im Atlantik beheimatet sind und vielfach als Speisefische genutzt werden, z.B. *Sprotten, Sardinen* und vor allem der *Atlantische Hering,* einer unserer wichtigsten Speisefische. Er hat fettes Fleisch und ernährt sich von Plankton. Die Heringe wandern zur Laichzeit in riesigen Schwärmen an den Küsten entlang und heften ihren Laich (bis 30000 Eier) am Boden an. Durch intensiven Fischfang sind die Heringsbestände jedoch stark vermindert worden.

Hermann der Cherusker → Armin.

Hermelin [das] → Wiesel.

Hermes, der griechische Götterbote, der Gott der List, der Kaufleute, der Diebe und Wanderer. Er war auch der Begleiter der Toten in die Unterwelt. Bei den Römern trug er den Namen *Merkur.*

Herodes der Große, *um 72 v. Chr., †4 n. Chr.; römischer Statthalter von Galiläa, später König von Judäa. Ihm wird der Kindermord von Bethlehem zugeschrieben, der zur Zeit um Christi Geburt stattgefunden haben soll.

Heringe können bis zu 20 Jahre alt werden, wenn sie nicht vorher in einem Fangnetz enden.

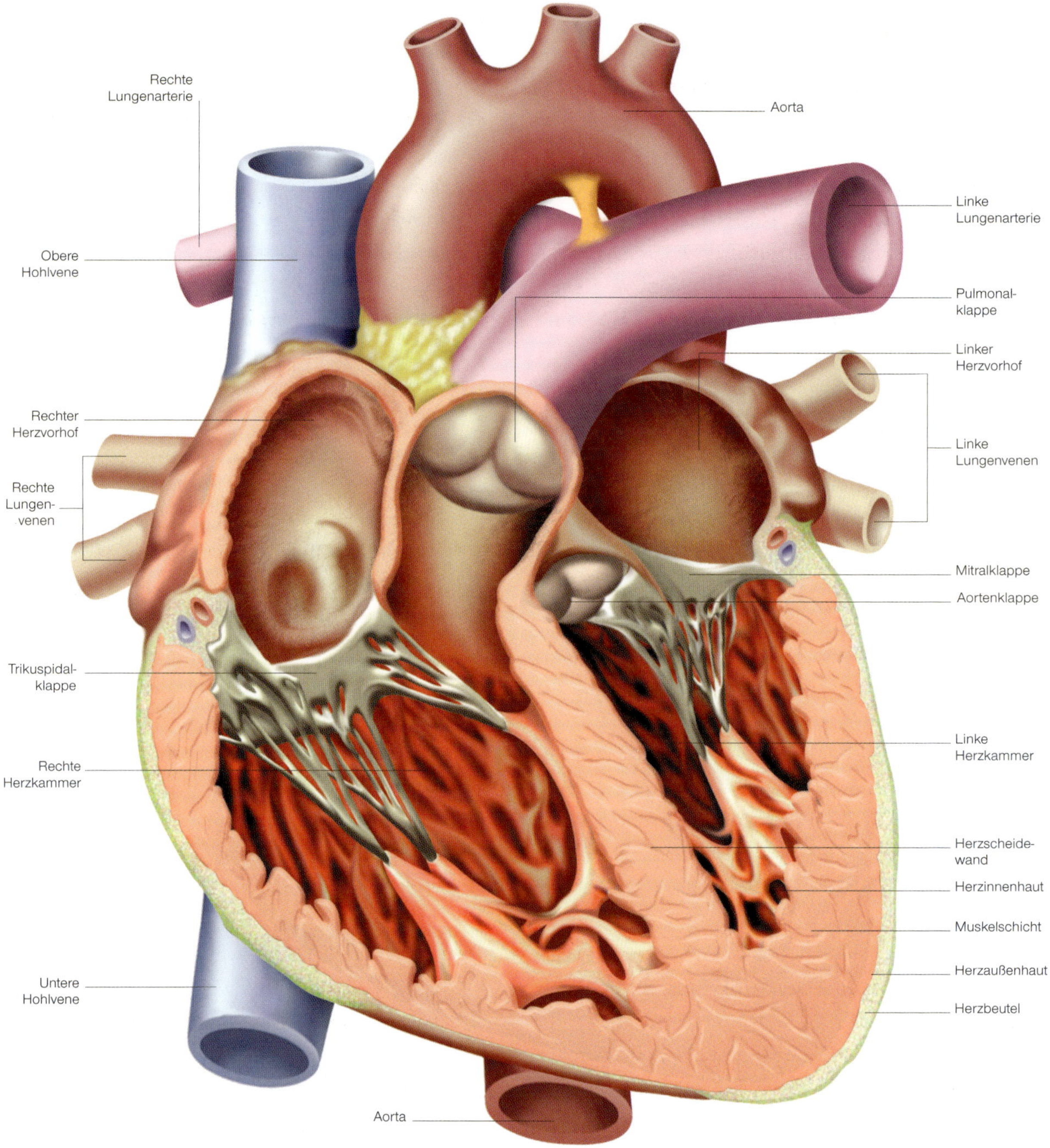

Herz: Verbrauchtes Blut fließt über die Hohlvenen in den rechten Vorhof, der es durch die Trikuspidalklappe in die rechte Kammer stößt. Von dort wird es durch die Pulmonalklappe in die Lungenarterien und in die Lunge gepresst. Angereichert mit Sauerstoff, fließt das Blut über die Lungenvenen in den linken Vorhof und gelangt durch die Mitralklappe in die linke Kammer. Diese pumpt das Blut durch die Aortenklappe in den Aortenbogen und in die Aorta, die es an die Körperschlagadern weiterleitet.

Herodot, grch. *Herodotos*, *um 485 v. Chr., †um 425 v. Chr.; griechischer Geschichtsschreiber. Er unternahm Reisen nach Persien, Ägypten, Babylonien und an das Schwarze Meer. In seinen neun Geschichtsbüchern beschreibt er insbesondere die Auseinandersetzung zwischen Hellenen und Persern. Er gilt als Begründer der kritischen Geschichtsschreibung.

Heroin [das], ein gefährliches Rauschgift, das schnell eine körperliche und psychische Abhängigkeit erzeugt. Es wird meist in die Vene gespritzt. Die Überdosierung von Heroin führt zur Atemlähmung und zum Herzstillstand.

Herpes [der], ein Bläschenausschlag, der sich am Übergang von Haut und Schleimhaut ausbreitet (z. B. an den Lippen). Er wird durch Viren hervorgerufen.

Herrentiere [Pl.] → Primaten.

Herschel, Sir Friedrich Wilhelm, *1738, †1822; deutscher Musiker und Astronom. Er entdeckte den Planeten Uranus, die Uranusmonde und zwei Saturnmonde. Außerdem erforschte er die Eigenbewegung des Sonnensystems sowie den Aufbau des Milchstraßensystems.

Hertz, Heinrich, *1857, †1894; deutscher Physiker. Hertz entdeckte 1887 die *elektromagnetischen Wellen* und bestätigte ihre Wesensgleichheit mit den Lichtwellen. Nach ihm ist die Maßeinheit der Frequenz benannt. 1 Hertz (Hz) = 1 Schwingung in der Sekunde.

Herz [das], bei den verschiedensten Tiergruppen und beim Menschen das zentrale Antriebsorgan für den *Blutkreislauf*. Das menschliche Herz entspricht in Größe und Form einer geballten Faust (etwa 250 bis 300 g) und liegt in der linken Hälfte des Brustkorbs. Es ist ein durch eine Scheidewand in zwei gleiche Hälften geteilter Hohlmuskel, dessen Teile aus je einem *Vorhof* und einer größeren *Herzkammer* bestehen. Durch rhythmisches Zusammenziehen und Erschlaffen (= Herzschlag; in der Minute etwa 70–80-mal) wird der Blutkreislauf in Gang gehalten. *Herzklappen*, die wie Ventile arbeiten, sorgen dafür, dass das Blut in eine Richtung fließt. Sie verhindern das Zurückfließen des Blutes von einer Herzkammer in ihren Vorhof und aus einer Schlagader in eine Herzkammer. So pumpt die rechte Herzkammer das sauerstoffarme (venöse) Blut aus dem Körper in die Lunge, während die linke Herzkammer das sauerstoffreiche (arterielle) Blut aus der Lunge in den Körper pumpt. Der Herzmuskel wird durch die *Herzkranzgefäße*, die von der Aorta abzweigen, mit Sauerstoff versorgt.

Was ist ein … Herzinfarkt

Ein Herzinfarkt ist eine nicht wieder rückgängig zu machende Schädigung des Herzmuskels durch den Verschluss von Herzkranzgefäßen. Dadurch wird das Herz teilweise von der Blut- und Sauerstoffversorgung abgeschnitten und der Herzmuskel stirbt an der Stelle unwiederbringlich ab. Dies kann zu lebensbedrohlichen Herzrhythmusstörungen und durch Kammerflimmern zum Sekundenherztod führen. In Deutschland erleiden jährlich etwa 280 000 Menschen einen akuten Herzinfarkt und über 60 000 Menschen sterben daran. Herz-Kreislauf-Krankheiten sind in unserer Gesellschaft die häufigste Todesursache.

Symptome: Symptome, die auf einen Herzinfarkt deuten, sind plötzlich einsetzende dumpfe Schmerzen in der Brustmitte, die bis in Kiefer, Rücken oder linken Arm ausstrahlen können. Weitere charakteristische Symptome sind Beklemmungs-, Enge- oder Angstgefühle, rasender Puls, Atemnot, Todesangst (»Vernichtungsgefühl«) und kalter Schweiß. Manchmal kommt es aber nur zu unklaren Beschwerden im Oberbauch oder zu unerklärlicher Atemnot.

Besonders bei Frauen gelten derartige Beschwerden als möglicher Hinweis auf einen Herzinfarkt. Oft werden diese Symptome jedoch falsch interpretiert, wodurch wertvolle Zeit für die Behandlung verlorengeht. In Einzelfällen treten auch gar keine Beschwerden auf (»stummer Infarkt«).

Ursache: Ursache eines Herzinfarkts ist überwiegend eine *Arteriosklerose* (Arterienverkalkung) der Herzkranzgefäße. Diese werden weniger flexibel und es können sich Risse bilden. An diesen lagern sich Blutplättchen ab, die die Verletzung heilen sollen, nun aber einen Blutpfropf (Thrombus) bilden, der die Ader plötzlich verstopft. Der Herzinfarkt kann durch Vernarbung ausheilen, kann aber auch akut zum Tod durch Herzstillstand führen (»Herzschlag«). Risikofaktoren sind z.B. erhöhte Blutfettwerte (erhöhter Cholesterinspiegel), Bluthochdruck, Diabetes mellitus, Übergewicht, Rauchen, anhaltender Stress oder eine ererbte Anlage für Herz-Kreislauf-Erkrankungen. Das Herzinfarktrisiko kann jeder selbst etwas beeinflussen: Durch eine gute medizinische Vorsorge und eine gesundheitsbewusste Lebensweise, also vernünftige Ernährung, viel Bewegung und maßvollen Sport, lässt sich die Gefahr mindern.

Therapie: Entscheidend für das Überleben eines Herzinfarkts ist die umgehende medizinische Versorgung. Deshalb darf bei Verdacht auf Herzinfarkt keinesfalls gezögert werden, den Notarzt zu rufen. Bis zu dessen Eintreffen sollte der Betroffene in eine aufrecht sitzende Position gebracht werden. Falsch ist es hingegen, die Beine hochzulegen. In den ersten Stunden nach einem Herzinfarkt kann versucht werden, Blutgerinnsel medikamentös aufzulösen *(Thrombolyse)* oder verschlossene Herzkranzgefäße durch Einführung eines Ballonkatheters wieder zu öffnen *(Ballondilatation)*. Wegen drohender Herzrhythmusstörungen und Kammerflimmern ist in der Akutphase eine intensivmedizinische Betreuung erforderlich. Im Anschluss an den Krankenhausaufenthalt folgt für gewöhnlich ein dreiwöchiger Aufenthalt in einem Rehabilitationszentrum, wo mit gezieltem Körpertraining eine weitgehende Leistungsfähigkeit des Herzens wiederhergestellt werden soll. Nach einem Herzinfarkt ist in den meisten Fällen eine lebenslange medikamentöse Therapie sinnvoll, die Herzrhythmusstörungen und Herzmuskelschwäche sowie der Gefahr von erneuten Herzinfarkten vorbeugt.

Herzl, Theodor, * 1860, † 1904; österreichischer Schriftsteller und Zionist. Er war einer der Begründer des politischen *Zionismus* und schuf die Voraussetzungen für die Gründung des Staates Israel im Jahre 1948. Sein erklärtes Ziel war es, eine »Heimstätte des jüdischen Volkes« in Palästina zu schaffen.

Herzog [der, althochdeutsch, »der mit dem Heer auszieht«], in germanischer Zeit ein gewählter Heerführer. Später wurde das Amt erblich und der Titel zum höchsten deutschen Adelstitel. Die letzten deutschen Herzogtümer bestanden bis 1918.

Herzog, Roman, * 1934; deutscher Politiker (CDU). 1994–1999 war er Bundespräsident.

Hesse, Hermann, * 1877, † 1962; deutscher Schriftsteller. Er beschäftigte sich intensiv mit der indischen Geisteswelt. In seinen Gedichten, Erzählungen und Romanen schildert Hesse die Zerrissenheit des Menschen zwischen Gefühl und Verstand. Zu seinen Hauptwerken gehören: »Peter Camenzind«, »Demian«, »Der Steppenwolf«, »Narziss und Goldmund« und »Das Glasperlenspiel«. Hesse erhielt 1946 den Nobelpreis für Literatur.

Hessen, ein Bundesland in der Mitte von Deutschland, mit dem bewaldeten Hessischen Bergland, Taunus und Westerwald, Odenwald und Spessart. Ein bedeutender Wirtschaftsraum ist das Rhein-Main-Gebiet mit dem Wirtschaftszentrum Frankfurt. Hauptstadt ist *Wiesbaden.* Hessen ist 21 114,82 km² groß und hat 6,1 Mio. Einwohner.

Hessen: Hirschhorn am Neckar

heterogen, verschiedenartig, ungleich, uneinheitlich; Gegensatz: *homogen.*

Heterosexualität, geschlechtliches Verhältnis zum anderen Geschlecht; Gegensatz: *Homosexualität.*

Heuschnupfen [der], eine schnupfenähnliche Erkrankung mit Nasen- und Bindehautentzündung, die oft mit Asthma verbunden ist. Heuschnupfen ist auf eine Überempfindlichkeit gegen Blütenstaub *(Allergie)* zurückzuführen.

Heuschrecken [Pl.], eine artenreiche Insektenordnung. Charakteristisch sind die als Sprungbeine ausgebildeten Hinterbeine. Fast alle Arten erzeugen mit Schrillleisten an den Beinen oder Flügeln Zirptöne, mit denen sie einen Partner anlocken. Bei uns sind die *Feldheuschrecken,* die *Laubheuschrecken* und die *Grillen* vertreten. In den Tropen und Subtropen leben die *Wanderheuschrecken,* die in riesigen Schwärmen auftreten und ganze Landstriche kahl fressen können.

Heuss, Theodor, *1884, †1963; deutscher Politiker. Er war Abgeordneter im Deuschen Reichstag. 1946 gründete er die FDP und nahm entscheidenden Einfluss auf die Gestaltung des Grundgesetzes. 1949–1959 war er Bundespräsident.

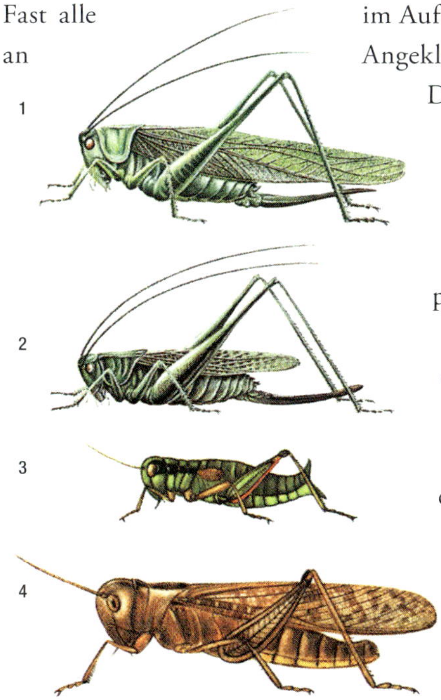

Heuschrecken: Zu ihnen gehören 1 Grünes Heupferd, 2 Warzenbeißer, 3 Gebirgsschrecke, 4 Europäische Wanderheuschrecke.

Hexameter, ein Versmaß aus 6 meist daktylischen Versfüßen.

Hexen [Pl.], im Volksglauben Frauen, die mit dem Teufel verbündet sind und über dämonische Kräfte verfügen. Besonders im 16. und 17. Jh. gab es Hexenverfolgungen und Hexenprozesse. Sie wurden im Auftrag der *Inquisition* geführt; ca. 60 000 Angeklagte starben auf dem Scheiterhaufen. Durch die sogenannte peinliche Befragung, die die *Folter* einschloss, wurden die Verfolgten zu jedem gewünschten Geständnis gezwungen. Im 18. Jh. wurden die Hexenprozesse verboten.

Hexenschuss [der], ein plötzlicher Schmerz in der Lenden- oder Kreuzgegend, der die Beweglichkeit stark einschränkt. Er entsteht durch eine ungeschickte Bewegung, durch krankhafte Veränderungen der Wirbelsäule und durch einen Bandscheibenvorfall. Er bessert sich durch Ruhigstellung und Wärmebehandlung.

Heyerdahl ['hɛiərda:l], Thor, *1914, †2002; norwegischer Naturforscher. Er war einer der bekanntesten Forschungsreisenden des 20. Jh. 1947 unternahm er mit dem Floß *Kon-Tiki* eine Fahrt von Peru nach Tahiti. 1970 überquerte er den Atlantik von Marokko nach Westindien mit dem Papyrusboot *Ra II*.

Hierarchie [die], Rangfolge, Rangordnung.

Hieroglyphen [Pl.], eine altägyptische Bilderschrift, etwa ab 3000 v. Chr., die erst im 19. Jh. entziffert werden konnte. Auch bei anderen Kulturen wurden Hieroglyphen nachgewiesen, z. B. bei den Maya. Im übertragenen Sinn bezeichnet man eine schwer lesbare Schrift als Hieroglyphe.

Hi-Fi [haifai oder haifi, das], Abkürzung für den englischen Begriff *High Fidelity.* Dieser Fachausdruck steht für die wirklichkeitsgetreue Tonwiedergabe bei Rundfunkgeräten, Stereoanlagen, Lautsprechern und Mikrofonen. Damit ein Gerät diese Bezeichnung tragen darf, muss es bestimmte Normen (→ DIN) erfüllen, die genau vorgegeben sind.

Hildebrandslied [das], das einzige in der ursprünglichen Form und in althochdeutscher Sprache erhaltene germanische Heldenlied. Es wurde um 800

Hieroglyphen auf dem Grenzstein von Sesostris rühmen die Taten von Sesostris III.

Himalaya: Dem neuseeländischen Bergsteiger Edmund Hillary gelang 1953 gemeinsam mit seinem Führer Tenzing Norgay die Erstbesteigung des Mount Everest, des höchsten Bergs der Erde.

in Fulda aufgezeichnet. Es besteht aus 68 Langversen und schildert den Kampf zwischen Vater und Sohn.

Hildegard von Bingen, *1098, †1179; deutsche Mystikerin. Sie war die große Mystikerin des Mittelalters und befasste sich mit Religion, Medizin, Biologie und Musik. Aus ihrer Feder stammen 13 medizinische Abhandlungen. Als Komponistin schuf sie religiöse Gesänge. Hildegard von Bingen wurde heiliggesprochen (Fest: 17. 9.).

Hilfsverb [das], ein Verb, das immer bei einem anderen Verb steht und zur Bildung zusammengesetzter Zeiten dient, im Deutschen *sein, haben, werden,* für Futur (ich werde fahren), Perfekt (ich habe gewettet) u. a.

Hillary ['hiləri], Sir Edmund, *1919; neuseeländischer Bergsteiger und Polarforscher. Er zählt zu den berühmtesten Bergsteigern der Welt. 1953 bezwang er als Erster zusammen mit dem Sherpa *Tenzing Norgay* den Mount Everest im Himalaya.

Himalaya [der, altindisch, »Schneewohnung«], höchstes und mächtigstes Gebirge der Erde zwischen der nordindischen Tiefebene und dem Hochland von

Tibet, rund 2500 km lang und 150–280 km breit, mit zehn Gipfeln über 8000 m. Der Himalaya ist bis in Höhen von etwa 4300 m besiedelt, die Waldgrenze liegt zwischen 3700 und 4200 m. Die höchsten Himalayagipfel wurden erst zwischen 1950 und 1960 bezwungen: Mount Everest (8846 m, höchster Gipfel der Erde), Kanchenjunga (8586 m), Lhotse (8516 m), Makalu (8463 m), Cho Oyu (8189 m), Dhaulagiri (8167 m), Nanga Parbat (8126 m).

Himbeere [die], ein Rosengewächs, das bei uns wild im Wald wächst, mit roten, essbaren Früchten.

Himmel [der], *Firmament,* ein scheinbares Gewölbe, an dem die Sterne befestigt zu sein scheinen und das durch den *Horizont* in eine obere (sichtbare) und eine untere (unsichtbare) Halbkugel geteilt wird. Der Punkt senkrecht über dem Beobachter heißt *Scheitelpunkt* oder *Zenit,* der entgegengesetzte Punkt *Fußpunkt* oder *Nadir.* Auf Kreisen, die durch Nadir und Zenit gehen, werden Sternhöhen gemessen. Im christlichen Glauben wird eine jenseitige Welt Gottes und der Seligen als Himmel bezeichnet.

Himmelfahrt, nach christlichem Glauben die Auffahrt Christi oder Marias in den Himmel, in anderen Religionen die verbreitete Vorstellung von der Himmelfahrt der Seele oder des ganzen Menschen.

Himmelskunde [die] → Astronomie.

Himmelsrichtungen [Pl.], die Einteilung des Horizontes: *Norden* liegt in Richtung des geografischen Nordpols, *Süden* in Richtung des geografischen Südpols oder des höchsten Stands der Sonne in der Mittagsstunde. Im *Osten* geht die Sonne auf, im *Westen* geht sie unter. Auf Landkarten ist Norden immer oben.

Himmler, Heinrich, * 1900, † 1945 (Selbstmord); deutscher Politiker (NSDAP); er war Reichsführer der Schutzstaffel (SS) der NSDAP, Chef der Polizei (Gestapo) und nach *Hitler* der mächtigste Mann im nationalsozialistischen Deutschland. Für die Verbrechen der SS und die Ermordung von rund 6 Mio. Juden in Konzentrationslagern war v.a. Himmler verantwortlich.

Hindemith, Paul, * 1895, † 1963; deutscher Komponist und Dirigent. Er schrieb u.a. die Opern »Mathis der Maler« und »Die Harmonie der Welt« sowie Kammermusik, Orchesterwerke, Chorwerke und theoretische Schriften. Er stellte der Zwölftontechnik ein System der freien Tonalität jenseits von Dur und Moll entgegen und gilt als Bahnbrecher der modernen Musik.

Hindenburg, Paul von *Beneckendorff und von Hindenburg,* * 1847, † 1934; deutscher Generalfeldmarschall und Politiker. Hindenburg war im Ersten Weltkrieg Oberbefehlshaber der deutschen und verbündeten Truppen. 1925–1934 war er als Nachfolger Friedrich *Eberts* Reichspräsident. Er geriet unter den Einfluss nationalistischer Berater und berief am 30.1. 1933 trotz schwerer Bedenken *Hitler* zum Reichskanzler.

Hildegard von Bingen, Statue vor dem Kloster in Rüdesheim

Was ist …
Hinduismus

Der Hinduismus wird vorwiegend in Indien praktiziert; er ist die drittgrößte der Weltreligionen. Der Hinduismus schreibt nicht den Glauben an einen persönlichen Gott vor, sondern beruht auf der Anerkennung der heiligen Schriften der Veden (sanskritisch »veda« = Wissen) und der Zugehörigkeit zu einem *Kastensystem.* Die rund 900 Mio. Gläubigen betrachten den Hinduismus nicht als Religion, sondern als allumfassende und ewig geltende kosmische Ordnung. Die Hindus kennen weder einen gemeinsamen Religionsstifter noch ein verbindliches heiliges Buch, das etwa mit der Bibel oder dem Koran vergleichbar wäre. Sie verehren zwar eine Vielzahl von Göttern, die allerdings nur verschiedene Aspekte des unvergänglichen Göttlichen, »Brahman« genannt, darstellen.

Shiva tanzt im Feuer, Bronzestatue; um 1100. London, Britisches Museum

Menschen beim rituellen Bad im Ganges

Seelenwanderung und Wiedergeburt: Im Hinduismus sehen sich die Gläubigen in einem ständigen Kreislauf von Leben, Tod und Wiedergeburt verhaftet. Art und Höhe der nächsten Existenz wird vom Gesetz des *Karma* bestimmt, das jeden Menschen nach seinen Taten bewertet und danach festlegt, in welcher Form (Mensch, Tier oder Pflanze) oder Gesellschaftsschicht er wiedergeboren wird. Jedem Menschen wird also ein bestimmter Platz in der Welt zugewiesen. Hierin liegt auch die Unterteilung der Gläubigen nach Kasten begründet, das die Bevölkerung in vier Stufen einteilt: 1. Priester (Brahmanen), 2. Adelige und Krieger, 3. Bauern, Kaufleute und Handwerker, 4. Arbeiter. Eine fünfte Gruppe bilden die sogenannten Unberührbaren, die keiner Kaste angehören und gesellschaftlich ausgegrenzt sind. Ziel der Hindus ist es, Glück und Frieden im jeweiligen Leben zu finden, letztlich aber dem ständigen Kreislauf von Wiedergeburten zu entrinnen, um die Unsterblichkeit ihrer Seelen zu erreichen und sich mit dem Göttlichen zu vereinen. Dazu gibt es viele Wege, v.a. Glauben und Gottesliebe, selbstloses Handeln sowie Studium der heiligen Schriften unter Anleitung eines Gurus, geistige Konzentration und Meditation *(Yoga).*

Göttervielfalt: Der Hinduismus kennt eine große Anzahl von Göttern. Die drei bedeutendsten sind *Brahma, Vishnu* und *Shiva.* Brahma ist der Schöpfergott, er wird meistens mit mehreren Armen und Köpfen dargestellt. Vishnu gilt als der Erhalter der

Welt und der göttlichen Ordnung. Auf Darstellungen trägt er eine Krone und besitzt vier Arme, in denen er eine Schnecke, eine Lotosblüte, ein Rad und eine Keule hält. Er zeigt sich den Menschen in zehn Erscheinungen (Inkarnationen); seine Hauptfrau ist *Lakshmi,* die Göttin des Reichtums, der Schönheit und des Glücks. Der doppelgesichtige Shiva ist zugleich Weltzerstörer und Schöpfer neuen Lebens; durch seine Zeugungskraft hält er den Kreislauf des Kosmos in Gang. Weitere wichtige Götter sind: die kriegerische *Kali,* Gemahlin des Vishnu, die auch *Durga* genannt wird; die sanfte Göttin *Parvati* oder der mit einem Elefantenkopf dargestellte *Ganesha,* der Gott des Schutzes und der Weisheit. Die Gottheiten werden im Hinduismus in Tempeln, mit Prozessionen, Wallfahrten sowie in verschiedenen Festen verehrt.

Heilige Schriften: Die Veden sind die ältesten heiligen Schriften Indiens und werden von vielen Hindus als göttliche Offenbarung angesehen. Sie wuden seit 1500 v. Chr. mündlich von Priestern überliefert und um 800 v. Chr. in vier Sammlungen schriftlich zusammengefasst. Die Veden enthalten u. a. Götterhymnen, rituelle Anweisungen sowie magische Texte und Rituale. Der Hinduismus brachte auch das längste Gedicht der Welt hervor, das *Mahabharata* (entstanden zwischen 400 v. Chr. und 300 n. Chr.). Es erzählt in rund 100 000 Versen von den Kämpfen zwischen den Nachkommen des Königs Bharata.

Hinterindien, asiatische Halbinsel zwischen Indien, China und den malaiischen Inseln. Sie umfasst die Staaten Myanmar, Laos, Vietnam, Kambodscha und Thailand sowie den westlichen Teil von Malaysia.

Hiphop [der], eine Musikrichtung, die aus der New Yorker Bronx stammt, sich aus dem Rap der späten 1970er Jahre entwickelt hat. Mit dem *Breakdance* haben sich Hiphopper ihren eigenen Tanzstil erschaffen.

Hippokrates, *Hippokrates von Kos,* *um 460 v. Chr., †um 377 v. Chr.; griechischer Arzt, »Vater der Heilkunde«. Heute geloben Ärzte im *Eid des Hippokrates* die Erhaltung der Gesundheit und des Lebens als höchsten Grundsatz.

Hirnhaut [die], eine aus 3 Schichten bestehende Bindegewebshülle, die das Hirn umgibt. *Hirnhautentzündung* wird durch verschiedene Viren und Bakterien hervorgerufen und zeigt sich durch Fieber, starke Kopfschmerzen, Übelkeit, Erbrechen, Lichtempfindlichkeit und Nackensteife. Sie kann lebensbedrohlich werden.

Hiroshima, eine japanische Hafenstadt auf der Insel Honshu, 1,1 Mio. Einwohner. Die Innenstadt wurde am 6. 8. 1945 nach Abwurf der ersten Atombombe durch ein amerikanisches Flugzeug völlig zerstört. Dabei starben sofort oder an den Folgen ihrer Verletzungen über 280 000 Menschen, mehr als 100 000 wurden verletzt. Die Stadt versteht sich heute als ein Mahnmal für die Menschheit.

Hirsche [Pl.], in Europa, Asien und Amerika vertretene Familie der Paarhufer und Wiederkäuer. Die

Hirsche: Die Rothirsch-Männchen tragen ein mächtiges Geweih und eine dunkle Halsmähne, die Weibchen sind geweihlos.

meisten männlichen Hirsche tragen ein *Geweih,* das jedes Jahr abgeworfen und erneuert wird. Beim Rentier tragen auch die Weibchen ein Geweih. Viele Arten leben in Rudeln oder Herden. Bei uns heimisch sind der *Rothirsch* (bis zu 1,50 m Rückenhöhe), der im Sommer weiß gefleckte *Damhirsch* und das kleinere *Reh.*

Hirschkäfer [der], ein bis zu 7 cm großer schwarzbrauner Käfer, der größte bei uns heimische Käfer. Auffällig sind die geweihartig vergrößerten Oberkiefer der Männchen. Die Larve lebt im morschen Holz alter Eichen, die es bei uns immer weniger gibt. Daher ist der Hirschkäfer vom Aussterben bedroht.

Hirschkäfer sind durch die Zerstörung ihrer Lebensräume sehr selten geworden und stehen daher unter Naturschutz.

Hirse [die], schon im Altertum bekanntes Getreide, dessen gelblich glänzende Samen zur Bereitung von Breien und Fladen verwendet werden. Die anspruchslose Hirse wächst auf trockenem Boden.

Hispaniola, zweitgrößte Insel der *Antillen.* Politisch ist Hispaniola aufgeteilt in *Haiti* und die *Dominikanische Republik.*

Hitchcock ['hitʃkok], Alfred, * 1899, † 1980; britischer Filmregisseur. Hitchcock drehte spannende Filme mit psychologischem Hintergrund, vor allem Kriminalfilme wie »Psycho« oder »Die Vögel«.

Wer war …

Adolf Hitler

Der deutsche nationalsozialistische Politiker Adolf Hitler (* 1889, † 1945 [Selbstmord]) errichtete nach der nationalsozialistischen »Machtergreifung« 1933 mit dem »Führerstaat« eine Diktatur in Deutschland, entfesselte 1939 den *Zweiten Weltkrieg* und schuf ein rassistisches Terrorregime, das die Verfolgung und Vernichtung der Juden im deutschen Machtbereich vollzog.

Hitler blieb ohne eigentliche Berufsausbildung und führte seit 1907 in Wien ein ungeregeltes Leben (u.a. als Kunstmaler). 1913 übersiedelte er nach München, trat 1914 in die Armee ein und nahm als Gefreiter am *Ersten Weltkrieg* teil. 1921 wurde er Vorsitzender der *Nationalsozialistischen Deutschen Arbeiterpartei (NSDAP).* Bis zum Herbst 1923 hatte er aus einem bedeutungslosen politischen Verein eine Partei mit mehr als 50 000 Mitgliedern gemacht. Sein Versuch, die Regierung zu stürzen – der *Hitler-Putsch* am 8./9. 11. 1923 – scheiterte. Die NSDAP wurde verboten, Hitler zu 5 Jahren Festungshaft verurteilt. Bereits 1924 entließen ihn die Behörden aus der Festung Landsberg, wo er den 1. Teil seines Werks »Mein Kampf« verfasst hatte. Hitler erreichte auch die Aufhebung des Verbots der NSDAP und begann in München 1925 mit ihrem Wiederaufbau, indem er absolut ergebene und gehorsame Gefolgsleute um sich sammelte. Den Durchbruch zur Massenpartei erreichte die NSDAP seit 1929 unter den für sie günstigen Umständen der *Weltwirtschaftskrise.* 1932 verlor Hitler zwar die Reichspräsidentenwahl gegen P. von *Hindenburg*, 1933 veranlasste dieser aber die Ernennung Hitlers zum Reichskanzler. Nach Hindenburgs Tod 1934 schaffte Hitler das Amt des Reichspräsidenten ab und übertrug alle Befugnisse auf sich als »Führer und Reichskanzler«. Seine Entscheidungen konnten sich in Gesetzes- oder Verordnungsform niederschlagen, aber auch im persönlichen Auftrag, im »Führerbefehl«. Hitler schaltete alle gegnerischen Parteien aus und verbot alle Organisationen, die sich dem »Führerstaat« nicht freiwillig unterstellten. Das antisemitische Programm der NSDAP ließ er mit der fortschreitenden Verfolgung der Juden radikal in die Tat umsetzen. In der Außenpolitik strebte Hitler danach, »neuen Lebensraum für das deutsche Volk« im Osten zu erobern. 1939 griff er Polen an und löste damit den Zweiten Weltkrieg aus. Die Anfangserfolge des Krieges, in dem Hitler auch den Oberbefehl des Heeres übernahm, steigerten seinen Machtwillen bis ins Maßlose. 1941 befahl er den Angriff auf die Sowjetunion. Die Judenverfolgung gipfelte in der Massenvernichtung der im nationalsozialistischen Machtbereich lebenden Juden, dem *Holocaust*. Nach der deutschen Niederlage bei Stalingrad (1943) wuchs der Widerstand gegen Hitler. Ein Attentatsversuch *(C. Graf Schenk von Stauffenberg)* scheiterte am 20. 7. 1944. Der Verantwortung für den Ruin des Deutschen Reiches entzog sich Hitler am 30. 4. 1945 durch Selbstmord im Bunker der Reichskanzlei in Berlin.

Am 1. 9. 1939 greift Hitler Polen an, in seiner Rede vor dem Reichstag verkündet er: »Seit 5.45 Uhr wird jetzt zurückgeschossen.«

Hitler-Jugend [die], Abkürzung HJ, die einzige Jugendorganisation unter der Herrschaft des Nationalsozialismus, die seit 1939 Pflichtorganisation für alle 10- bis 18-Jährigen war. Die Hitler-Jugend gliederte sich in vier Teilorganisationen: 10–14-jährige Jungen *(Jungvolk)*, 14–18-jährige Jungen *(HJ)*, 10–14-jährige Mädchen *(Jungmädel)*, 14–18-jährige Mädchen *(Bund Deutscher Mädel, BDM)*.

Hitzschlag [der], eine gefährliche Überhitzung des Körpers, die nach längerer Einwirkung sehr hoher Temperaturen auftreten kann. Vorboten sind Ermattung, übermäßiges Schwitzen und Ohnmacht. Danach steigt die Körpertemperatur stark an. Der Betroffene muss sofort gekühlt und ärztlich behandelt werden, sonst kann ein Hitzschlag lebensbedrohlich werden.

HIV [der oder das], Abkürzung von **H**uman **I**mmunodeficiency **V**irus, »menschliches Immunschwächevirus«, der Erreger von → Aids. Ein Mensch, der mit dem HI-Virus infiziert ist, ist *HIV-positiv*.

Hobbes [hɔbz], Thomas, * 1588, † 1679; englischer Philosoph. Er war ein einflussreicher Staatstheoretiker, der sich hauptsächlich mit Fragen der Staatsgründung beschäftigte. Seiner Lehre nach herrscht in der Natur das Recht des Stärkeren, der »Krieg aller gegen alle«. Da dies unvernünftig ist, sollten Konflikte von einer übergeordneten Instanz gelöst werden, die ihre Macht von den Untertanen erhält. Hobbes Theorien bilden die Grundlagen heutiger Staatsformen.

Hobel [der], ein Werkzeug, das Späne abträgt und mit dem man Oberflächen, beispielsweise von Holz, glättet.

Hoch [das], ein Gebiet mit hohem Luftdruck. Ein Hoch bringt Wolkenarmut und Trockenheit (im Sommer Hitze, im Winter Kälte).

Hochbau [der], ein Zweig des Bauwesens, der sich mit der Errichtung von Bauwerken befasst, die mit ihren Hauptteilen über dem Erdboden liegen; Gegensatz: *Tiefbau*.

Hochfrequenz [die], elektromagnetische Wellen von 3 Kilohertz bis 300 Gigahertz und Wellenlängen von 100 km bis 1 mm. Sie werden z. B. in der Nachrichtentechnik (Rundfunk, Fernsehen, Fernsprechtechnik) oder auch zu Heilzwecken eingesetzt.

Ho Chi Minh, eigentlich *Nguyen Ai Quoc,* * 1890, † 1969; vietnamesischer Revolutionär und Politiker. Er organisierte eine Guerillatruppe, die zunächst gegen die Japaner, dann gegen die Franzosen und die mit den USA verbündeten Südvietnamesen kämpfte. 1945 rief er die Republik Vietnam aus und wurde deren Staatspräsident.

Hochofen [der], ein bis zu 40 m hoher, turmförmiger Ofen, der zur Gewinnung von Roheisen aus Eisenerzen dient. Dazu werden die Erze schichtweise mit Koks als Brennstoff in den Hochofen eingefüllt. Mittels eingeblasener Heißluft (1000 bis 1350 °C) wird der Koks zur Verbrennung gebracht. Ein hierbei entstehendes kohlenoxidhaltiges Gas entzieht dem Erz Sauerstoff. Dabei schmilzt das frei werdende Eisen und sammelt sich mit Schlacke am Boden des Hochofens an. Hier werden Roheisen und Schlacke in regelmäßigen Abständen abgestochen. Ein moderner Hochofen gibt täglich mehr als 10 000 t Roheisen frei.

Hochrechnung [die], ein Verfahren zur Vorwegbestimmung eines Endergebnisses aus nur teilweise vorliegendem Zahlenmaterial auf der Grundlage von statistischen oder mathematischen Gesetzmäßigkeiten. Hochrechnungen werden vor allem bei Wahlen vorgenommen.

Hochschulen [Pl.], Einrichtungen, an denen geforscht, gelehrt und ausgebildet wird. Es gibt wissenschaftliche Hochschulen (Universitäten, technische Universitäten, technische Hochschulen, Gesamthochschulen, Fernuniversitäten), Kunst- und Musikhochschulen und Fachhochschulen. Das Studium an wissenschaftlichen Hochschulen setzt die *Hochschulreife (Abitur)* voraus. Fachhochschulen, die mit einer stärker praxisbezogenen Ausbildung auf berufliche Tätigkeiten vorbereiten, benötigen als Voraussetzung die Fachhochschulreife (Abschluss der Fachoberschule).

Hockey: Spielgedanke und Mannschaftsaufstellung sind ähnlich wie beim Fußball.

Hochspannung [die], elektrische Spannung über 1000 Volt.

Hochsprung [der], in der Leichtathletik das Überspringen einer Latte mit Anlauf. Im Wettbewerb hat jeder Springer für jede Höhe drei Versuche.

Hochwasser, durch starke Regenfälle, Schneeschmelze oder Eisversetzung hervorgerufenes Anschwellen von fließenden Binnengewässern.

Hochzeit [die], das Fest der Eheschließung, bei allen Völkern seit jeher mit vielen Bräuchen verbunden, bei uns z. B. Polterabend, Ringtausch, Kirchgang. Nach 7 Jahren Ehe wird *kupferne,* nach 25 Jahren *silberne,* nach 50 Jahren *goldene* und nach 60 Jahren *diamantene Hochzeit* gefeiert.

Hockey ['hɔki, der, engl.], *Feldhockey,* ein Torspiel zwischen zwei Mannschaften von je elf Spielern, bei dem der Ball mit dem Hockeyschläger (unten hakenförmig abgebogener Stock) gespielt wird. Die Spieldauer beträgt 2 x 35 Minuten; die Tore sind nur dann gültig, wenn sie von einer Position innerhalb des Schusskreises aus erzielt werden. Überquert der Ball die Torauslinie, nachdem ihn ein verteidigender Spieler zuletzt berührt hat, gibt es für die andere Mannschaft eine »lange Ecke«; begeht ein verteidigender Spieler einen Regelverstoß im eigenen Schusskreis, erhält der Gegner eine »kurze Ecke« zugesprochen.

Hoden [Pl.], die männlichen Keimdrüsen. Auch → Geschlechtsorgane.

Hofer, Andreas, *1767, †1810; Tiroler Freiheitskämpfer gegen Napoleon I. Er leitete 1809 den Volksaufstand gegen die französische Besatzung und geriet durch Verrat in Gefangenschaft. Hofer wurde auf Befehl Napoleons hingerichtet.

Hoffmann, Ernst Theodor Amadeus (E. T. A.), *1776, †1822; deutscher Schriftsteller, Komponist und Maler. Hoffmann ist ein Vertreter der Romantik und der fantastischen Literatur, ein Erzähler der Alltagsleben mit dem Geheimnisvollen, Magischen und Grausigen verwebt: »Die Elixiere des Teufels«, »Lebensansichten des Katers Murr«. Er schrieb auch Kunstmärchen und historische Novellen.

Höhlen: Die Schellenberger Eishöhle im Untersberg bei Berchtesgaden ist die größte erschlossene Eishöhle in Deutschland.

Genauer betrachtet …
Höhlen

Die längsten Höhlensysteme der Erde sind:	(Länge in km)
Flint Ridge/Mammoth Cave System (Kentucky, USA)	579,4
Optimistitscheskaja peschtschera (Westukraine)	214,0
Jewel Cave (South Dakota, USA)	207,7
Hölloch (Schwyz, Schweiz)	189,0
Wind Cave (South Dakota, USA)	141,7

Hofmannsthal, Hugo von, *1874, †1929; österreichischer Schriftsteller. Er war einer der bekanntesten österreichischen Dichter. Im Stil des *Impressionismus* schrieb er von der Vergänglichkeit des Lebens und der Schönheit des Todes. Er verfasste Gedichte, Dramen und Schriften zur Theatertheorie, außerdem Opernlibretti für R. *Strauss*, z. B. »Elektra« und »Der Rosenkavalier«.

Hohenzollern, ein deutsches Fürstengeschlecht, das bis 1061 zurückverfolgt werden kann. Es teilte sich in eine fränkische und eine schwäbische Linie. Aus der fränkischen Linie gingen seit 1701 die preußischen Könige, 1871–1918 die deutschen Kaiser hervor.

hohe Schule [die], die höchste Stufe der Pferdedressur, bei der besonders kunstvolle Gangarten und Sprünge eingeübt werden.

Höhlen [Pl.], unterirdische Hohlräume, die entweder zusammen mit dem Gestein entstanden sind, wenn sich in erstarrender Lava große Gasblasen gesammelt haben, oder die sich nachträglich durch die auswaschende Wirkung des Wassers gebildet haben. Am größten sind die *Karsthöhlen* der Kalk- und Dolomitgebiete, die oft regelrechte Höhlensysteme bilden. Durch die Verdunstung des herabtropfenden Kalkwassers entstehen *Tropfsteinhöhlen:* Von unten wachsen Stalagmiten empor und von oben wachsen Stalaktiten herab. Auch → »Genauer betrachtet«, Seite 39.

Höhlenmalerei [die], an Felswänden und in Höhlen angebrachte Malerei aus vorgeschichtlicher Zeit und in traditionellen Gesellschaften. Man findet sie in allen Erdteilen. Am häufigsten sind eiszeitliche Jagdtiere dargestellt (Mammut, Wisent, Pferd) sowie Kampf-, Jagd- und Tanzszenen.

Höhlenmalerei: Steinzeitliche Darstellung von Tierherden in Lascaux, Frankreich

Hohlspiegel [der], *Konkavspiegel, Sammelspiegel,* ein Spiegel, der wie eine Schale gebogen ist. Er hat die Eigenschaft, Strahlen, die aus verschiedenen Richtungen eintreffen, in einem Brennpunkt zu sammeln oder sie umgekehrt zu streuen (z. B. Scheinwerfer, Spiegelfernrohre).

Hohltiere [Pl.], einfach gebaute Wassertiere mit nur einem Verdauungshohlraum und nur einer einzigen Öffnung, die gleichzeitig Mund und After ist. Sie haben meist Tentakeln. Zu ihnen gehören z. B. *Süßwasserpolypen, Korallen, Seerosen* und *Quallen.*

Holbein, eine Augsburger Künstlerfamilie. Hans *Holbein der Ältere* (* um 1465, † 1524) war Maler und Zeichner und trat besonders als Altarmaler hervor. Sein Sohn Hans *Holbein der Jüngere* (* 1497/1498, † 1543) erlangte Weltruf als Porträtmaler. Seine Holzschnitte, Fassadenmalerei und Bibelillustrationen sind berühmt.

Hölderlin, Friedrich, * 1770, † 1843; deutscher Dichter. Seine Elegien, Hymnen und der Briefroman »Hyperion« zeigen seine Sehnsucht nach Harmonie von Geist, Natur und den göttlichen Mächten. Als Bild hierfür taucht immer wieder das klassische Griechenland auf.

Holiday ['hɔlidɛi], Billie, eigentlich *Eleonora Holiday,* * 1915, † 1959; afroamerikanische Sängerin. Sie gilt als die größte Jazzsängerin aller Zeiten und wurde auch *»Lady Day«* genannt. Als erste schwarze Interpretin trat sie mit weißen Musikern auf.

Holland, eine Landschaft im Westen der Niederlande. Fälschlicherweise werden die gesamten Niederlande oft Holland genannt.

Hölle [die], in den meisten Religionen die Unterwelt, das Reich der Toten, im Christentum der Ort der ewigen Verdammnis.

Hollywood ['holliwud], ein Stadtteil von Los Angeles. Hollywood ist das Zentrum der Filmindustrie in US-Amerika.

Holocaust: Die Insassen der Konzentrationslager mussten unter unmenschlichen Bedingungen »leben«; im Bild befreite Überlebende eines KZ in Evensee (Österreich)

Holunder: Schwarzer Holunder mit Beeren

Holocaust ['holokɔ:st, der], in Israel und in der englischsprachigen Welt gebräuchliche Bezeichnung für die Massenvernichtung der Juden durch die Nationalsozialisten im Zweiten Weltkrieg.

Holographie [die], *Holografie,* eine Art der Fotografie, die die Darstellung dreidimensionaler Bilder ermöglicht. Das Verfahren wurde 1948 entwickelt und arbeitet mit Laserstrahlen, um sogenannte *Hologramme* von Gegenständen auf einer Fotoplatte entstehen zu lassen.

Holunder [der], ein Strauch oder Baum, der in Wäldern und in Häusernähe zu finden ist. Der *Schwarze Holunder* mit seinen kleinen weißen, duftenden Blüten und schwarzen Früchten ist weit verbreitet. Aus seinen Beeren stellt man Saft, Wein und Marmelade her.

Holz [das], der gesamte Teil der Stämme, Äste, Zweige und Wurzeln, der unter der Rinde von Bäumen und Sträuchern liegt. Holzzellen bestehen im Wesentlichen aus Cellulose und dem Holzstoff Lignin, der für eine Verfestigung sorgt. Neben der Festigung dient Holz dem Transport von Wasser und darin gelösten Nährsalzen von den Wurzeln zu den Blättern. Von einem Zellbildungsgewebe (Kambium), das zwischen Holz und Rinde liegt, werden ständig neue Holzzellen nachgebildet: im Frühjahr große Zellen, das helle *Frühholz,* weil die Bäume dann einen großen Wasserbedarf haben, im Herbst kleinere Zellen, das dunkle *Spätholz.* So wächst der Stamm in die Dicke. Der jährliche Zuwachs ist als *Jahresring* (eine helle und eine dunkle Schicht) erkennbar, und die Zahl der Jahresringe entspricht dem Alter eines Baumes. Das ältere Holz im Inneren des Stammes ist dunkler und härter *(Kernholz)* als der äußere Holzzuwachs *(Splintholz)* und daher für die Verarbeitung wertvoller. Hartholz wie Eibe, Eiche und Mahagoni wird z. B. beim Schiffs- und Möbelbau verwendet, Weichholz wie Linde, Pappel, Tanne, Fichte und Kiefer dient als Baumaterial, auch zur Möbelherstellung, und wird zu Zellstoff, Papier und Holzkohle verarbeitet.

Holzkohle [die] → Kohle.

Holzschnitt [der], die älteste grafische Technik. Eine Holzplatte wird mit Schneidemessern und Sticheln so bearbeitet, dass ein vorgezeichnetes Bild als Erhöhung stehen bleibt. Die erhabenen Stellen werden eingefärbt und davon wird ein Papierabzug angefertigt. Bedeutende deutsche Meister des Holzschnitts waren u. a. Albrecht *Dürer,* Lucas *Cranach* und Hans *Holbein der Jüngere.*

Holzschnitt aus der »Maifestzeitung 1904« der sozialdemokratischen Parteizeitung »Vorwärts«

Homepage ['hɔumpɛidʒ, die, engl.], die Startseite von Firmen oder Privatpersonen, die sich im Internet vorstellen. Sie ist meist durch *Links* (Querverbindungen auf weitere Internetseiten) wie ein grafisches Inhaltsverzeichnis aufgebaut.

Wer war … Homer

Homer, der im 8. Jh. v. Chr. lebte, ist nach antiker Überlieferung der Dichter der griechischen Epen »Ilias« und »Odyssee«. Sie gelten als die ersten großen abendländischen Dichtungen und beeinflussten Literatur und Kunst zu allen Zeiten. Als historische Persönlichkeit ist Homer nicht fassbar. In der Antike wurde er meist als blinder Greis dargestellt. Die Forschung geht davon aus, dass die »Ilias«, die vom Trojanischen Krieg berichtet, wie auch die »Odyssee«, die von den Irrfahrten und der Heimkehr des Odysseus handelt, im 8. Jh. v. Chr. an der damals griechisch besiedelten Westküste Kleinasiens entstanden. Die Motive, die in beiden Epen verarbeitet wurden, stammen von mündlich überlieferten, fiktiven Erzählungen, die bis ins 2. Jahrtausend v. Chr. zurückreichen und wahrscheinlich von reisenden Sängern an den Adels- und Königshöfen vorgetragen wurden. Die Frage, ob die Epen von ihm allein oder von mehreren Verfassern stammen, ist bis heute nicht geklärt. In beiden Werken finden sich Unstimmigkeiten, die auf unterschiedliche kulturelle Einflüsse und Epochen, d. h. auf zwei verschiedene Verfasser, hinweisen. Doch halten die meisten Literarhistoriker die »Ilias« und »Odyssee« für das einheitliche Werk eines einzigen Dichters.

homogen, gleichartig, einheitlich; Gegensatz: *heterogen*.

Homöopathie [die], ein Heilverfahren, das von dem deutschen Arzt Samuel *Hahnemann* (* 1755, † 1843) begründet wurde. Es geht von der Beobachtung aus, dass stark verdünnte Lösungen eines Wirkstoffes bei solchen Erkrankungen heilend wirken können, die der gleiche Wirkstoff in unverdünnter Form hervorrufen würde (d.h. winzige Mengen des Wirkstoffes können umgekehrt wirken wie größere Mengen).

Homosexualität [die], die sexuelle Anziehung von Personen gleichen Geschlechts. Bei Frauen spricht man von lesbischer Liebe. Gegensatz: *Heterosexualität*. Siehe auch ZEIT-Beitrag → »Homosexualität: Schwul, lesbisch, gut so«, Seite 44–47.

Ländersteckbrief Honduras

Fläche:	112 492 km²
Einwohner:	7,4 Millionen = 65 je km²
Hauptstadt:	Tegucigalpa
Religion:	römisch-katholische Kirche
Amtssprache:	Spanisch
Währung:	1 Lempira = 100 Centavos

Honduras, Staat in Mittelamerika.

Landesnatur: Zwischen der feuchten Nordküste und

dem trockeneren Küstenstrich am pazifischen *Golf von Fonseca* teilt sich die Zentralamerikanische Kordillere in mehrere Gebirgszüge auf. In den Hochtälern entwickelten sich Siedlungszentren. An der Karibikküste treten häufig Hurrikane auf.

Bevölkerung: Die vorwiegend katholische Bevölkerung besteht zu 90% aus Mestizen; 7% sind Indianer, 2% Schwarze, 1% Weiße.

Wirtschaft: Die Landwirtschaft erzeugt Bananen, Kaffee, Baumwolle, Tabak, Zuckerrohr und Zitrusfrüchte für den Export. In den Hochtälern wird Viehwirtschaft betrieben; bedeutende Küstenfischerei. An Bodenschätzen werden Silber, Gold, Blei- und Zinkerze abgebaut. – Haupthäfen sind *Puerto Cortés* an der Karibik und der Tiefseehafen *Amapala* am Pazifik.

Geschichte: 1524 wurde Honduras von Spanien erobert. 1821 wurde es unabhängig, 1823–1838 Mitglied der *Zentralamerikanischen Konföderation*; seitdem ist Honduras selbstständige Republik. Die Geschichte von Honduras ist durch Unruhen und Bürgerkriege gekennzeichnet. Nachdem von 1972 bis 1981 die Herrschaft bei den Militärs lag, wurde 1981 eine präsidialdemokratische Verfassung verabschiedet. Seit 2006 ist J. M. *Zelaya Rosales* Staatspräsident.

Honecker, Erich, * 1912, † 1994; deutscher Politiker (SED). Honecker war nach langjähriger Parteiarbeit seit 1976 Vorsitzender des Staatsrates (Staatsoberhaupt) der DDR mit diktatorischer Machtfülle. 1989 wurde er vom Politbüro zum Rücktritt gezwungen und aus der Partei ausgeschlossen. Nach der Wiedervereinigung Deutschlands wurde gegen ihn als Verantwortlichen für die Erschießung von Flüchtlingen an der innerdeutschen Grenze ein Strafverfahren eröffnet, vor dem er 1991 nach Moskau floh. 1992 wurde er nach Deutschland zurückgebracht. Das Gerichtsverfahren gegen ihn wurde 1993 aus gesundheitlichen Gründen eingestellt; Honecker ging nach Chile, wo er 1994 starb.

Hongkong gehört zu den am dichtesten besiedelten Regionen der Erde.

Hongkong, Sonderverwaltungsgebiet der Volksrepublik China, an der südchinesischen Küste, besteht aus den Inseln Hongkong (Hauptstadt *Victoria*), Lantao und vielen kleineren Inseln sowie der Halbinsel Kowloon mit ihrem Hinterland (»New Territories«), 1092 km^2, 6,3 Mio. Einwohner (95% Chinesen), mit 5769 Einwohnern pro km^2 eines der dichtest bevölkerten Gebiete der Erde. Hongkong ist ein international bedeutendes Handels- und Finanzzentrum mit exportorientierter Industrie. Es ist Knotenpunkt für den internationalen Seeverkehr (Freihafen); 1998 wurde ein neuer Großflughafen eröffnet.

Geschichte. 1842 musste China die Insel Hongkong »für alle Zeiten« an Großbritannien abtreten, 1860 auch Kowloon. 1898 erzwang Großbritannien außerdem die Verpachtung der »New Territories« für 99 Jahre. Aufgrund eines 1984 geschlossenen britisch-chinesischen Abkommens, auf das die Bevölkerung der Kolonie keinen Einfluss hatte, kehrte Hongkong am 1. 7. 1997 unter chinesische Souveränität zurück. Als »Sonderverwaltungsgebiet« sollte es 50 Jahre lang sein Wirtschafts- und Gesellschaftssystem behalten, doch wurden nach der Rückgabe demokratische Reformen aufgehoben und die bürgerlichen Freiheiten eingeschränkt.

London, 6. Juli 2002: Schwule und Lesben feiern den sogenannten Christopher Street Day mit einer bunten Parade

Homosexualität

Schwul, lesbisch, gut so

Von Roland Kirbach

Wenn Kinder älter werden, dann verlieben sich die Mädchen in Jungs und die Jungs in Mädchen. Das nennt man heterosexuell. Es kann aber auch anders sein – ein Mädchen kann sich in ein Mädchen verlieben oder ein Junge in einen Jungen. Dann spricht man von Homosexualität, man nennt solche Menschen homosexuell. Bei Mädchen sagt man auch lesbisch dazu, bei Jungen schwul.

Das Wort Homosexualität ist aus zwei alten Wörtern zusammengesetzt: aus dem griechischen *homoios,* das heißt gleich. Und aus dem lateinischen *sexus,* das bedeutet Geschlecht. Ein Homosexueller ist also jemand, der einen Menschen vom gleichen Geschlecht liebt.

Wie viele Menschen homosexuell sind, weiß man nicht genau. Man schätzt, dass fünf Prozent der Bevölkerung schwul oder lesbisch sind. Bei rund 80 Millionen Einwohnern in Deutschland wären das etwa vier Millionen Menschen.

Eine verwirrende Liebe

Leider denken noch immer viele Leute, dass Homosexualität nicht normal sei und verboten werden müsse. Dabei ist Homosexualität nichts Schlimmes oder Schlechtes. Wenn zwei Jungen oder zwei Mädchen sich ineinander verlieben, haben sie die gleichen Gefühle, wie ein Junge und ein Mädchen, die zusammenfinden. Beide Mal ist man furchtbar aufgeregt, man findet den anderen Menschen sehr, sehr attraktiv und möchte am liebsten jede Minute mit ihm zusammensein.

Bei Homosexuellen kommen aber noch andere Gefühle hinzu. Sie sind meist sehr verwirrt, wenn sie feststellen, dass sie sich in einen Menschen des gleichen Geschlechts verliebt haben. Viele rätseln, ob sie wirklich schwul beziehungsweise lesbisch sind oder ob das nur eine Phase sein könnte, die wieder vorübergeht.

Der Kampf um Anerkennung

Als besonders belastend empfinden sie die Sorge, wie wohl die Eltern, die Freunde und die Lehrer reagieren werden, wenn sie es erfahren. Viele haben Angst, von Mitschülern gehänselt und beschimpft zu werden. An Schulen ist »schwul« eines der schlimmsten Schimpfworte unter vielen Jugendlichen. Noch immer sind Vorurteile gegenüber Homosexuellen weit verbreitet – zum Beispiel, dass Schwule »keine richtigen Männer« seien, dass sie nur in Frauenkleidern herumlaufen. Über lesbische Frauen wird gesagt, sie seien nur lesbisch, weil sie keinen Mann bekommen hätten. Das alles ist Quatsch.

Lange Zeit war es in Deutschland sogar verboten, dass Männer eine Liebesbeziehung miteinander hatten. Wenn es bekannt wurde, kamen die Betreffenden ins Gefängnis. Unter der Naziherrschaft wurden rund 10 000 Schwule in Konzentrationslager verschleppt, etwa 6000 von ihnen wurden umgebracht. Mittlerweile haben sich die Zeiten grundlegend geändert. Schwule und Lesben dürfen beim Standesamt ihre Partnerschaft eintragen lassen. Das ist so ähnlich wie heiraten. Außerdem darf in Deutschland niemand mehr schlechter behandelt werden, weil er jemanden vom gleichen Geschlecht liebt.

Seit über hundert Jahren kämpfen Homosexuelle für die gleichen Rechte wie die Heterosexuellen. Anfangs waren es nur kleine Gruppen, die sich das trauten. Doch im Lauf der Jahrzehnte wurden die Proteste gegen die Diskriminierung größer. Vor allem in Amerika demonstrierten immer mehr Schwule und Lesben auf der Straße.

Als am 28. Juni 1969 die Polizei der amerikanischen Stadt New York in einer Schwulenkneipe in der Christopher Street eine Razzia durchführte, kam es zu einem Aufstand der Schwulen, der drei Tage dauerte. Sie hatten es satt, ständig schlecht behandelt zu werden. Die Polizei war völlig überrascht und suchte das Weite. Dieser Aufstand war für die Homosexuellen in der ganzen Welt ein

Auch der schwule FDP-Politiker Guido Westerwelle fordert: Schluss mit der Diskriminierung!

Signal. Überall gründeten sich Schwulengruppen, die sich für die Gleichberechtigung der Homosexuellen einsetzten, auch in Deutschland.

Homosexuelle Menschen hat es schon immer gegeben, aber es wurde selten darüber gesprochen. Es gab lange Zeit nicht einmal spezielle Worte für sie. In früheren Jahrhunderten und Kulturen wurden die Menschen nicht streng in eine homosexuelle Minderheit und eine heterosexuelle Mehrheit eingeteilt. Oftmals war Homosexualität nur eine vorübergehende Phase im Leben eines Mannes. Bei den Griechen war es vor mehr als 2000 Jahren durchaus üblich, dass ältere Männer einen jüngeren Geliebten hatten. Der Ältere war zugleich Lehrer, und wenn der Jüngere erwachsen war, trennten sie sich wieder, und der Jüngere heiratete eine Frau. Viele Sexualwissenschaftler sind der Ansicht, dass jeder Mensch sowohl Frauen als auch Männer lieben kann, nur seien diese Anteile bei jedem Menschen anders verteilt. Im 19. Jahrhundert jedoch hat man begonnen, die Menschen strikt in Homosexuelle und Heterosexuelle zu unterteilen. Und seitdem gibt es auch das Wort »homosexuell«.

Auf das Glück kommt es an

Wenn jemand anderen Leuten zum ersten Mal sagt, dass er homosexuell ist, nennt man das Coming-out; das Wort kommt aus dem Englischen und bedeutet »Herauskommen«. Mittlerweile sagen immer mehr Menschen, dass sie schwul oder lesbisch sind. Auch viele bekannte Leute hatten schon ihr Coming-out, zum Beispiel der Bürgermeister von Berlin, Klaus Wowereit, und der Chef der Partei FDP, Guido Westerwelle. Oder Matt und Tim von der Boygroup Part Six.

Viele Eltern fragen sich, woran es liegen könnte, dass ihr Sohn schwul oder ihre Tochter lesbisch ist. Hinter diesen Fragen stecken oft Selbstvorwürfe: Was habe ich bloß falsch gemacht? Doch wer so fragt, geht davon aus, dass Schwulsein ein Makel ist; sonst hätte man ja nichts »falsch« gemacht. Wie Homosexualität entsteht, weiß man bis heute nicht. Viele Schwule und Lesben wollen es auch gar nicht wissen. Denn wer nach den Ursachen von etwas forscht, so sagen sie, der tut das in der Regel, um diese Ursachen zu beseitigen. Was völliger Unfug wäre. Früher haben Ärzte versucht, Homosexuelle mit Elektroschocks, Gehirnoperationen, Hormonen oder Psychotherapien heterosexuell zu machen.

Jeder Mensch kann sowohl Frauen als auch Männer lieben

Fast wie verheiratet: ein Frauenpaar, das eine Lebenspartnerschaft geschlossen hat

Doch diese »Behandlungen« blieben alle erfolglos, sie haben die »Patienten« nur gequält und unglücklich gemacht. Man weiß heute, dass Homosexualität keine Krankheit ist. Und dass sie nicht durch Erziehung entsteht. Man kann auch nicht zur Homosexualität durch einen Schwulen oder eine Lesbe verführt werden. Viel wichtiger als die Frage, wie Homosexualität entsteht, ist es, dass man als schwuler oder lesbischer Mensch glücklich wird.

Gegen die Natur? Von wegen!

Homosexualität ist auch nicht »gegen die Natur«, wie manche behaupten. Inzwischen haben Forscher entdeckt, dass sie bei rund 1500 Tierarten vorkommt – bei Tintenfischen und Elefanten, Giraffen und Löwen. Bei Delfinen ist die Liebe zwischen zwei Männchen sogar dauerhafter als zwischen einem Delfinweibchen und einem Delfinmännchen. Viele homosexuelle Tiere ziehen auch Nachwuchs auf. So haben Forscher schwule Flamingos beobachtet, die Eier von ihren heterosexuellen Artgenossen gestohlen hatten und die Küken als ihre eigenen aufzogen.

Ein besonders treues Paar waren Edgar und Holger, zwei schwule Schwäne. 16 Jahre lebten sie zusammen im Zoo von Osnabrück. Der Zoo war stolz auf sie. Jedes Jahr bauten Edgar und Holger ein Nest wie die anderen Schwäne. Und damit sie auch Kinder großziehen konnten, schoben ihnen die Tierpfleger ein verlassenes Pinguin-Ei unter. Vierzehn Tage brüteten sie abwechselnd, bis der kleine Pinguin aus dem Ei schlüpfte. Doch eines Tages geschah die Katastrophe: Holger wurde von einem Fuchs gerissen. Edgar trauerte ein ganzes Jahr. Doch im nächsten Frühling lachte ihm wieder das Glück. Der Zoo hatte den neuen Schwan Norbert gekauft. Dem erfahrenen Edgar gelang es schnell, mit ihm eine Beziehung aufzubauen. Bald bauten sie wieder ein Nest.

Honig [der], ein gelblicher bis brauner dünner, zähflüssiger, süßer Stoff, den die Bienen in ihrem Honigmagen aus *Nektar* erzeugen. Er besteht zu 80% aus Zucker, zu 19% aus Wasser sowie aus Mineral- und Aromastoffen. Geschmack, Geruch und Farbe des Honigs werden von den Pflanzenarten im Fluggebiet der Biene bestimmt. Bienen sammeln Nektar, den sie in einer Blase an ihrem Hinterleib transportieren. Wenn diese Blase voll ist, kehren die Bienen in ihren Stock zurück und würgen den Nektar wieder aus. Als eine dünne Flüssigkeit übergeben sie ihn anderen Arbeiterinnen im Bienenstock, die die Flüssigkeit in einem Kropf mit Speichel mischen und dabei einen Teil des Wassers der Flüssigkeit entziehen. So entsteht Vorhonig, der in eine Zelle gefüllt wird, die nach oben offen bleibt. Andere Bienen fächeln ständig Luft über die offenen Zellen, so dass Wasser verdunstet und nun der eigentliche Honig entsteht. Nach etwa 3 Tagen werden die Zellen dann mit einem Wachsdeckel verschlossen und erst wieder geöffnet, wenn die Bienen Nahrung brauchen, beispielsweise im Winter, wenn die Honigvorräte das Überleben des Bienenvolkes sichern. Durch Schleudern der Waben kann man den Honig gewinnen.

Honig wird in Honigwaben als Vorrat gesammelt.

Hopfen: Nur die weiblichen zapfenförmigen Blütenstände werden bei der Bierherstellung verwertet.

Honigbiene [die] → Bienen.

Honolulu, Hauptstadt und wichtigster Hafen von Hawaii, an der Südküste der Insel *Oahu,* 386 000 Einwohner.

Honorar [das, lat., »Ehrensold«], Vergütung für wissenschaftliche oder künstlerische Leistungen in freien Berufen (z. B. für einen Arzt).

Honshu [japanisch, »Hauptland«], die größte und wichtigste japanische Insel. Sie ist gebirgig mit zahlreichen Vulkanen. Auf Honshu liegt Japans Hauptstadt *Tokyo.*

Hopfen [der], eine einheimische zweihäusige Kletterpflanze. Hopfen wird wegen seiner zapfenartigen Früchte, die in der Bierherstellung verwendet werden, in Hopfengärten kultiviert, wo er an langen Drähten emporwächst. Die unreifen Fruchtstände verleihen dem Bier seinen bitteren Geschmack und machen es haltbarer.

Hopper ['hɔpə], Edward, * 1882, † 1967; US-amerikanischer Maler. Er ist einer der bekanntesten amerikanischen Künstler des 20. Jh. Seine Bilder, die realistisch wie Fotos wirken, zeigen zumeist einsame Menschen oder Gebäude. Hoppers Bild

»Nachtschwärmer« gilt als populärstes Gemälde der Moderne.

Horaz, *Quintus Horatius Flaccus*, * 65 v. Chr., † 8 v. Chr.; römischer Schriftsteller. Er war einer der einflussreichsten Dichter der römischen Antike. Berühmt wurde er durch seine Oden, in denen er zu den Fragen des Lebens und der Politik Stellung nahm. Bedeutend sind auch seine Satiren sowie seine Theorie der Dichtkunst (»Ars poetica«).

Hörbuch, *Audiobook*, Tonträger, meist Kassette oder CD, mit gelesener oder als Hörspiel aufbereiteter Literatur.

Horizont [der], die scheinbare Trennungslinie zwischen der Erdoberfläche und dem *Himmelsgewölbe*.

horizontal, waagerecht; Gegensatz: *vertikal*.

Horkheimer, Max, * 1895, † 1973; deutscher Philosoph und Soziologe. Unter den deutschen Soziologen nahm Horkheimer eine herausragende Stellung ein. Er verfasste mit T. W. *Adorno* sein wichtigstes Werk, »Die Dialektik der Aufklärung« und war mit ihm Begründer und Hauptvertreter der *Kritischen Theorie* der *Frankfurter Schule*.

Hormone [Pl., griech., »anregen«], im Körper gebildete lebenswichtige chemische Stoffe, die von Drüsen unmittelbar ins Blut abgegeben werden und durch den Blutkreislauf an ihre Wirkungsorte gelangen. Hormone sorgen zum Beispiel für die Regulierung des Wachstums, des Stoffwechsels und der Fortpflanzung. Dabei werden die fördernden oder hemmenden Wirkungen meist schon von ganz geringen Hormonmengen ausgelöst.

Horn [das], **1.** eiweißartiger Stoff (Keratin), der von den äußeren Zellschichten (Epidermis) der Haut gebildet wird und aus dem Haare, Nägel, Hufe und Federn bestehen. **2.** in vielen Kulturen anzutreffendes Blasinstrument; es bestand ursprünglich aus Tierhorn, Elfenbein oder Muscheln, später wurde es aus Metall gefertigt. Bekannteste Horninstrumente sind heute das *Waldhorn* und die *Tuba*.

Hornisse [die], die größte in Mitteleuropa lebende Wespe. Das Weibchen kann bis 3,5 cm groß werden. Hornissen bauen aus zerkautem Holz Nester in Baumhöhlen. Sie sind nützliche Insektenjäger. Ihr Stich ist schmerzhaft, aber nicht gefährlicher als der anderer Wespen. Hornissen stehen unter Schutz.

Hornissen werden 2 bis 3,5 cm groß.

Horoskop [das, griech. »Stundenseher«], eine von Astrologen gemachte Voraussage für die nähere oder fernere Zukunft eines Menschen, angeblich abzulesen aus der Stellung der Gestirne, vor allem zur Zeit seiner Geburt. Die Methode des Horoskopstellens wird von der Naturwissenschaft als unwissenschaftlich abgelehnt.

Hörspiel [das], eine aus dem Schauspiel hervorgegangene dramatische Literaturgattung des Rundfunks, die nur auf das Hören zugeschnitten ist. Das Hörspiel bedient sich aller Möglichkeiten der Gestaltung (z. B. geringe Personenzahl, verdichtete Handlung, »innere Monologe«) und der Tontechnik (z. B. Veränderung von Stimm- und Raumklang, Musik, Geräusche), um die Einbildungskraft der Hörer anzuregen und sie unmittelbar am dramatischen Geschehen teilhaben zu lassen.

Hostie [die, lat., »Opfertier«], eine aus dem Altertum übernommene Bezeichnung für das beim Abendmahl oder bei der Kommunion gereichte ungesäuerte Brot (meist in Form einer Oblate).

Hotdog [das oder der, engl.], ein ausgehöhltes Brötchen, in das eine heiße Bockwurst gelegt wird.

Hotline ['hɔtlain], eine schnelle, direkte Telefonverbindung.

Houston ['hjuːstən], eine Industriestadt in Texas (USA), 2,0 Mio. Einwohner. In Houston befindet sich das Raumfahrtkontrollzentrum der USA.

HTML, Abk. für engl. *Hypertext Markup Language*, Dokumentenbeschreibungssprache, mit der Webseiten im → World Wide Web (WWW) formatiert werden.

Hubraum [der], der Rauminhalt eines Zylinders einer Dampfmaschine oder eines Automotors. Vom Hubraum und der Umdrehungszahl hängt die Leistung einer Maschine ab.

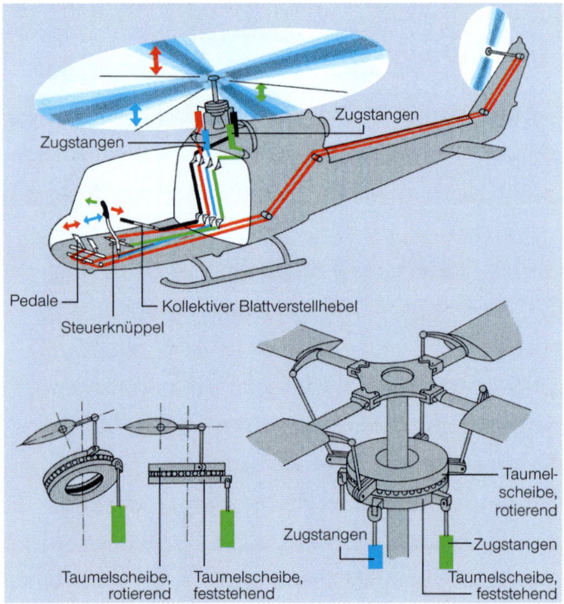

Hubschrauber: Konstruktionsschema der Hubschrauben (Rotoren, unten). Der Flugzustand tritt ein, wenn die Rotorenblätter »Scheiben« aus der Luft schneiden; zum Ausgleich des Gegendrehmoments der Rotoren dient eine Heckschraube (oben) oder die Gegenläufigkeit zweier Rotoren.

Genauer betrachtet …
Huftiere

Die kleinsten Huftiere der Welt sind die Hirschferkel. Man findet bei ihnen sowohl Kennzeichen gewisser Hirscharten (z. B. vergrößerte Oberkieferekzähne) als auch der Schweine (z. B. Fußbau). Die Bezeichnung *Hirschferkel* ist daher treffend gewählt. Die kleinste Art, der *Kleinkantschil*, lebt in Süd- und Südostasien. Er hat eine Schulterhöhe von nur 20–25 cm und ein Gewicht von 2–2,5 kg. Früher wurden seine kleinen Hufe als Pfeifenstopfer verwendet.

Hubschrauber [der], *Helikopter*, ein Flugzeug, das sich durch die Schraubenwirkung rotierender Flügel in die Höhe erhebt, keine Start- oder Landebahn braucht und in der Luft »stehen bleiben« kann. Die ersten Hubschrauber entstanden ab 1905 in Frankreich. Der erste brauchbare Hubschrauber wurde 1936 von H. *Focke* gebaut.

Hudson River ['hʌdsən 'rivə], ein Fluss in den USA, der bei New York in den Atlantischen Ozean mündet.

Huftiere [Pl.], Bezeichnung für eine Gruppe von Säugetieren, zu denen die Erdferkel, Elefanten, Schliefer, Seekühe, Unpaarhufer (Tapire, Pferde, Nashörner) und Paarhufer (u. a. Schweine, Kamele, Hirsche und Rinder) gehören. All diese Tiere zeichnen sich durch den Besitz von Hufen oder hufartigen Gebilden aus. Auch → »Genauer betrachtet«.

Hugenotten [Pl., franz., »Eidgenossen«], französische Protestanten, die seit Mitte des 16. Jh. bis Ende des 18. Jh. um ihre volle Glaubensfreiheit kämpfen mussten. 1562–1628 setzten sie sich in zehn Hugenottenkriegen zur Wehr. Sie erwarben eine gewisse

Machtstellung, die in der *Bartholomäusnacht* vom 23./24. 8. 1572 mit der Ermordung von etwa 2000 Hugenotten in Paris und rund 20 000 in der Provinz zerschlagen wurde. Mit dem Edikt von Nantes (1589) erhielten sie die politische Gleichberechtigung und Glaubensfreiheit. Die Gleichberechtigung büßten sie 1622 wieder ein, die Glaubensfreiheit verloren sie 1685 unter König *Ludwig XIV.* Darauf wanderten über 200 000 Hugenotten aus, u. a. nach Hessen und Brandenburg-Preußen, wo geschlossene Hugenottensiedlungen entstanden.

Hugo [y'go], Victor, * 1802, † 1885; französischer Dichter, ein Vertreter der Romantik. Hugo engagierte sich politisch und musste später nach Belgien fliehen. Zu seinen Hauptwerken gehören die sozialkritischen Romane »Der Glöckner von Notre Dame« und »Die Elenden«.

Hühnervögel [Pl.], eine Ordnung der Vögel von gedrungener Gestalt, mit kurzen, runden Flügeln. Sie sind schlechte Flieger, die ihre Nahrung scharrend am Boden suchen. Die Jungen sind Nestflüchter. Die Männchen (Hähne) sind häufig prächtig gefärbt, die Weibchen (Hennen) unscheinbar. Zu den Hühnervögeln zählen u. a. *Fasanen, Feldhühner* (z. B. *Rebhuhn, Wachtel), Pfauen, Perlhühner, Truthühner* und auch unser *Haushuhn.*

Was ist ... Humanismus

Humanismus meint allgemein eine am Menschen und seiner Würde als oberstem Maßstab ausgerichtete Form der Lebensgestaltung. Als Epochenbegriff bezeichnet der Humanismus die von Italien ausgehende Bildungsbewegung des 15. und 16. Jh. in ganz Europa, die die geistige Erneuerung des Menschen und besonders seine Erziehung zu einer freien Persönlichkeit zum Ziel hatte. Die Wiederentdeckung und das Studium der antiken Literatur, die Beschäftigung mit Sprache, Geschichte und Philosophie standen im Mittelpunkt des Humanismus und führten zur Entfaltung von Forschung und Wissenschaft und zu einer freieren Haltung gegenüber der Religion. Der Humanismus kennzeichnet zusammen mit der Renaissance und der *Reformation* den Übergang vom Mittelalter zur Neuzeit. Er profitierte besonders von der Erfindung des *Buchdrucks,* durch den das neue Wissen breiten Kreisen der Bevölkerung zugänglich gemacht werden konnte.

Anfänge in Italien: Schon ab Mitte des 14. Jh. knüpften die italienischen Schriftsteller *Dante Alighieri, G. Boccaccio* und F. *Petrarca* an die Literatur und Werte der römischen Antike an. Nach der Eroberung Konstantinopels (1453) durch die Türken zogen viele byzantinische Gelehrte nach Italien und verstärkten dort das Interesse an griechischer Literatur, die zum Vorbild der Dichtung wurde. Die Leitbilder des Mittelalters wurden zunehmend durch neue Ideale ersetzt: Diesseitigkeit und menschliche Selbstverantwortung, Klarheit und Verständigkeit, Schönheit und Harmonie. Für den universellen Künstler Leonardo da *Vinci* stand die Kunst nicht mehr länger im Dienst der Religion, sondern er betrachtete sie als Sache des Verstandes und als eine weitere Wissenschaft, die der Welterkenntnis diente. Mittelpunkt des italienischen Humanismus war der Hof der Patrizier- und Bankiersfamilie *Medici* in Florenz.

Ausbreitung und Wirkung: Von Italien gelangte der Humanismus nach Frankreich und Spanien. In England entwarf der Gelehrte und Staatsmann T. *Morus* seine Vorstellung von einem Idealstaat, in dem Eigentumslosigkeit und Toleranz herrschen. Einer der bedeutendsten Vertreter des Humanismus war der Niederländer *Erasmus von Rotterdam.* Er verkörperte den ausschließlich nach der Vernunft denkenden und handelnden Gelehrten. In seinem Werk kritisierte er die Kirche und forderte religiöse Toleranz. Im deutschsprachigen Raum setzte sich der Humanismus nach und nach zuerst an den Universitäten und in den Städten Nürnberg, Augsburg und Straßburg durch. Er hatte besonders Einfluss auf die Literatur, in der zahlreiche Übersetzungen und neue Werke, z.T. in lateinischer Sprache, entstanden. Eine beliebte Gattung war die Satire, in der die Autoren ihre Sicht auf die Welt darlegen und Engstirnigkeit und Missstände anprangern konnten. Bedeutende Vertreter waren hier u.a. S. *Brant*, J. *Fischart*, H. *Sachs*. Auch entstanden in dieser Zeit die bekannten Schwanksammlungen von »Till Eulenspiegel« oder den »Schildbürgern«. Mit der Ausbreitung der Lehre M. *Luthers* endete die Epoche des Humanismus, wichtige Gedanken wirkten jedoch weiter. Um 1800 begeisterte sich der Neuhumanismus erneut für die antike Kunst (J. J. *Winckelmann*, F. *Schiller*, J. W. von *Goethe*) und belebte den Humanismus als Bildungsideal an Universitäten und Schulen (J. G. von *Herder*, W. von *Humboldt*).

Humboldt, **1.** Alexander Freiherr von, Bruder von 2., * 1769, † 1859; deutscher Staatsmann und Naturforscher. Er bereiste Mittel- und Südamerika und schrieb Bücher über seine naturkundlichen Beobachtungen. **2.** Wilhelm Freiherr von, Bruder von 1., * 1767, † 1845; deutscher Gelehrter und Staatsmann. Er war der Begründer der Berliner Universität (1810). Er beeinflusste die Umgestaltung des Gymnasiums und reformierte die Ausbildung seiner Lehrer.

Hume [hjuːm], David, * 1711, † 1776; schottischer Philosoph und Historiker. Er war einer der größten Denker des 18. Jh. und suchte nach dem Ursprung des menschlichen Denkens. Er gilt als Vorläufer I. *Kants*. Seine Hauptwerke sind die »Abhandlung über die menschliche Natur« und die »Untersuchung über den menschlichen Verstand«.

Alexander Freiherr von Humboldt, Naturforscher und Geograph, und Aime Bonpland im Tal von Tapia am Fuß des Vulkans Chimborazo in Ecuador

Hummeln [Pl.], große, pelzige Insekten, die zur Familie der Bienen gehören und die als Blütenbestäuber eine große Rolle spielen. Die bei uns einheimischen Hummeln, z. B. *Feldhummel, Gartenhummel, Erdhummel,* leben zumeist in Kolonien mit einer Königin und 100–500 Arbeiterinnen. Männliche Hummeln (Drohnen) dienen nur zur Befruchtung der Königin. Ein Hummelvolk lebt bei uns nur einen Sommer lang, danach sterben die Tiere. Lediglich die befruchtete Königin überwintert und gründet im Frühjahr einen neuen Hummelstaat. Hummeln bauen ihr Nest in der Erde oder in Höhlungen.

Hummer [der], *Europäischer Hummer* (Vorkommen an europäischen und Mittelmeerküsten), *Amerikanischer Hummer* (v.a. amerikanische Küsten des Atlantiks), das größte Krebstier, bis zu 75 cm lang, mit großen Scheren. Er bewohnt mit Vorliebe felsigen Untergrund. Bei uns gehört der Hummer zu den stark gefährdeten Arten.

Humus [der, lat., »Erde«], das Gemisch aller organischen Bestandteile in der obersten Bodenschicht.

Hunde [Pl.], eine Familie kleiner bis mittelgroßer Raubtiere mit langem, spitzem Kopf, Stehohren, feuchter Nasenspitze und einem scharfen Gebiss. Hierzu gehören Wolf, Fuchs, Schakal und die zahlreichen Rassen unseres *Haushundes,* deren alleiniger Stammvater der Wolf ist. Der Hund gehört mit zu den ältesten Haustieren, schon vor rund 10 000 Jahren gelangte er in den Haustierstand. Seitdem ist er in zahllosen Rassen für die verschiedensten menschlichen Bedürfnisse gezüchtet worden: als Jagdhund, Apportierhund, Wachhund, Hütehund, Schlittenhund, Rennhund oder einfach als treuer Begleiter des Menschen. Dementsprechend hat auch die Gestalt des Hundes zahllose Ausprägungen erfahren: vom kleinsten Hund der Welt, dem *Chihuahua* (16–22 cm Schulterhöhe), bis zur riesigen *Deutschen Dogge* (bis zu 92 cm Höhe), vom krummbeinigen *Dackel* bis zum schlanken, hochbeinigen *Windhund.* Dem Ahnen all dieser Rassen, dem Wolf, am ähnlichsten ist heute noch der *Deutsche Schäferhund.* Auch → »Genauer betrachtet«.

Hundertwasser: Das »Hundertwasserhaus« in der Kegelgasse in Wien; es wurde 1983–1985 nach Entwürfen des Künstlers erbaut.

Genauer betrachtet … Hunde

Hunde sehen nur verschwommen, sind kurzsichtig und können keine Farben unterscheiden. Trotzdem werden sie zur Führung von Blinden abgerichtet, denn sie orientieren sich durch ihren Geruchssinn. Die erste Blindenführhundschule der Welt wurde im August 1916 in Oldenburg von Geheimrat *Stalling*, dem Vorsitzenden des »Deutschen Vereins für Sanitätshunde« mit Unterstützung des Kriegsministeriums gegründet. Die dort zuerst ausgebildeten Hunde waren ursprünglich als Verwundetensuchhunde eingesetzt und wurden zu Blindenführhunden umgeschult. Bereits im Oktober 1916 konnte der erste Blindenführhund übergeben werden. Die Oldenburger Führhundschule gründete im Laufe der folgenden Jahre mehrere Filialen und bildete bis zu 600 Führhunde im Jahr aus.

Hundertwasser, Friedensreich, eigentlich Friedrich *Stowasser,* * 1928, † 2000; österreichischer Maler und Grafiker. Hundertwassers regenbogenfarbige Bilder sind vor allem von der Wiener Tradition des Jugendstils beeinflusst. Er entwickelte einen eigenen Stil ornamentaler Spiralen, Kreise und Mäander.

Hünengräber [Pl.], *Megalithgräber,* Grabanlagen aus großen Steinblöcken aus der Jungsteinzeit.

Hunnen [Pl.], ein zentralasiatisches Reitervolk, das um 370, von den Chinesen besiegt, nach Westen zog. Damit wurde die Völkerwanderung ausgelöst. Unter ihrem König *Attila* wurden die Hunnen zum Schrecken des Abendlandes. Nach ihrer Besiegung durch Römer und Westgoten 451 im Nordosten Frankreichs und Attilas Tod zerfiel das Hunnenreich.

Hunsrück [der], der südwestliche Teil des Rheinischen Schiefergebirges. Höchste Erhebung ist der *Erbeskopf* (816 m).

Hürdenlauf [der], ein leichtathletischer Laufwettbewerb, bei dem Hürden übersprungen werden, die je nach Laufstrecke bei Frauen und Männern unterschiedlich hoch sind. Das Umwerfen der Hürden mit den Beinen (nicht mit der Hand) ist erlaubt.

Hurrikan ['hʌrikən, der], ein tropischer Wirbelsturm, der von starkem Seegang und intensiven Niederschlägen begleitet wird. Er tritt vor allem in der Karibik, im Golf von Mexiko und den südlichen Küstenstaaten der USA auf.

Hus, Johannes, * um 1370, † 1415; tschechischer Reformator. Hus setzte sich für die Reform der Kirche ein, die er zugleich mit Nationalzielen seiner tschechischen Heimat in Verbindung brachte. Er wurde vom Papst gebannt, später verhaftet und als Ketzer verbrannt. Seine Anhänger nannten sich *Hussiten*.

Hürdenlauf: Zur optimalen Bewältigung der Strecke ist eine genaue Abstimmung der Laufschritte zwischen den Hürden Voraussetzung.

Hyänen: Tüpfelhyänen machen in Gruppen Jagd auf Antilopen, Zebras u. a., ernähren sich aber auch von Aas.

Hussein, Saddam, * 1937, † 2006 (hingerichtet); irakischer Politiker (Baath-Partei). Er war von 1979 bis 2003 Staatsoberhaupt des Irak und errichtete einen vom Kult um seine Person geprägten totalitären Überwachungsstaat. Hussein verwickelte den Irak in die beiden Golfkriege. Sein langjähriger Widerstand gegen das Rüstungskontrollregime der UNO führte zur Konfrontation mit den USA, die mit dem Irak-Krieg 2003 seine Herrschaft beendeten. Hussein wurde im Dezember 2003 verhaftet und 2006 nach einem Prozess zum Tode verurteilt und gehängt.

Hütte, *Hüttenwerk*, Anlage zur Gewinnung von Metallen aus Erzen, oft verbunden mit der ersten Verarbeitung (Gießen, Walzen, Ziehen), sowie zur Gewinnung von nicht metallischen Rohstoffen (Glas, Schwefel).

Hutten, Ulrich von, * 1488, † 1523, deutscher Humanist. Als Mitstreiter M. *Luthers* trat er in seinen Streitschriften für die Reformation ein und sagte dem Papsttum den Kampf an.

Hyänen [Pl.], eine Raubtierfamilie, die in Afrika und Asien beheimatet ist und besonders in Steppen, Halbwüsten und im Buschland vorkommt. Hyänen sind

Allesfresser. Sie sind keineswegs vorwiegend Aasfresser, sondern erjagen den Großteil ihrer Beute selbst.

Hybridantrieb, Antriebskonzept für Kraftfahrzeuge, das neben dem Verbrennungsmotor eine weitere Antriebsquelle nutzt. Überwiegend werden Kombinationen aus *Dieselmotor* bzw. *Ottomotor* und *Elektroantrieb* verwendet.

Hybridfahrzeug, ein Fahrzeug, das mit zwei verschiedenen Motoren angetrieben werden kann, z. B. durch Elektro- und Dieselmotor.

Hydra, in der griechischen Sage eine Schlange mit neun Köpfen. Für jeden abgeschlagenen Kopf wuchsen zwei neue nach. Es gelang *Herakles,* das Ungeheuer zu töten.

Hydrant [der], eine Wasserzapfstelle für große Durchflussmengen, besonders für Feuerlöschzwecke.

Hydraulik [die], **1.** die technisch angewandte Lehre von strömenden Flüssigkeiten, vor allem die Berechnung von Strömungen in Röhren oder an Düsen. **2.** hydraulische Systeme zur Betätigung von Lenkung, Kupplung, Bremsen u. Ä. Dabei werden Kräfte und Bewegungsvorgänge mit Hilfe einer volumenbeständigen Flüssigkeit übertragen.

Hygiene [die], *Gesundheitspflege,* alle Maßnahmen zur Verhütung von Krankheiten und Gesundheitsschäden.

Hygrometer [das], ein Instrument zur Bestimmung der relativen Luftfeuchtigkeit mit Hilfe eines Haares, das seine Länge je nach Feuchtigkeitsgehalt der Luft verändert: Bei hoher Luftfeuchtigkeit dehnt es sich aus, bei geringer zieht es sich zusammen. Da es mit einem Zeiger verbunden ist, kann man die Längenveränderung an einer Skala ablesen.

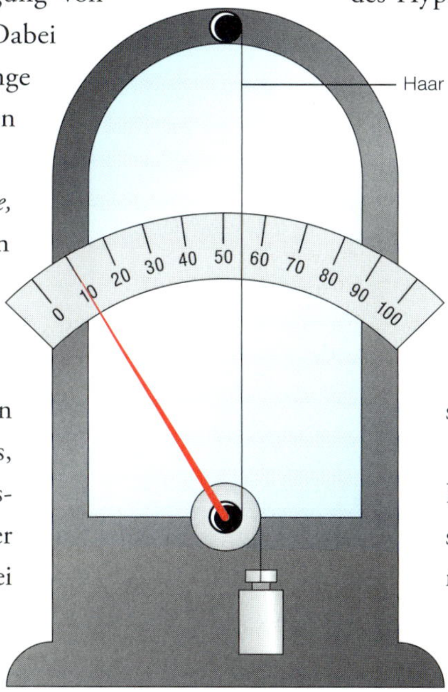

Hygrometer: Mit dem Gerät bestimmt man den Feuchtigkeitsgehalt der Luft.

Hymen [das], *Jungfernhäutchen,* ein dünnes elastisches Häutchen, das den Scheideneingang bei einem Mädchen verengt; es wird meist beim ersten Geschlechtsverkehr zerrissen (Defloration).

Hymne [die], ein feierlicher, ursprünglich religiöser Lobgesang.

Hyperbel [die], in der Mathematik die Menge aller Punkte einer Ebene, für die die Differenz der Entfernungen von zwei Brennpunkten konstant ist. Die Kurve setzt sich aus zwei Teilen zusammen.

Hyperlink ['haipə-], Verweis in einem Hypertext auf andere Textstellen, Dokumente oder Internetseiten. Die Aktivierung eines Hyperlinks oder Links (Verbindung) durch Anklicken mit der Maus führt zu den verbundenen Informationsblöcken.

Hypnose [die], ein durch Suggestion (seelische Beeinflussung) hervorgerufener schlafähnlicher Zustand mit starker Bewusstseinseinengung, herabgesetzter eigener Willensbildung und Bindung an den Willen des Hypnotiseurs. Findet Anwendung in der Psychotherapie.

Hypochonder [Pl.], eingebildete Kranke.

Hypothek [die], ein Pfandrecht für einen Grundbesitz (z. B. Grundstück, Haus). Eine Bank erhält eine Hypothek für geliehenes Geld als Sicherheit.

Hypothese [die], eine unbewiesene Annahme.

Hysterie [die], ein seelischer Krankheitszustand, der zu unterschiedlichen Krankheitsbildern führen kann, z. B. zu starker Erregung, Krämpfen oder zu eingebildeten Schmerzen.

Hz, Kurzzeichen für *Hertz,* die Einheit der *Frequenz.*

I, neunter Buchstabe des Alphabets (Vokal).

Iberische Halbinsel [die], ein anderer Name für die *Pyrenäenhalbinsel* mit Spanien, Portugal und Andorra, im äußersten Südwesten Europas. Sie wird durch die Pyrenäen von Frankreich getrennt.

Iberoamerika → Lateinamerika.

Ibis [der], kleiner, storchenähnlicher Stelzvogel mit sichelförmig abwärts gebogenem Schnabel. Der schwarzweiße *Heilige Ibis* galt im alten Ägypten als heiliger Vogel.

Ibn Battuta, * 1304, † 1377; arabischer Weltreisender. Er bereiste 1325–1349 Nord- und Ostafrika, den Orient, Indien, die Sunda-Inseln, China, Turan und Südrussland und 1352/1353 das Niger-Gebiet (Timbuktu). Sein Hauptwerk, »Reisen ans Ende der Welt 1325–1353«, gilt als sozialhistorisches Dokument, in dem die gesellschaftlichen und wirtschaftlichen Verhältnisse der bereisten Länder beschrieben werden.

Ibsen, Henrik, * 1828, † 1906; norwegischer Dramatiker. In seinen Gesellschaftsdramen gestaltete er u. a. Konflikte zwischen Individuum und Gesellschaft. Er griff die bürgerliche Moral an und entlarvte sie als Lebenslüge. Seine meistgespielten Dramen sind »Peer Gynt«, »Nora oder Ein Puppenheim«, »Gespenster«, »Die Wildente«, »Hedda Gabler«.

Ichthyosaurier [Pl., griech., »Fischsaurier«], ausgestorbene fischähnliche Reptilien. Auch → Saurier.

Ideal [das], vollkommenes Wunschbild, Vorbild, Inbegriff der Vollendung.

Idealismus [der], allgemein Verhalten, das von sittlichen und kulturellen Werten bestimmt wird und nicht auf Eigennutz und Profit gerichtet ist. In der Philosophie die auf Platon zurückgehende Lehre, nach der die eigentliche Wirklichkeit letztendlich auf Ideen und nicht auf das mit Sinnen Erfahrbare zurückgeführt werden kann.

Identifikation [die], **1.** die Feststellung, dass etwas oder jemand *identisch* ist, besonders das Wiedererkennen einer Person vor Gericht. **2.** unbewusste seelische Bindung an einen anderen Menschen, Sich-mit-ihm-eins-Fühlen, z. B. die Identifikation mit der Vaterrolle oder mit einem Popstar.

Ibis: Der Heilige Ibis wurde bereits vor 5000 Jahren in Ägypten als heiliger Vogel verehrt. Schnabel, Kopf und Hals des Heiligen Ibis sowie die Spitzen der langen Schwungfedern sind schwarz. Außerdem sind einige Federn als Schmuckfedern ausgebildet, deren Fahnen besonders lang, gekräuselt und violett gefärbt sind.

identisch, gleichbedeutend, wesensgleich.

Identität [die], völlige Gleichheit beziehungsweise Übereinstimmung, Wesensgleichheit.

Ideologie [die], ein Ideen- oder Lehrsystem, das von einer Weltanschauung geprägt ist und z. B. politische, gesellschaftliche, kulturelle Zielvorstellungen zu verwirklichen sucht.

Idiom [das], eine Redewendung, die für eine bestimmte Sprache typisch ist.

Idol [das], Abgott, Leitbild, bewunderte Person (z. B. ein Schlagersänger, Fußballspieler).

Idylle [die], eine knappe dichterische Darstellung des ländlichen Lebens, der Einheit von Mensch und Natur als beschaulichem Zustand (besonders im 18. und 19. Jh.).

Igel [der], ein von Europa bis Vorderasien heimisches Säugetier, das zu den Insektenfressern gehört. Der Körper ist gedrungen und auf dem Rücken mit

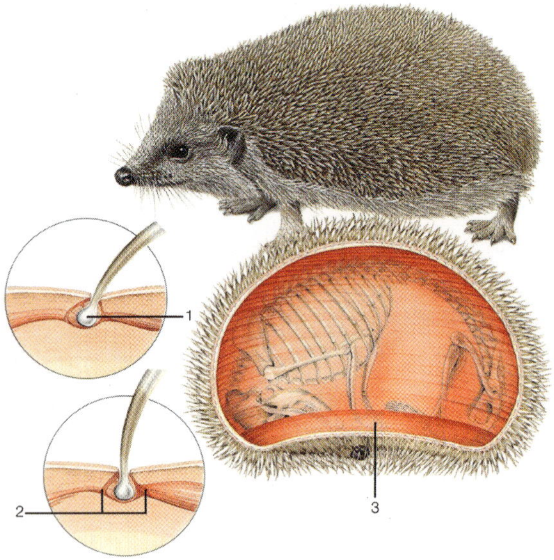

Igel: Die Stacheln des Igels sind modifizierte Haare, am Ende spitz und an der Basis mit einer Verdickung (1) in der Haut verankert. Sie können von einem Paar gegensätzlicher Muskeln (2) aufgerichtet, gedreht oder flach angelegt werden. Wird der Igel angegriffen, stellen sich die Stacheln auf. Gleichzeitig zieht sich ein Muskelband (3) an den Flanken des Tieres zusammen, so dass sich der Igel zu einer Stachelkugel zusammenrollt.

aufrichtbaren Stacheln bedeckt. Bei Gefahr rollt sich der Igel zu einer Stachelkugel zusammen. Als Schädlingsvertilger (Insekten, Schnecken und Würmer) ist er sehr nützlich. Der Igel war ursprünglich ein Waldtier, ist aber heute auch in Gärten und Parks zu finden. Den Winter verbringt er unter Laubhaufen oder Holzstapeln im Winterschlaf. Das Tier steht in Deutschland unter Naturschutz.

Iglu [der oder das], die kreisrunde, kuppelförmige Schneehütte der Eskimo (Inuit), die aus festen Schneeblöcken errichtet wird.

IJsselmeer ['ɛisəlmeer, das], eine große Nordseebucht an der Küste der Niederlande, die durch Meereseinbrüche im frühen Mittelalter entstanden ist. 1927–1932 wurde das IJsselmeer durch einen 32 km langen Damm eingedeicht und ist seither ein Süßwassersee und teilweise in Poldern trockengelegt.

Ikarus, in der griechischen Sagenwelt der Sohn des → Daidalos.

Ikone [die], ein Heiligenbild der christlich-orthodoxen Kirche, besonders in Russland und Griechenland. Ikonen werden auf Holz gemalt oder geschnitzt, die Darstellungen haben meist einen goldenen Hintergrund.

Ilias [die], ein Epos des griechischen Dichters *Homer.* Die überlieferte Fassung stammt aus der 2. Hälfte des 8. Jh. v. Chr. und behandelt eine mit vielen Nebenhandlungen geschmückte Episode aus dem zehn Jahre dauernden Trojanischen Krieg.

illegal, ungesetzlich, gesetzwidrig, formal gegen die Legalität verstoßend; Gegensatz: *legal.*

illegitim, **1.** unrechtmäßig, unerlaubt; Gegensatz: *legitim.* **2.** unehelich, nicht ehelich.

illoyal, untreu, verräterisch; Gegensatz: *loyal.*

Ikone: Jungfrau Maria mit dem Kind; 14. Jh. Athen, Byzantinisches Museum

Iltis: Das Raubtier ist in Europa vom Atlantik bis zum Ural verbreitet. Sein Fell hat eine typische Maskenzeichnung.

Illusion [die], Wunschbild, eingebildete Wirklichkeit. Ein *Illusionist* ist ein Zauberkünstler.

Illustration [die], Bebilderung, Erläuterung und Ausschmückung mit Zeichnungen, Fotos u. Ä.

Illustrierte [die], Abkürzung für *illustrierte Zeitschrift*; eine regelmäßig (meist ein- oder zweiwöchentlich) erscheinende, stark bebilderte Druckschrift mit Reportagen und Unterhaltungsbeiträgen.

Iltis [der], ein marderartiges Raubtier. Er ernährt sich von Kleintieren, zum Beispiel Mäusen oder Ratten, aber auch von Hühnern. Das *Frettchen* ist die gezähmte Form.

imaginär [lat., »bildhaft«], erdacht, unwirklich, nur in der Einbildung vorhanden.

Imitation [die], Nachahmung, Nachbildung.

Imker [Pl.], Bienenzüchter.

Immatrikulation [die], Einschreibung in die Liste *(Matrikel)* der Studierenden.

Immendorff, Jörg, * 1945, † 2007; deutscher Maler und Bildhauer. Er war Schüler von J. *Beuys* und schuf ausdrucksstarke Bilder, die sich mit den politischen und sozialen Verhältnissen in Deutschland auseinandersetzen. Sein Hauptwerk ist eine Serie aus großformatigen Bildern mit dem Titel »Café Deutschland«.

Immission [die], das Einwirken von Lärm, Schadstoffen und Strahlen auf die Umwelt. Hierzu zählen alle Luftverunreinigungen wie Ruß, Kohlenmonoxid, Schwefeldioxid oder Schwermetalle. Der Schutz vor schädlichen Immissionen soll durch eine gesetzliche Festlegung von Immissionswerten (Grenzwerten) erreicht werden. Jede Immission ist die Folge einer → Emission (2.).

Immobilien [Pl.], unbeweglicher Besitz, Häuser und Grundstücke.

Immunität [die], **1.** die Unempfindlichkeit, z. B. für bestimmte Krankheiten, die von Natur aus vorhanden sein kann oder vom Körper (z. B. durch Impfung) erworben werden kann. **2.** der Schutz von Abgeordneten (eingeschränkt) und Diplomaten vor Strafverfolgung.

Imperativ [der, lat. imperare, »befehlen«], in der Grammatik die *Befehlsform* der Verben, z. B. »komm!«.

Imperator [der], altrömischer Feldherr; seit Julius Cäsar Ehrentitel siegreicher Heerführer und seit Augustus Namensbestandteil der römischen Kaiser.

Imperfekt [das], in der Grammatik die Zeitform, die nicht abgeschlossene Handlungen in der Vergangenheit bezeichnet, z. B. *aß, kaufte.*

Imperialismus [der], das Streben eines Staates nach größerer politischer Macht und Erweiterung seines Staatsgebiets. Die Ausdehnung wird durch militärische Macht und wirtschaftlichen Druck erreicht. Als Rechtfertigung dienen die Vermittlung kultureller und weltanschaulicher Werte. Im Altertum entstanden u. a. das Weltreich Alexanders des Großen und das Römische Reich durch imperialistische Politik. Erstmals wurde der Begriff für die Herrschaft Napoleons I. verwendet. Als »Zeitalter des Imperialismus« bezeichnet man die Zeit von 1870 bis zum Ersten Weltkrieg. Sie wurde geprägt durch das Bestreben einiger Mächte (z. B. England, Frankreich, Italien, Deutschland, Russland, Japan), ihre Kolonialreiche auszudehnen oder zu gründen und ihren politischen Einfluss in Afrika, Asien und im Südseegebiet zu vergrößern, die Länder abhängig zu machen und wirtschaftlich auszubeuten.

Nach dem Zweiten Weltkrieg ging die Epoche des Imperialismus zu Ende.

Impfung [die], eine Maßnahme zum Schutz gegen Infektionskrankheiten. Eine Schutzimpfung erfolgt durch Schlucken, Einritzen der Haut oder Injektion in den Körper. Dabei werden abgeschwächte oder abgetötete Krankheitserreger in den Körper gebracht, der dadurch angeregt wird, Abwehrstoffe gegen diese Erreger zu bilden. Tritt später tatsächlich eine Infektion ein, ist der Körper dagegen gewappnet und kann die Erreger leichter bekämpfen. Es gibt Schutzimpfungen z. B. gegen Pest, Pocken, Kinderlähmung, Tollwut, Cholera, Grippe, Masern, Röteln oder Typhus.

Implantation [die], in der Medizin das Einpflanzen von Körpergewebe oder künstlichem Material (Metalle, Kunststoffe) als Ersatz für zerstörtes Gewebe, z. B. bei Knochenschäden.

Import [der] → Außenhandel.

Impotenz [die], Zeugungsunfähigkeit des Mannes. Man unterscheidet zwischen der Unfähigkeit zum Geschlechtsverkehr, weil keine Erektion erreicht wird, und der Unfähigkeit, Kinder zu zeugen. In diesem Fall ist eine Befruchtung unmöglich, da keine oder zu wenig befruchtungsfähige Samenzellen im Sperma vorhanden sind. Impotenz kann entweder seelische oder körperliche Ursachen haben.

imprägnieren [lat., »einprägen«], tränken von festen Stoffen mit flüssigen Stoffen zum Schutz vor Umwelteinflüssen. Holz wird z. B. mit Holzschutzmitteln imprägniert.

Impressionismus [der], eine Richtung in der Kunst, die um die Mitte des 19. Jh. in Frankreich aufkam. Der Impressionismus zielte darauf ab, den augenblicklichen Eindruck eines Geschehens oder Zustands möglichst getreu im Kunstwerk wiederzugeben. Die impressionistischen Maler arbeiteten vorwiegend im Freien. Ihre Bilder erfassten die Einflüsse des Lichtes und der Luft. Die Umrisse der dargestellten Gegenstände blieben unscharf; mitunter wurde der flüchtige Eindruck durch eine Vielzahl nebeneinandergesetzter winziger Farbtupfer festgehalten. Bedeutende Maler des Impressionismus waren *Cézanne, Degas, Manet, Monet, Renoir* und *Liebermann.* Die impressionistischen Bildhauer gestalteten die Oberflächen ihrer Plastiken so, dass sich ein Spiel von Licht und Schatten ergab; ihr berühmtester Vertreter war *Rodin.* – In der Literatur wird der 1890–1910 von einigen Dichtern vertretene Stil der Umsetzung alles Gegenständlichen in Empfindungen Impressionismus genannt (z. B. das Frühwerk von R. M. *Rilke*). – In der Musik gelten besonders *Débussy* und *Ravel* als Impressionisten.

Impressionismus: Gemälde von Claude Monet, Die Eisenbahnbrücke von Argenteuil; 1873. Paris, Musée d'Orsay

Impressum [das], in Büchern, Zeitschriften und Zeitungen die Nennung des Herausgebers, Verlegers, Redakteurs und der Druckerei sowie Angaben zum Copyright.

Improvisation [die], eine ohne jede Vorbereitung unternommene Handlung. In der Musik spricht man von einer Improvisation, wenn ein Stück gleichzeitig entsteht und aufgeführt wird.

Impuls [der], allgemein ein Anstoß, Antrieb. In der Mechanik das Produkt aus Masse und Geschwindigkeit eines Körpers, die Bewegungsgröße.

Index [der], **1.** das Stichwortverzeichnis, Register eines Buches. **2.** Liste der von der katholischen Kirche verbotenen Bücher (nicht mehr gültig). **3.** in der Mathematik in kleiner Schrift angehängte Buchstaben oder Zahlen, die gleichartige mathematische Größen unterscheiden, z. B. A_1, A_2, h_a, h_b.

Indianer [Pl.], die Erstbesiedler Amerikas mit Ausnahme der Eskimo (Inuit) und der Alëuten. Sie erhielten ihren Namen von *Kolumbus*, der glaubte, mit seinen Schiffen in Indien gelandet zu sein. In Lateinamerika werden die Indianer als »Indios« bezeichnet, im englischsprachigen Nordamerika hat sich die Bezeichnung »Native Americans« durchgesetzt. Die Indianer sind wahrscheinlich während der letzten Eiszeit über eine Landbrücke aus Asien (Beringstraße) eingewandert. In Amerika entwickelten sich unterschiedliche Völker und Stämme, deren Lebensformen und Sprachen stark voneinander abwichen. Dazu zählen z. B. die *Azteken, Inka* und *Maya*, die in Mittel- und Südamerika mächtige Staaten mit komplexen Gesellschaftssystemen errichteten, aber auch die *Guaikurú* im südamerikanischen Chaco-Gebiet und die nordamerikanischen *Cree* nördlich der Großen Seen, die in kleinen Gruppen als Jäger und Sammler lebten. Die Indianer der nordamerikanischen Prärien (z. B. *Apachen, Cheyennen, Comanchen*) entsprechen am ehesten dem Bild der Westernfilme. Sie nutzten die riesigen Bisonherden als Fleischlieferant und zur Herstellung von Kleidung, Zelten, Waffen und Schmuck. In den östlichen Prärien war bis zur Übernahme des Pferdes der Maisanbau die wichtigste Lebensgrundlage. Mit der Einwanderung der Europäer veränderte sich das Leben der Indianer. Die von Osten nach Westen vordringenden weißen Siedler brachten für das Brauchtum und die Fähigkeiten der Indianer kein Verständnis auf. Sie bekämpften die »Rothäute«, betrogen sie um ihr Land. Sie wurden in Reservationen zurückgedrängt, die ihnen zwar einen gewissen Schutz boten, jedoch durch Beschneidung der Jagdreviere und die oft unfruchtbaren Böden auch die Existenzgrundlage entzogen. Außerdem hatten eingeschleppte Seuchen (z. B. Pocken) und der Alkohol (»Feuerwasser«) verheerende Folgen. Insbesondere die Indianer Nordamerikas wurden nach einigen größeren Schlachten und blutig niedergeworfenen Aufständen in ihrer Zahl stark reduziert. Sie haben durch die große Veränderung ihres Lebensraums, durch Vertreibung und Verschleppung auch ihre traditionelle Lebensweise aufgeben müssen und ihr Brauchtum teilweise verloren. Erst in neuester Zeit werden alte Bräuche wiederbelebt. In Mittel- und Südamerika haben sich die Indianer z. T. mit den Einwanderern gemischt. Siehe auch ZEIT-Beitrag → »Indianer: Von Pferdehändlern und Kopfjägern«, Seite 62–65.

Indianer: Totempfahl der kanadischen Indianer mit kunstvoll gestalteten Wappentieren und Ahnenfiguren im Stanley Park in Vancouver

Kanadische Saskatchewan-Indianer in traditionellen Gewändern

Indianer

Von Pferdehändlern und Kopfjägern

Von Sabine Etzold

Es ist immer wieder eine schwierige Entscheidung, welche Rolle man lieber spielen will – Cowboy oder Indianer. Einerseits scheint »Indianer« reizvoller: auf den Kriegspfad gehen, Feinde skalpieren, sie an den Marterpfahl fesseln. Oder eine Friedenspfeife rauchen, während für die »Cowboys« nicht viel mehr übrig bleibt als tumbes Rumballern. Andererseits: Wer Indianer ist, hat auf jeden Fall verloren.

Unsere Vorstellung von »Rothäuten« ist dabei von Hollywood-Filmen und von den Karl-May-Festspielen in Bad Segeberg geprägt, von halb nackten, kreischenden Schauspielern und wechselnden Winnetou-Darstellern mit Fransen an der Lederhose und der Unendlichkeit der Prärie im Blick.

In einer Hinsicht allerdings entspricht das Cowboy-und-Indianer-Spiel leider der Wirklichkeit: Die Indianer gehören zu den Verlierern der Geschichte. Von den Ya'mana, den Kanuindianern an der Südostspitze Feuerlands bis hin zu den Algonkin im Norden Kanadas: Ihr aller Schicksal war letztlich besiegelt, als der spanische Entdecker Christoph Kolumbus 1492 in Amerika an Land ging.

»Rote« und »Weiße«

Der Weg in den Untergang aber war keineswegs so gradlinig und schicksalhaft, wie wir glauben. Die Geschichte der Besiedlung Nordamerikas zum Beispiel kennt unendlich viele Geschichten und Ereignisse, die sich zutrugen, wenn »Weiße« und »Rote« aufeinandertrafen.

Diese Begegnungen waren mitnichten immer feindselig. Hie wie dort war es ja eine bunte Gesellschaft, die zusammenkam. Die Wege von Goldsuchern, Missionaren, Revolverhelden, Trappern und Fallenstellern, Soldaten und biederen Bauern kreuzten sich mit denen von Indianerstämmen, die ihrerseits sehr verschieden gestrickt waren: Irokesen, die ihre Feinde aufs Grausamste folterten, Kwakiutl, die ihre Gefangenen zu Sklaven machten, Mandan, die in Erdhöhlen wohnten, Sioux, die durch die Prärien zogen, Choctaw, die sesshaft in ihren Hütten hockten, allerdings Köpfe als Trophäen sammelten.

Das indianische Amerika

Die Stämme waren sich zum Teil spinnefeind und bekämpften sich bis aufs Blut. Das indianische Amerika vor Kolumbus' Ankunft war alles andere als friedlich, und viele Auswanderer, die das alte Europa verlassen hatten, um in der Neuen Welt endlich Frieden zu finden, mussten feststellen, dass sie nur den Kriegsschauplatz gewechselt hatten.

Unser Bild von edlen Wilden und stolzen Kriegern, die im Einklang mit der Natur und dem Großen Geist durch die Prärien streiften – alles nur Kino und Karl May? Auch das stimmt nicht ganz – es gab sie tatsächlich. Allerdings nur knapp hundert Jahre lang. Und ihr romantisches Dasein in dieser Zeit verdankten sie eigenartigerweise den Bleichgesichtern. Die nämlich hatten die Pferde nach Amerika gebracht. Winnetou bekam seinen Iltschi, und die Lebensform der Prärieindianer wandelte sich so grundlegend wie die der »zivilisierten« Welt durch die Erfindung des Automobils.

Die Indianer stiegen aufs Pferd um – und damit auf eine vollkommen andere Wirtschaftsform: Jetzt jagten sie Bisons im großen Stil. Pferdehändler wurde ein neuer indianischer Beruf, und um 1750 hatten Pferdezucht und -nutzung vom Süden bis hinauf nach Wyoming das gesamte Indianerleben umgekrempelt. Die Tiere wurden so geritten, wie man sie gestohlen, getauscht, gekauft oder eingefangen hatte: »nackt«, ohne Sattel, Steigbügel oder Zaumzeug. Auf den

Bekannt wurde dieser Sioux-Häuptling unter dem Namen Crazy Horse, tatsächlich hieß er Tashunca-Uitco

Pferden durchstreiften nun die verschiedensten Indianervölker die Ebenen. Stämme trafen aufeinander, die sich als Fußgänger nie begegnet waren, und die Prärie wurde zum Schmelztiegel von mehr als 30 Völkern. Über Nacht entstand so eine neue Kultur, die der amerikanische Wissenschaftler und Experte für indianisches Leben, Peter Falk, mit dem Rittertum in unserem europäischen Mittelalter vergleicht.

Eine Art Kriegerkaste bildete sich heraus, in der besondere Heldentaten, sogenannte Coups, zu unsterblichem Ruhm verhalfen. Exklusive Rituale und Bräuche wurden gepflegt, ausgefeilte Techniken, um sowohl sich selbst als auch den Feinden äußerste körperliche Qualen zuzufügen, wurden erfunden, und das Skalpieren kam richtig in Mode, bei den Indianern genau wie bei den Weißen.

Viele Indianer wurden reich. Manche betrieben einträglichen Handel mit gestohlenen Pferden oder Gewehren, andere investierten in »Heilige Bündel«-Gebilde aus Fetischen und Federn, die von ihren Besitzern zu zeremoniellen Zwecken gegen Geld ausgeliehen wurden. (Die Erlaubnis, auch nur einen Blick auf ein solches Heiliges Bündel zu werfen, entsprach einem Gegenwert von etwa 200 Euro.) Nicht Krieg und Vernichtung, sondern Handel prägte lange Zeit auch das Verhältnis zu den Weißen: Im regen Geschäftsverkehr war jede Seite überzeugt, gute Gewinne zu machen.

Dieser Tomahawk der Blackfoot-Indianer konnte bei Bedarf auch als Pfeife benutzt werden

Händler und Missionare

Die Indianer hatten es vor allem auf Gewehre und »Feuerwasser« abgesehen, während die Einwanderer außer auf Felle und Häute auf ein ganz besonders »Gut« der Indianer scharf waren: Sie wollten auch ihre Seelen. Und so blühte das Missionsgeschäft, also der Versuch, Indianer zum christlichen Glauben zu bekehren. Durch konsequente Missionierung wurden zum Beispiel die Lenni Lenape oder die Delaware zu den »Hausindianern« der um 1735 aus Deutschland nach Amerika gekommenen »Mährischen« oder »Herrenhuter Brüder«. Die Mährischen Indianer wohnten in Dörfern namens Salem, Bethlehem oder Gnadenhütten, kleideten sich wie die »Brüder« (und Schwestern), bestellten die Felder, kultivierten die Gärten, nahmen am täglichen Gottesdienst teil und führten (und verloren) auch die Kriege der Europäer, was ihnen schließlich den Untergang brachte.

Den Jesuiten gelang es sogar, eine Indianerin derart gründlich zu missionieren, dass sie heilig gesprochen wurde. Zu den Wundern, die zur Heiligsprechung der jungen Frau Tekakwitha führten, zählte unter anderem, dass angeblich zehn Minuten nach ihrem Tod die Pockennarben aus ihrem Gesicht verschwanden. Ein fast noch größeres Wunder war es allerdings, dass Tekakwitha

Tipis im kanadischen Espanola-Ojibwe-Reservat (Ontario)

die Anfeindungen ihrer heidnischen Stammesgenossen lebend überstand. Sie war nämlich eine Mohawk (was so viel heißt wie »Kannibale«), gehörte also zum Völkerbund der Irokesen, die wegen ihrer Aggressivität überall gefürchtet wurden. Hätten die Europäer es nicht verhindert, dann hätten die Irokesen etliche ihrer Nachbarstämme ausgerottet und sich deren Land unter den Nagel gerissen. Landraub war keineswegs eine Spezialität der Weißen.

Das westliche Ende der Welt

Geschichte beinhaltet immer verschiedene Möglichkeiten. Das halbwegs friedliche Miteinander oder Nebeneinander von Ureinwohnern und Einwanderern hätte in Nordamerika gelingen können; die Voraussetzungen waren vorhanden. Dass es nicht dazu kam, war eine politische Entscheidung. Als nach dem Ende des amerikanischen Bürgerkriegs immer mehr Menschen ins Land und nach Westen drängten, beschloss die Regierung die systematische Vertreibung und Vernichtung der Prärieindianer; Platz musste geschaffen werden für die neuen Siedler.

Es waren also keineswegs die goldgierigen Abenteurer, denen die Indianer weichen mussten, sondern meist schlichte Siedlerfamilien wie diejenige von Laura Ingalls Wilder, die als Kind die Vertreibung der Indianer miterlebte und sie in ihren Lebenserinnerungen beschreibt: »Noch immer zogen die Indianerponys vorüber, mit Häutebündeln, Zeltpflöcken, schaukelnden Körben und Kochtöpfen. Auch ein paar Indianerfrauen und einige nackte Kinder waren dabei. Dann war endlich das letzte Pony vorbeigezogen. Aber noch immer standen Pa und Ma und Laura und Mary in der Tür und blickten dem Zug der Indianer nach, der langsam zum westlichen Ende der Welt ritt. Und nichts blieb zurück als Stille und Leere.«

Ländersteckbrief
Indien

Fläche:	3 287 263 km²
Einwohner:	1,1 Milliarden = 341 je km²
Hauptstadt:	Neu Delhi
Religion:	Hinduismus, Islam
Amtssprache:	Hindi, Englisch, 17 Regionalsprachen
Währung:	1 Indische Rupie = 100 Paise

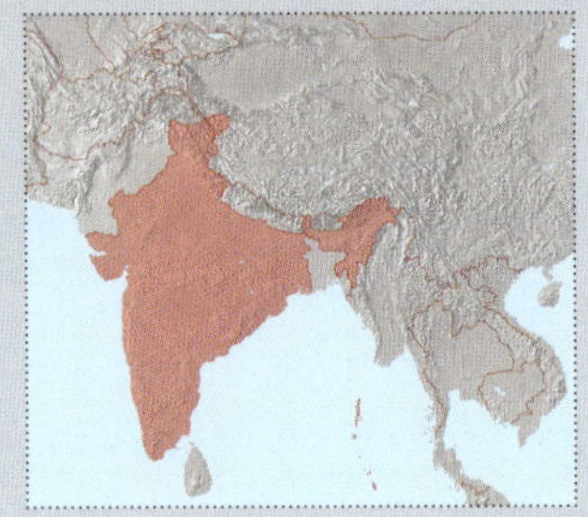

Indien, Staat in Südasien.

Landesnatur: Von den Hauptketten des Himalaya reicht das Land über dessen Vorberge, die Schwemmlandebene von Ganges und Brahmaputra und das Dekanhochland bis zur Südspitze des Subkontinents. Das im Süden tropische, im Norden subtropische Klima wird vom Monsun bestimmt. Besonders reiche Niederschläge fallen an den Hängen der Westghats und des Himalaya sowie in Assam und im östlichen Dekanhochland (immergrüne Regenwälder, Monsunwälder). Außerordentlich trocken ist der Nordwesten Indiens (Dornbuschsteppen, Wüste).

Bevölkerung: Außer den Indern leben nur kleine Minderheiten von Tibetern, Chinesen und Europäern in Indien. 80% sind Hindus, 11% Muslime; daneben gibt es Christen, Sikhs, Buddhisten, Parsen. Es herrscht eine große Sprachenvielfalt.

Wirtschaft: Die wichtigsten Anbauprodukte sind Reis, Hirse, Weizen, Zuckerrohr, Sesam, Erdnüsse, Bananen. Exportkulturen sind Baumwolle und Jute, Tee, Kaffee, Kokosprodukte und Pfeffer. An Bodenschätzen werden Eisen, Kohle, Bauxit, Mangan, Chrom und Antimon gefördert. Neben der Verarbeitung von Jute, Baumwolle, Leder und Zuckerrohr hat sich die Eisen- und Stahl-, Maschinen-, Metall-, Elektro-, Papier-, elektronische und chemische Industrie entwickelt. Zahlreiche Wasser- und Wärmekraftwerke wurden errichtet. – Die wichtigsten Seehäfen sind Mumbai (früher Bombay), Kolkata (früher Calcutta), Chennai (früher Madras), Cochin, Vishakhapatnam und Kandla. Der Luftverkehr ist gut ausgebaut: internationale Flughäfen gibt es in Mumbai, Kolkata, Delhi und Chennai.

Geschichte: Die *Indus-Kultur* (seit 2500 v. Chr.) gehört zu den frühesten Hochkulturen der Menschheit. Um 1300 v. Chr. begannen kriegerische arische Nomadenvölker in Nordwestindien einzufallen und drangen durch den Pandschab (um 1000 v. Chr.) bis in das Ganges-Gebiet (um 600 v. Chr.) vor. Die Gesellschaftsordnung der Arier bildete die Grundlage des indischen Kastensystems, ihre in den Veden niedergelegte Religion führte zur Ausbildung des *Brahmanismus*. Im 6. Jh. v. Chr. entstanden *Buddhismus* und

Indien: Im fruchtbaren Kaschmirtal können Pflanzen wachsen, die Berge hingegen sind trocken und karg.

Indien: Frauen vom nordindischen Volksstamm der Rajputen beim Wasserholen

Jinismus. 327–325 v. Chr. führte *Alexander der Große* sein Heer nach Indien. 320 bis etwa 185 v. Chr. bildete sich unter der Maurya-Dynastie das erste indische Großreich, das mit König *Ashoka* um 250 v. Chr. seine größte Ausdehnung erreichte. Das Reich der *Gupta* begann seinen Aufstieg um 320 unter *Chandragupta*. Es wurde um 500 von den Weißen Hunnen (Hephthaliten) zerstört. Danach entstanden mehrere regionale Königreiche. In Südindien dominierten die Dynastien *Pallavas* und *Chalukyas*. Ihnen folgte die *Chola-Dynastie*. Im 8. Jh. setzte mit dem Andrängen der Araber im Norden und Westen die Islamisierung ein. Sie erreichte mit der Eroberung von Bihar (1194) und der Gründung des Sultanats von Delhi (1206) ihren Höhepunkt. Mit dem Niedergang des Sultanats, der durch den mongolischen Einfall unter Timur 1398 beschleunigt wurde, stieg im 14. Jh. im Süden das Reich *Vijayanagar* auf.

1498 landete *Vasco da Gama* in Calicut. Die Portugiesen legten Handelsniederlassungen entlang der indischen Küste an. 1526 gelang *Babur*, einem Nachfahren Timurs, die Gründung des *Mogulreichs*. Es erreichte unter *Akbar* (1556–1605) seine Hochblüte. 1600 wurde die englische Ostindienkompanie gegründet. Der Mogulherrscher *Aurangseb* (1658–1707) beherrschte fast den ganzen indischen Subkontinent, danach setzte der Machtzerfall ein. Im 18. Jh. errangen die Engländer die Vorherrschaft im Indienhandel und begannen mit der Ausweitung ihrer Territorialmacht. 1858 übernahm Großbritannien nach Auflösung der Ostindienkompanie offiziell die Souveränität des Mogulreichs, 1877 wurde Königin *Viktoria* »Kaiserin von Indien«.

Nach dem Ersten Weltkrieg eröffnete M. *Gandhi* seine Bewegung des passiven Widerstands, um die Unabhängigkeit zu erzwingen. 1935 gab Großbritannien Indien parlamentarische Selbstverwaltung. 1947 erhielt Indien nach Trennung vom islamischen Pakistan den Dominion-Status; 1950 wurde es unabhängige Republik *(Indische Union)* im Rahmen des Commonwealth. 1961 besetzte es das portugiesische Goa. Nach Grenzkonflikten mit China (1956, 1962) und Pakistan (1948, 1965) schloss Indien 1971 mit der Sowjetunion einen Freundschafts- und Beistandspakt und unterstützte die Sezessionsbestrebung Ostpakistans, die nach dem militärischen Eingreifen von Indien 1971 zur Gründung der Republik Bangladesch führte. 1974 zündete Indien seine erste Atombombe. 1975 machte es das Königreich Sikkim zum indischen Bundesstaat. 1987–1991 engagierte sich Indien militärisch im Bürgerkrieg auf Sri Lanka.

1947–1996 (Unterbrechung 1977–1980 und 1989 bis 1991) regierte die Kongresspartei. Bedeutende Premierminister waren 1947–1964 J. *Nehru,* 1966–1977 und 1980–1984 I. *Gandhi,* die von Sikhs ermordet wurde. Ihr Sohn R. *Gandhi*, 1984–1989 Regierungschef, fiel 1991 einem Attentat zum Opfer. Seit 1998 regierte A. B. *Vajpayee* von der hinduistisch-nationalistischen Bharatiya Janata Party (BJP) als Premierminister. Er bemühte sich um Wirtschaftsreformen. Religiöse Auseinandersetzungen zwischen Hindus und Muslimen bestimmten die Innenpolitik. Im indisch-pakistanischen Dauerkonflikt um Kaschmir, der sich seit 1999 verschärft hatte, setzte 2003 ein Entspannungsprozess ein. Die Parlamentswahlen 2004 gewann die Kongresspartei. Das Amt des Premierministers übernahm M. *Singh*. Mit P. *Patil* wurde 2007 erstmals eine Frau zur Staatspräsidentin gewählt.

Indikativ [der], in der Grammatik die Wirklichkeitsform des Verbs (z. B. »er schläft«) im Gegensatz zum → Konjunktiv (Möglichkeitsform).

Indikator [der], Hilfsmittel zur Anzeige bestimmter Verhältnisse. Ein *chemischer Indikator* zeigt mit seiner Farbe an, wie sauer oder wie basisch eine Lösung ist. So färbt sich beispielsweise Lackmus bei saurer Reaktion rot, bei alkalischer Reaktion blau. Bekannte *biologische Indikatoren* sind Flechten, die besonders empfindlich auf Luftverschmutzungen reagieren. Aber auch anhand der An- oder Abwesenheit von Vögeln, Käfern, Spinnen und anderen Tieren lässt sich erkennen, wie der untersuchte Lebensraum beschaffen ist.

Indio [der], spanische und portugiesische Bezeichnung für den → Indianer Lateinamerikas.

indirekte Rede, Redeform, in der Aussagen unter Veränderung der grammatischen Person und des Modus der Verben wiedergegeben werden, z. B. »er fragte ihn, ob er komme«. Gegensatz: *direkte Rede.*

Indischer Ozean, das kleinste der drei Weltmeere. Es liegt zwischen Afrika, Asien, Australien und der Antarktis. Die Gesamtfläche beträgt 75,80 Mio. km^2, die größte Tiefe wurde mit 7455 m im Sunda-Graben gemessen.

indiskret, taktlos, nicht verschwiegen; Gegensatz: *diskret.*

Individuum [das, lat., »das Unteilbare«], der Einzelmensch, das Einzelwesen mit seinen besonderen Eigenarten. Wenn etwas persönlich, für jemanden charakteristisch ist, bezeichnet man es als *individuell.*

Indiz [das], Umstand (z. B. die Tatwaffe im Besitz des mutmaßlichen Täters), der Grund zum Verdacht gibt und zur Aufklärung einer Straftat beitragen kann, aber noch keinen Beweis erbringt.

Indochina [das], das ehemals französisch beherrschte Gebiet im östlichen und südlichen Hinterindien; seit 1950 drei unabhängige Staaten: Vietnam, Kambodscha und Laos.

Indogermanen [Pl.], *Indoeuropäer,* die Völker der indogermanischen Sprachfamilie (fast alle europäischen Sprachen sowie die vorderasiatischen und indischen Sprachen), benannt nach den östlichsten (Inder) und westlichsten (Germanen) Vertretern. Die Sprachen dieser Völker sind miteinander verwandt, wenn auch nicht nachgewiesen werden kann, dass es ein »Urvolk« gegeben hat.

Ländersteckbrief
Indonesien

Fläche:	1 922 570 km^2
Einwohner:	225,5 Millionen = 117 je km^2
Hauptstadt:	Jakarta
Religion:	Islam, Christentum, Hinduismus, Buddhismus
Amtssprache:	Bahasa Indonesia
Währung:	1 Rupiah = 100 Sen

Indonesien, Staat in Südostasien.

Landesnatur: Indonesien besteht aus den *Großen Sundainseln* (Borneo, Sumatra, Celebes, Java), den *Kleinen Sundainseln,* den *Molukken* und dem Westen

Indonesien: Reis ist das Volksnahrungsmittel Nr. 1; Terrassenfeldbau auf Bali

Neuguineas *(Papua).* Bis heute tätige Vulkane krönen die Gebirge, die die Inseln in mehreren Ketten durchziehen. Größere Tiefebenen und große Ströme gibt es besonders auf Sumatra und Borneo. Es herrscht tropisches Monsunklima mit nach Osten abnehmenden Niederschlägen. Die feuchteren Gegenden tragen dichten tropischen Regenwald (60% der Landfläche sind bewaldet).

Bevölkerung: Die überwiegend islamische Bevölkerung besteht größtenteils aus Indonesiern, daneben aus einigen malaiischen und weddischen Völkern, Indern und Weißen sowie über 4 Mio. Chinesen. 60% der Bevölkerung leben auf Java. Es herrscht Sprachenvielfalt (malaiisch-polynesische Sprachen, Englisch u. a.).

Wirtschaft: Die tropische Pflanzungswirtschaft liefert v. a. Reis, ferner als Exportgüter Kautschuk, Öl- und Kokospalmprodukte, Kaffee, Tee, Tabak, Pfeffer u. a. Gewürze. Die Fischerei hat erhebliche Bedeutung. Die Wälder liefern Edelhölzer und Harze. An Bodenschätzen gibt es v. a. Erdöl, Erdgas und Zinn. Die Industrie (Fahrzeuge, Textilien, Papier, Nahrungsmittel, Zement, Gummi- und Metallwaren, Chemikalien) befindet sich in raschem Ausbau. – Haupthäfen sind Surabaya, Tanjungperiuk bei Jakarta, Semarang, Belawan und Ujung Pandang. Wichtig ist die Küsten- und interinsulare Schifffahrt sowie der internationale und Binnenluftverkehr.

Geschichte: In Indonesien wirkten in der Frühzeit hinduistische und buddhistische Einflüsse. Zwischen dem 13. und 16. Jh. breitete sich der Islam aus. Gewürzhandel zog die Niederländer nach Indonesien (1602 Gründung der Vereinigten Ostindischen Compagnie, VOC). Sie erweiterten innerhalb von 300 Jahren, vom Stützpunkt Batavia (Jakarta) ausgehend, ihr Einflussgebiet über ganz Indonesien und gründeten das Kolonialreich *Niederländisch-Indien*, das 1942 von den Japanern erobert wurde. Am 17. 8. 1945 entstand die *Indonesische Republik* mit dem Nationalistenführer A. *Sukarno* als Präsidenten. 1949 wurde die Unabhängigkeit gewährt und 1954 der Unionsvertrag mit den Niederlanden gelöst. 1963 kam das niederländische Westneuguinea an Indonesien. 1963–1966 befand sich Indonesien in einem kriegsähnlichen Zustand mit Malaysia. Ein kommunistischer Putschversuch scheiterte 1965; er führte 1966 zur Entmachtung Sukarnos und zum Verbot der Kommunistischen Partei. Kommunistenverfolgungen fielen Hunderttausende

Indonesien: Mädchen in traditioneller Kleidung auf dem Weg zur Schule

Indus: Ein Fischer legt sein Netz aus.

zum Opfer. Regierungschef und Staatspräsident wurde General *Suharto.* Außenpolitisch folgte eine Aussöhnung mit Malaysia. 1976 besetzte Indonesien die portugiesische Kolonie Osttimor und erklärte sie zu einem Teil Indonesiens. Der Konflikt zwischen der Suharto-Regierung und der Unabhängigkeitsbewegung *Fretilin* forderte rund 200 000 Tote. Nach blutigen Unruhen trat Suharto am 21. 5. 1998 zurück und es setzte ein demokratischer Wandel ein. Der 1999 zum Präsidenten gewählte A. *Wahid* wurde 2001 abgesetzt. M. *Sukarnoputri*, eine Tochter Sukarnos, trat die Nachfolge an. 2002 wurde Osttimor endgültig unabhängig. Ethnisch-separatistische Konflikte in verschiedenen Regionen und der islamische Extremismus belasteten den Demokratisierungsprozess. Die Präsidentschaftswahlen 2004 gewann der frühere General *Susilo Bambang Yudhoyono.* Indonesien wurde im selben Jahr schwer von der südasiatischen Flutkatastrophe getroffen.

Induktion [die], **1.** allgemein eine Erkenntnis aus Erfahrung. **2.** in der Elektrizitätslehre die Erzeugung einer elektrischen Spannung mit Hilfe eines elektrischen Leiters in einem Magnetfeld. Die Induktion ist die Grundlage aller elektrischen Maschinen (z. B. Elektromotor, Generator).

Indus, der längste Strom Südasiens, 3200 km lang. Er entspringt im Transhimalaya und mündet in einem riesigen Delta ins Arabische Meer.

Industrie [die], ein Zweig der Wirtschaft, der sich aus dem Handwerk entwickelt hat. Die Industrie verarbeitet Rohstoffe oder teilweise vorgefertigte Produkte. Im Unterschied zum Handwerk werden in der Industrie viele Maschinen zur Massenproduktion eingesetzt. Die Arbeiter stellen keine Gegenstände mehr komplett her, sondern führen nur noch einige Handgriffe (meist am Fließband) an den einzelnen Werkstücken durch. Für die Arbeiten beschäftigt die Industrie vorwiegend ungelernte oder angelernte Arbeiter.

Was war die ... industrielle Revolution

Industrielle Revolution ist ein Anfang des 19. Jh. in Analogie zur *Französischen Revolution* gebildeter Begriff, der den tiefgreifenden Wandel in der Produktionstechnik bezeichnete. Da sich mit den Produktionsbedingungen auch die wirtschaftlichen und sozialen Verhältnisse dramatisch veränderten, wurde der Begriff von L. A. *Blanqui* (1837) und F. *Engels* (1844/1845) erweitert. Industrielle Revolution bezeichnete nun die Phase rascher technischer, wirtschaftlicher und sozialer Veränderungen, durch die sich seit Ende des 18. Jh. zunächst England, dann die meisten kontinentaleuropäischen Staaten sowie die USA und Japan aus Agrar- zu Industriegesellschaften entwickelten.

Begleiterscheinungen der industriellen Revolution: Die industrielle Revolution war also weniger (plötzliche) »revolutionäre Umwälzung«, sondern eher Höhepunkt einer langen

Entwicklung. Mit ihr ging die Entwicklung neuer Verkehrs- und Transportmittel (v.a. Dampfschiff, Eisenbahn) und ein starkes Bevölkerungswachstum einher. Sie erzeugte auf der einen Seite einen starken Fortschrittsoptimismus. Auf der anderen führte sie (u. a. durch Verelendung der Industriearbeiter und die sich verschärfenden sozialen Gegensätze) zur Entstehung der *Arbeiterbewegung* und des *Marxismus*.

Grundvoraussetzungen für die Entwicklung der industriellen Revolution: Als Voraussetzungen und Ursachen der industriellen Revolution gelten: 1. Erfindung neuer Maschinen (Dampfmaschine, Spinn- und Webmaschine) sowie neuer Produktionsverfahren, v.a. bei der Eisen- und Stahlgewinnung (ab ca. 1760): Sie ermöglichten bzw. erzwangen den Übergang vom Verlags- oder Manufaktursystem zur *Fabrik* bzw. zum Industriebetrieb. 2. Verfügbarkeit von freiem *Kapital*, das aus dem (Übersee-)Handel stammte: Es gab den Anstoß zur wirtschaftlichen Nutzung der neuen Technologien. 3. Vorhandensein einer »industriellen Reservearmee«: Durch die sogenannte agrarische Revolution (Intensivierung der Anbaumethoden und *Bauernbefreiung*) entstand ein ländliches Proletariat, das von der Landwirtschaft nicht mehr leben konnte und in großer Zahl in die wachsenden Industriestädte drängte, wo es nun als (billige) Arbeitskräfte zur Verfügung stand.

Zweite industrielle Revolution: Im Zusammenhang mit Automation, Nutzung der Kernenergie, der elektronischen Datenverarbeitung und der *Globalisierung* sowie den dadurch verursachten wirtschaftlichen und sozialen Veränderungen in der 2. Hälfte des 20. Jh. wird auch von einer *zweiten industriellen Revolution* gesprochen. Sie kennzeichnet den Übergang von der Industrie- zur *Dienstleistungs-* oder *Informationsgesellschaft*.

Erfindungen wie der dampfbetriebene Schmiedehammer, entwickelt von dem schottischen Ingenieur James Nasmyth, ermöglichten industrielle Produktionsweisen.

Infanterie [die], ursprünglich die zu Fuß marschierende und kämpfende Truppe. In der Bundeswehr ist Infanterie die Sammelbezeichnung für Panzergrenadiere und Jäger.

Infarkt [der], das Absterben von Körpergewebe, weil es für eine Zeit lang nicht mit Blut versorgt worden ist. Die Ursache dafür kann z. B. eine verstopfte Ader sein. Ein Infarkt kann verschiedene Organe betreffen (z. B. Lunge, Niere), am häufigsten kommt der Herzinfarkt vor.

Infektion [die], Ansteckung, das Eindringen von Krankheitserregern in den Körper, z. B. durch Einatmen, durch Wunden oder durch Insektenstiche.

Infektionskrankheiten [die], ansteckende und nicht ansteckende Krankheiten mit akutem oder chronischem Verlauf, die durch Infektion mit bestimmten Erregern, Bakterien, Viren, Pilzen, Einzellern, Parasiten und Prionen hervorgerufen werden. Infektionskrankheiten gehen fast immer mit Fieber einher. Der Krankheitsverlauf hängt von Art und Menge des Erregers und der Abwehrlage des Organismus ab. Eine überstandene Infektionskrankheit hinterlässt in vielen

Fällen Immunität, die eine Wiederholung derselben Krankheit ausschließt. Zu den Infektionskrankheiten zählen u.a. Aids, Keuchhusten, Scharlach, Masern, Typhus, SARS, Windpocken und Röteln. Siehe auch ZEIT-Beitrag → »Infektionskrankheiten: Pest und Cholera«, Seite 74–77.

Infinitiv [der], *Nennform,* die Grundform des Verbs, z. B. »lachen«, »rufen«.

Inflation [die, lat., »Aufblähung«], die schnell anwachsende Geldentwertung durch einen ständigen Anstieg der Preise und durch die Vermehrung der Geldmenge, die im Umlauf ist. Ist mehr Geld als Ware im Umlauf, verliert das Geld seinen Wert und die Ware wird teurer. Die größte Inflation erlebten Deutschland und Österreich nach dem Ersten Weltkrieg. Die Inflation nach dem Zweiten Weltkrieg führte zu einem starken Tauschhandel und zur Währungsreform; Gegensatz: *Deflation.*

Informatik [die], die Wissenschaft von den Grundlagen und der Verwendung der elektronischen Datenverarbeitung. Die Hauptgebiete sind Mathematik und Elektronik.

Information [die], Nachricht, Auskunft.

Informationsgesellschaft, Bezeichnung für eine durch ein hohes Maß an Informations- und Wissensvermittlung geprägte Gesellschaft.

Infotainment [-'tɛin-], Kunstwort aus engl. *information* und *entertainment* (Unterhaltung). Verbindung von informativen und unterhaltenden Beiträgen.

Infrarot [das], *Ultrarot,* elektromagnetische Wellen mit Wellenlängen von 780 nm (Nanometer) bis 1 mm. Infrarot liegt im Farbspektrum jenseits des Rot und ist für das menschliche Auge nicht sichtbar. Infrarotstrahlen sind Wärmestrahlen und können mit besonderem Filmmaterial oder speziellen Geräten sichtbar gemacht werden. So kann man z. B. mit Hilfe infrarotempfindlicher Filme auch im Nebel oder bei Dunkelheit Lebewesen fotografieren, weil sie mehr Wärme abgeben als ihre Umgebung. Außerdem kann man Temperaturzonen auf der Erdoberfläche oder die Wärmeisolierung eines Hauses sichtbar machen.

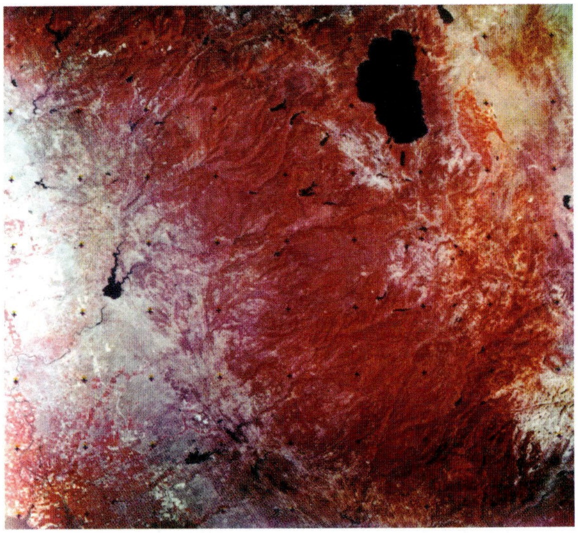

Infrarot: Über Infrarotaufnahmen kann z. B. die Pflanzendichte erforscht werden: Das Chlorophyll reflektiert auf diesem Foto der Erdoberfläche rot.

Infrastruktur [die], der für das Bestehen einer entwickelten Volkswirtschaft erforderliche »Unterbau« materieller, meist öffentlicher und standortgebundener Art (Energieversorgung, Verkehrseinrichtungen, öffentliche Gebäude und Anlagen), institutioneller Art (rechtliche, politische und soziale Rahmenbedingungen des Handelns der Wirtschaftssubjekte) und personeller Art (quantitative und qualitative Struktur der Arbeitskräfte).

Infusion [die], in der Medizin die Zuführung bestimmter Flüssigkeiten, die sich mit dem Blut vertragen, in eine Blutader oder unter die Haut, z. B. bei starkem Flüssigkeitsverlust oder wenn auf dem normalen Weg keine Nahrung aufgenommen werden kann.

Ingwer [der], eine asiatische Pflanze, deren Wurzel das *Ingwergewürz* liefert. Eine Ingwerlimonade ist das *Gingerale.* Das *Ingweröl* dient als Würze für Bonbons und Liköre.

Injektion [die], in der Medizin das Einspritzen flüssiger Arzneimittel in eine Blutader *(intravenöse Injektion),* unter die Haut *(subkutan)* oder in einen Muskel *(intramuskulär).*

Inka [der], indianisches Herrschergeschlecht in Südamerika. Die Inkas hatten in den letzten 100 Jahren vor der Entdeckung Amerikas ein mächtiges Reich geschaffen. Die Hauptstadt war Cuzco im heutigen Peru. Im Inkareich gab es gut ausgebaute Straßen, künstliche Bewässerung, großartige Paläste und Tempelbauten. Etwa 200 spanische Eroberer unter *Pizarro* eroberten das Land in den Jahren 1531–1533 und machten es zur spanischen Kolonie. Der letzte Inkaherrscher *Atahualpa* (* nach 1500, † 1533) wurde von ihnen trotz Zahlung eines gewaltigen Lösegeldes hingerichtet.

Inkarnation [die], *Fleischwerdung,* Verkörperung eines göttlichen Wesens in menschlicher Gestalt. Die Vorstellung der Inkarnation gibt es in vielen Religionen. Christen z. B. glauben an die Menschwerdung Gottes in Jesus Christus.

Inkasso [das], das Einziehen von fälligen Forderungen, z. B. Rechnungen oder Schecks.

inkognito, unerkannt, unter einem Decknamen.

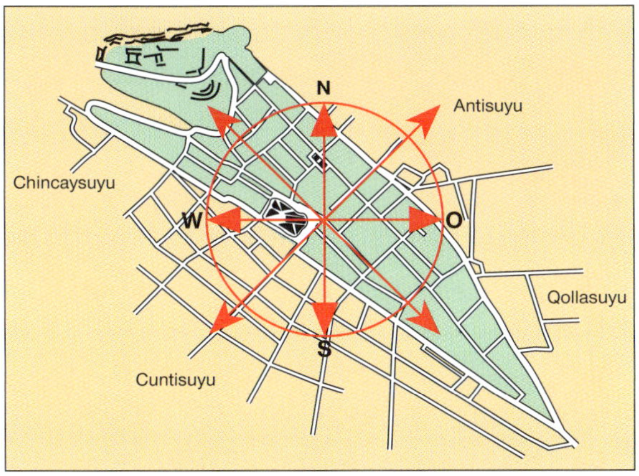

Inka: Der Stadtplan von Cuzco, der alten Inkahauptstadt, zeigt die Form eines Pumas. Er veranschaulicht die Beziehungen zwischen der Stadt, den Himmelsrichtungen und den vier Provinzen des Inkareichs.

Inka: Ruinen der Inkafestung Machu Picchu in Peru

Inkubation [die, lat., »Ausbrütung«], bei Infektionskrankheiten die Zeit zwischen Ansteckung und Ausbruch der Krankheit.

Inlineskating ['inlainskεitiŋ, das; engl.], Rollschuhlaufen mit Rollschuhen, bei denen die 4 Räder in einer Reihe hintereinander angebracht sind. In den USA entwickelt, setzte sich dieser Sport ab Mitte der 1990er Jahre auch in Europa durch. Es werden Schnelligkeitswettbewerbe nach Art des Eisschnelllaufs, Kunstlaufen, Freestylefahren, Abfahrts- und Slalomläufe, Streethockey u. Ä. durchgeführt.

Inn [der], rechter Nebenfluss der Donau, 510 km lang. Er entspringt in den Ostalpen und mündet bei Passau.

Innovation [die], eine Neuerung, Erfindung.

Innsbruck, die Hauptstadt des österreichischen Bundeslandes Tirol, am Zusammenfluss von Inn und Sill, 114 000 Einwohner. Innsbruck war 1964 und 1976 Austragungsort der Olympischen Winterspiele.

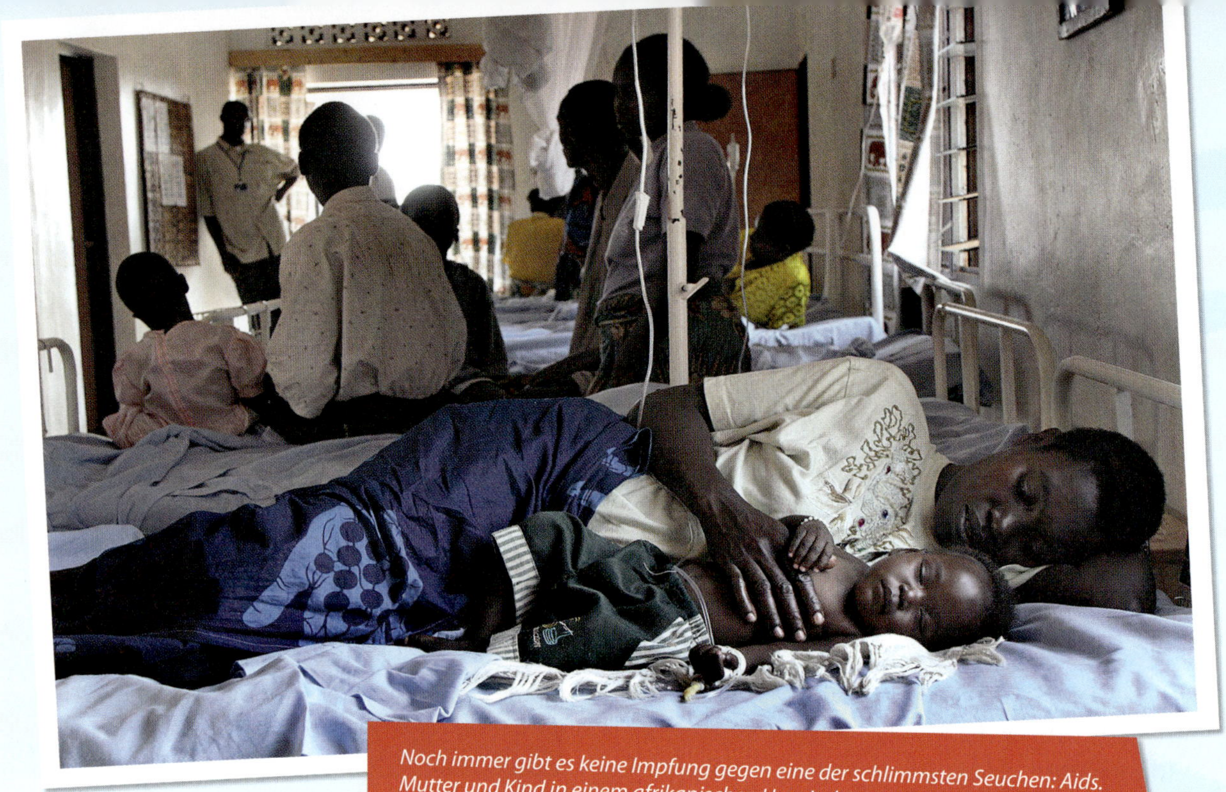

Noch immer gibt es keine Impfung gegen eine der schlimmsten Seuchen: Aids. Mutter und Kind in einem afrikanischen Hospital

Infektionskrankheiten

Pest und Cholera

von Jan Schweitzer

In den sechziger Jahren des 17. Jahrhunderts wütete in London der Tod: Die Pest war ausgebrochen. Leichenberge türmten sich in der Stadt. Karren, hoch beladen mit Leichen, ratterten übers Straßenpflaster. Überall loderten Feuer, die man in der Hoffnung angezündet hatte, die Seuche eindämmen zu können. Samuel Pepys, ein königlicher Beamter, beschrieb das grauenhafte Geschehen in seinem Tagebuch: »Jeden Tag kommen traurigere Nachrichten«, notierte er am 31. August 1665: »In der City starben diese Woche 7496 Menschen. Man fürchtet jedoch, dass die wahre Zahl eher 10 000 ist – das liegt zum Teil an den Armen, die man nicht genau erfassen und zählen kann …«

Seuchen gehören zu den gefährlichsten Feinden des Menschen. Sie bringen Leiden und Tod, millionenfach. Seuchen bedrohen ganze Völker.

Gefährliche Feinde

So löschte die Pest im 14. Jahrhundert innerhalb weniger Jahre ein Viertel der europäischen Bevölkerung aus: 42 Millionen Menschen kamen ums Leben. Im Mittelalter starb jedes zehnte Kind vor dem zehnten Lebensjahr an den Pocken. Und auch wenn wir heute moderne medizinische Methoden und Geräte, effektive Medikamente und gut ausgebildete Ärzte haben: Noch immer gehören Seuchen zu den ständigen Begleitern der

Menschen. Und noch immer sind viele Seuchen nicht in den Griff zu bekommen. Zwar gibt es keine Pockenerkrankungen mehr. Doch die Pest ist nur eingedämmt, nicht bezwungen: In Asien und Afrika fordert sie noch immer Todesopfer.

Auch die Cholera, eine hochansteckende und lebensgefährliche Darmerkrankung, bedroht die Menschen nach wie vor. So wurden noch 1991/1992 in Mittel- und Südamerika 750 000 Menschen von ihr befallen, 6500 starben.

Mikroskopisch kleine Erreger

Auch hier bei uns in Nordeuropa gibt es Seuchen. Nimmt man das Wort »Epidemie«, das etwa das gleiche bedeutet wie »Seuche«, klingt die Gefahr nicht mehr ganz so fremdartig und mittelalterlich. Das Wort Epidemie kommt aus dem Griechischen und bedeutet übersetzt »im Volk verbreitet«. Wissenschaftler meinen damit eine Infektionskrankheit, die in einem bestimmten Gebiet, zum Beispiel in einer Stadt, auftritt und innerhalb eines Zeitraums ihr Unwesen treibt, um danach wieder zu verschwinden. Wissenschaftler unterscheiden Seuchen aber noch genauer und sprechen von »Endemien« und »Pandemien«. Endemien sind zeitlich nicht begrenzt und können über Jahre vorkommen. Pandemien sind räumlich nicht begrenzt, also nicht auf ein bestimmtes Gebiet beschränkt.

Die Verursacher von Seuchen sind Keime: Das können Bakterien oder Viren sein. Bakterien sind einzellige Lebewesen, Viren sind noch kleiner und können sich nicht selbst vermehren – sie brauchen dazu die Zellen kranker Menschen oder Tiere. Die Pest etwa wird durch ein Bakterium ausgelöst, ebenso die Cholera. Die Pocken hingegen waren eine Viruserkrankung.

Wie gefährlich eine Seuche ist, hängt von diesen Erregern ab. Bedrohliche Keime springen leicht von einem Menschen auf den anderen und infizieren ihn. Schon ein Niesen oder ein Händedruck genügen zur Übertragung. Bei den Menschen, die den Keim neu in sich tragen, muss die Krankheit nicht einmal ausgebrochen sein, sie können trotzdem schon andere anstecken. Dadurch können sich die Erreger schnell verbreiten.

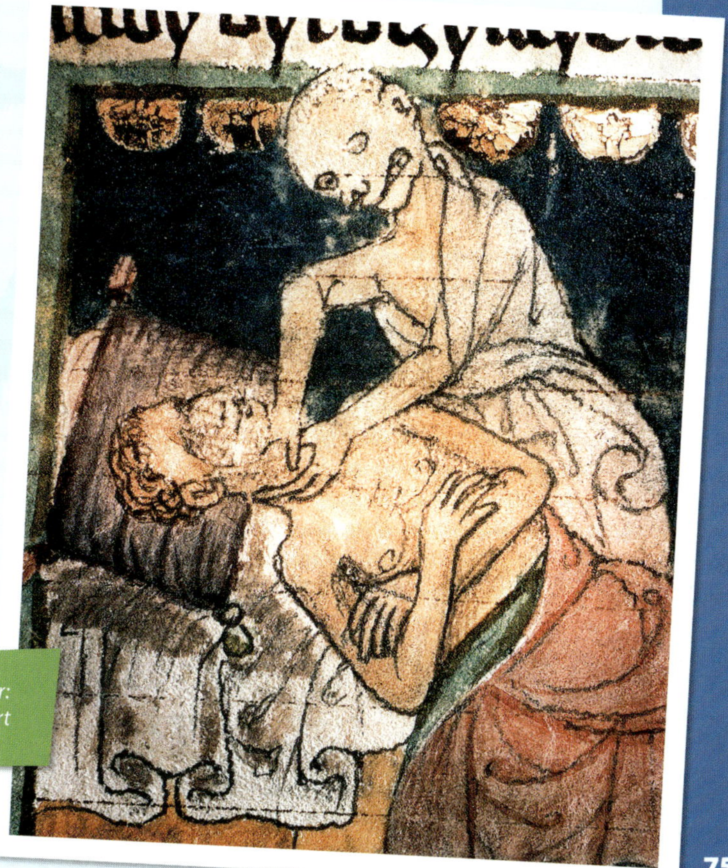

Der Tod erwürgt ein Pestopfer: Buchmalerei aus dem 14. Jahrhundert

Gefährlich sind auch Erreger, die ihre Opfer befallen, aber zunächst keine dramatischen Erscheinungen auslösen. So können sie sich unbemerkt verbreiten, denn die Infizierten wissen von ihrem Schicksal nichts und stecken ungewollt und unbewusst andere an. Das Bakterium Chlamydia ist so ein heimlicher Übeltäter. Es wird beim Geschlechtsverkehr übertragen, macht die Betroffenen aber meist nicht spürbar krank – sie merken oft gar nicht, dass sie von dem Erreger befallen wurden.

Doch die Folgen einer Infektion können dramatisch sein: Chlamydien können Frauen unfruchtbar machen. Bis zu zehn Prozent aller Frauen sind mit diesen heimtückischen Bakterien angesteckt. Chlamydien sind für die Hälfte aller Fälle von Unfruchtbarkeit bei Frauen verantwortlich. Experten des Robert-Koch-Instituts, das in Deutschland für die Bekämpfung von Seuchen zuständig ist, sprechen deshalb von einer »heimlichen Seuche«.

Noch viel schlimmer sind die Folgen der Grippe. Jedes Jahr überzieht sie Deutschland mit einer Epidemie. Im Winter 2004/2005 fielen ihr 15 000 bis 20 000 Menschen zum Opfer. Wissenschaftler schließen nicht aus, dass die Grippe in naher Zukunft sogar Ausmaße annehmen kann wie in den Jahren 1918 bis 1920: Damals wütete ein besonders gefährliches Grippe-Virus, das weltweit bis zu 40 Millionen Menschen das Leben kostete.

Impfungen helfen

Normalerweise sind Impfungen eines der effektivsten Mittel gegen die Grippe – wie auch gegen andere Infektionserkrankungen und damit gegen viele Seuchen. Impfungen sorgen dafür, dass sich der menschliche Körper mit seinem Abwehrsystem, dem Immunsystem, gegen Erreger wehren und sie unschädlich machen kann. So können Impfungen Seuchen verhindern. Doch nicht gegen jede Erkrankung ist eine Impfung möglich. Gegen das HI-Virus etwa, den Erreger von Aids, haben Wissenschaftler (noch) kein Mittel gefunden. Kann man aber gegen eine bestimmte Krankheit impfen, dann sollte man das auch tun. Denn die allermeisten Impfungen sind sicher und wirksam: etwa der Schutz gegen die Kinderlähmung. Auch die Masernimpfung für Kinder ist sicher und schützt vermutlich ein Leben lang. Doch längst nicht alle Kinder werden geimpft. Meist, weil es den Eltern nicht wichtig ist. Manchmal aber auch

Damit die Vogelgrippe sich nicht ausbreiten kann, werden auf den betroffenen Höfen alle Tiere getötet, in diesem Fall 16 000 Enten und Puten

Ein pakistanisches Kind sucht im Müll nach Essbarem. Armut und schreckliche hygienische Bedingungen befördern die Ausbreitung von Infektionskrankheiten

aus der (vollkommen unsinnigen) Angst, eine Impfung könne schädlich sein.

Der Kampf gegen die Viren

Welche Folgen ein fehlender Schutz vor einer Maserninfektion haben kann, zeigte sich 2006 in Nordrhein-Westfalen. Dort kam es im Frühjahr zu einem Massenausbruch: Mehr als 1700 Menschen erkrankten an Masern. 263 Betroffene mussten mit dieser vermeintlich harmlosen Kinderkrankheit ins Krankenhaus gebracht werden, sieben Menschen erlitten lebensbedrohliche Entzündungen im Gehirn. Das alles hätte verhindert werden können, wären alle Menschen gegen die Masern geimpft worden. Und das Ausmaß der Masernepidemie hätte wohl eingeschränkt werden können, hätten die zuständigen Behörden zu den besten Mitteln gegriffen, mit denen man eine Seuche eindämmen kann: Kontaktsperren und Isolierung. Das bedeutet: Dort, wo es zum Ausbruch der Epidemie gekommen war (meist an Schulen), hätten alle Menschen, die nicht sicher gegen Masern geimpft worden waren, über mehrere Tage zu Hause bleiben müssen. Das wäre natürlich für viele Leute ärgerlich gewesen. Aber weil keine Kontaktsperre angeordnet wurde, konnte sich die Krankheit so weit ausbreiten.

Ein weiteres Mittel gegen Seuchen sind Medikamente, sogenannte Antibiotika. Sie bekämpfen die Bakterien im Körper. Doch die Medikamente sollten zurückhaltend eingesetzt werden. Denn die Erreger wissen sich zu wehren: Sie werden auf Dauer unempfindlich (resistent) gegen die Medikamente. Und gegen Viren helfen Antibiotika sowieso nicht – deshalb nützt ihre Einnahme auch rein gar nichts bei einer Krankheit, die zwar nicht besonders schlimm, aber oft seuchenhaft verbreitet ist: die Erkältung. Die wird nämlich fast immer von Viren verursacht.

Innung [die], eine freie Vereinigung selbstständiger Handwerker in einem Handwerkszweig, z. B. Bäcker, Dachdecker, Schuster. Sie vertritt die Interessen ihrer Mitglieder, überwacht die Qualität der Arbeit und ist für die Ausbildung des Nachwuchses verantwortlich.

inoffiziell, nicht bestätigt, nicht amtlich, nicht öffentlich; Gegensatz: *offiziell.*

Input [der, engl.], allgemein die Eingabe von Daten in ein System, z. B. in einen Computer. Gegensatz: *Output.*

Inquisition [die, lat., »Erforschung«], im Mittelalter bis in die Neuzeit die Unterdrückung und Verfolgung von Menschen, die in ihrem Glauben von der allein anerkannten kirchlichen Lehre abwichen, besonders die Ketzerverfolgungen der katholischen Kirche. Bei der Befragung der Verfolgten wurde oft grausame Folter angewandt.

I.N.R.I., die Abkürzung für lateinisch **I**esus **N**azarenus **R**ex **I**udaeorum, »Jesus von Nazareth, König der Juden«, die Inschrift, die Pilatus am Kreuz Jesu Christi anbringen ließ.

Insekten → Seite 79.

Insektizide [Pl.], meist chemische Stoffe, die Insekten töten. Insektizide sollen schädliche Insekten bekämpfen, sie töten jedoch auch nützliche Insekten wie Bienen.

Insel [die], von Wasser umgebenes Land (außer den Kontinenten). Inseln entstehen, wenn der Meeresspiegel ansteigt und Landflächen vom Festland abgetrennt werden, durch Korallenbauten auf unterseeischen Erhebungen (Atoll), durch vulkanische Bildungen im freien Ozean (z. B. Kanarische Inseln), aber auch durch Veränderungen von Flussläufen oder Ablagerungen in Flüssen. Auch → »Genauer betrachtet«.

Inserat [das], eine Anzeige, die gegen Bezahlung in einer Zeitung oder Zeitschrift veröffentlicht wird.

Insider ['insaidə, der, engl.], jemand, der eine Einrichtung oder Gruppe von »innen« kennt und darum anderen gegenüber einen Informationsvorsprung hat.

Insolvenz [die], ein gerichtliches Verfahren, in dem ein Unternehmen aufgelöst wird, das seine Schulden nicht mehr bezahlen kann. Es wird auf Antrag des *Schuldners* oder eines *Gläubigers* eingeleitet. Unter der Leitung eines *Insolvenzverwalters* soll dabei versucht werden, das verbliebene Vermögen gleichmäßig an die Gläubiger zu verteilen.

Inspektion [die], Untersuchung, Kontrolle.

Inspiration [die], Erleuchtung, Eingebung, Geistesblitz, schöpferischer Einfall.

Installation [die], Planung und Einbau von Gas-, Wasser-, Heizungs-, Lüftungs- oder Elektroanlagen in Gebäuden. Dazu gehören die Geräte und die Leitungen. Installationsarbeiten werden vom *Installateur* durchgeführt.

Instanz [die], die jeweils zuständige Stelle, z. B. bei Behörden und Gerichten.

Genauer betrachtet …
Insel

Die größten Inseln der Erde sind:

Insel	Fläche (km²)
Grönland	2 175 600
Neuguinea	771 900
Borneo	746 950
Madagaskar	587 041
Baffininsel	507 450
Sumatra	424 979
Honshu (Japan)	231 090
Großbritannien	229 900
Victoriainsel (Kanada)	217 290
Ellesmereinsel (Kanada)	212 687

Mehr wissen …
Die erfolgreichsten Bewohner der Erde: Insekten

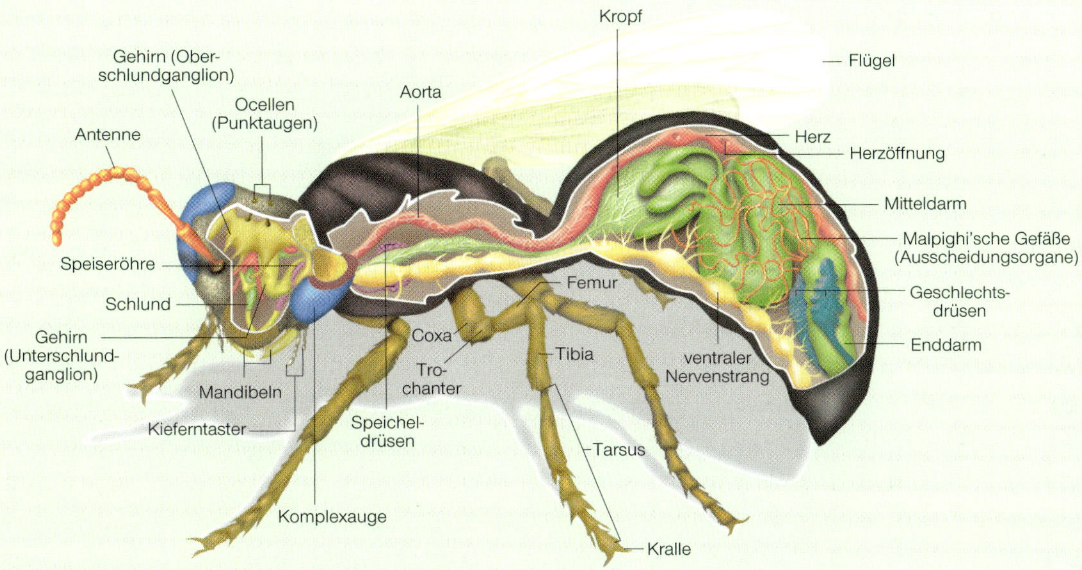

Die Grafik zeigt den Körperbau eines geflügelten Insekts. Grundsätzlich ist ein Insekt durch ein Paar Antennen und drei Beinpaare gekennzeichnet, während sich der Körper in die drei Abschnitte Kopf, Thorax (Brust) und Abdomen (Hinterleib) gliedert.

Insekten sind über alle Kontinente verbreitet und besiedeln fast alle Lebensräume. So leben einige Schmetterlinge auch in den kalten Polargebieten, andere Schmetterlinge sowie Käfer und Springschwänze im Himalaya noch in 6000 Meter Höhe und einige Wanzen sogar auf dem Wasserspiegel der Hochsee. Diese Fähigkeit der Insekten, sich den verschiedensten Lebensbedingungen anzupassen, spiegelt sich in ihrer großen Artenzahl. Bis heute zählten die Zoologen weltweit rund 1,2 Mio. Insektenarten (mindestens 80% aller bekannten lebenden Tierarten), und wahrscheinlich sind noch längst nicht alle entdeckt.

Körperbau:

Die meisten Insekten sind recht einfach zu erkennen, da ihr Körper immer in Kopf, Bruststück und Hinterleib gegliedert ist. Zum Kopf gehören die aus vielen Einzelaugen zusammengesetzten *Komplex-* oder *Facettenaugen*, *Mundwerkzeuge* und *Fühler (Antennen)* zum Tasten und Riechen. Das Bruststück trägt alle Einrichtungen zur Fortbewegung: 1 oder 2 Flügelpaare (außer bei Flöhen, die flügellos sind), stets aber 6 Beine. Im Hinterleib befinden sich die Eingeweide und Geschlechtsorgane. Je nach der Ernährungsweise der Insekten können die Mundwerkzeuge sehr verschiedenartig gebaut sein: Bremsen brauchen ihre Mundwerkzeuge zum Stechen und Saugen, Bienen zum Auflecken von Nektar und Käfer zum Abbeißen von Nahrungsbrocken.

Insekten gehören wie Spinnentiere, Krebse und Tausendfüßer zum Stamm der *Gliedertiere*. Viele halten auch Spinnen für Insekten, doch das ist falsch. Spinnen gehören zu den Spinnentieren. Sie sind »Kopfläufer« mit 8 Beinen (Kopf und Bruststück sind bei ihnen verwachsen), während Insekten »Brustläufer« mit 6 Beinen sind.

Allen Gliedertieren gemeinsam ist aber der Besitz eines festen *Chitinpanzers*. Dieser Panzer dient als Schutz vor Austrocknung und vor Feinden und ist zugleich das Skelett der Gliedertiere. Da das starre Chitin nicht mitwächst, müssen sich Insekten von Zeit zu Zeit häuten. Einige Insektenlarven werden mit jeder Häutung den erwachsenen Tieren ähnlicher. Andere, wie etwa die Käfer und die Schmetterlinge, machen eine vollständige Verwandlung durch. Erst während eines *Puppenstadiums* entsteht bei ihnen aus der *Larve (Raupe)* das erwachsene Insekt, das sich dann um neue Nachkommen kümmert und wiederum Eier legt.

Insekten atmen nicht mit Lungen oder Kiemen und haben auch kein geschlossenes Blutgefäßsystem, das die Organe mit Sauerstoff versorgt. Beide Aufgaben erfüllt ein fein verzweigtes Röhrennetz *(Tracheen)*. Es durchzieht den ganzen Körper und steht über kleine Luftlöcher mit der Außenwelt in Verbindung. Da die Tracheen ebenfalls aus dünnem Chitin bestehen, wird auch dieses Röhrennetz mit der Häutung erneuert. Der ganze Insektenkörper ist mit feinen Sinneshaaren überzogen, die den Tieren auch die geringsten Luftbewegungen anzeigen, mit denen sich nahende Feinde verraten könnten. Besondere Einrichtungen ermöglichen es einigen Insektenarten, sehr gut zu hören und sich untereinander zu verständigen. Mit ihren Komplexaugen können sie sogar Farben sehen, die für uns Menschen im Verborgenen bleiben.

Bemerkenswerte Insekten:

Bemerkenswerte Insekten sind neben den bereits erwähnten auch die farbenprächtigen Libellen, ebenso die lästigen, aber biologisch hochinteressanten Mücken und Stubenfliegen. Erstaunliches ist zu berichten, schaut man sich in der Welt der Insekten näher um. Da gibt es z.B. den Bombardierkäfer, der in seinem Hinterleib Gase zur Entzündung bringt, um Feinde mit einem ätzenden Säurestrahl in die Flucht zu schlagen. Oder den Gelbrandkäfer: Sein Körper enthält ein Hormon der Säugetiere (Testosteron), das Kaltblüter wie Fische und Amphibien in Tiefschlaf versetzt, sollten sie diesen Käfer gefressen haben. Einige Wüstenameisen betreiben gar eine Vorratshaltung der besonderen Art: Als lebende »Honigtöpfe« hängen Arbeiterinnen in den Gewölben des Ameisennestes und versorgen die anderen mit Futter.

Für die Bildung von *Insektenstaaten* sind die Heerscharen der verschiedenen Termiten, Ameisen und Hautflügler (wie die Honigbiene) bekannt. Typisch für diese besonderen Lebensgemeinschaften ist eine hochentwickelte Duft- und Signalsprache zur Verständigung und die strikte Arbeitsteilung in verschiedenen Kasten: eine Eier legende *Königin*, männliche *Drohnen* für die Befruchtung der Königin, unfruchtbare *Arbeiterinnen* und kämpferische *Soldaten*, die ihren Staat mit dem Leben verteidigen.

Bedeutung der Insekten:

Im Laufe der Evolution hat sich eine enge Arbeitsgemeinschaft zwischen Insekten und Pflanzen gebildet: Die einen sorgen für Futter (den Pflanzennektar), die anderen (wie Bienen oder Hummeln) bieten sich zum Transport des Blütenpollens an und sorgen damit für die Bestäubung der Pflanzen. Diese Zusammenarbeit ist so erfolgreich, dass ein Großteil aller Wildpflanzen heute von Insekten bestäubt wird. Ohne Insekten hätte die Formenfülle an Blütenpflanzen und auch an Wirbeltierarten nie entstehen können, denn erst Insekten sorgten für eine sichere Bestäubung der Pflanzen und damit für die Nahrung vieler Tiere und auch des Menschen.

Instinkt [der], angeborene Verhaltensweisen, die meist der Erhaltung des Lebens und der Art dienen. Instinkthandlungen werden im Körper durch innere Impulse (Hormone) wie durch äußere Reize (Schlüsselreize) ausgelöst. Wichtige Instinkte sind der Mutterinstinkt oder Kampfinstinkt sowie das Paarungs- und Brutpflegeverhalten. Bei den Tieren wird das Verhalten fast ausschließlich durch Instinkte bestimmt, beim Menschen wird der Instinkt durch den Verstand und den Willen stark überdeckt.

Institut [das], Einrichtung, Anstalt, Wirkungsstätte, z. B. ein Forschungsinstitut.

Institution [die], Einrichtung, Stiftung, Institut.

Instrument [das], ein feines Werkzeug, ein Hilfsmittel, im engeren Sinn ein Musikinstrument.

Insulin [das], ein Hormon, das in der Bauchspeicheldrüse gebildet wird und den Zuckergehalt im Blut steuert. Bei der Zuckerkrankheit *(Diabetes)* liegt Insulinmangel vor.

Inszenierung [die], die Vorbereitungen für die Aufführung eines Theaterstücks und dessen künstlerische Gestaltung.

Integralrechnung, die Umkehrung der → Differenzialrechnung: das Verfahren *(Integrationsverfahren)*, aus der Ableitung einer Funktion die Funktion selbst *(Stammfunktion)* zu ermitteln oder die Berechnung von Flächeninhalten für durch Funktionsgraphen begrenzte Gebiete *(bestimmtes Integral)*.

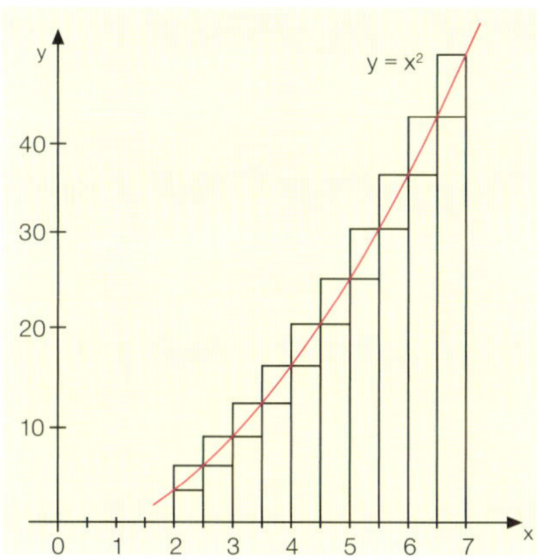

Integralrechnung: Unter einem bestimmten Integral versteht man den Inhalt einer Fläche, begrenzt durch eine Kurve.

INTELSAT: Nachrichtensatellit vom Typ INTELSAT VIII

Integration [die], Einordnung, Verschmelzung, Zusammenschluss.

Intellekt [der], der Verstand, die Fähigkeit zum kritischen Denken.

Intelligenz [die, lat., »Einsicht«], die Fähigkeit, sinnvoll zu denken, vernünftig zu handeln und sich wirkungsvoll mit seiner Umwelt auseinanderzusetzen.

Intelligenzquotient [der], Abkürzung IQ, ein erdachtes Maß für die geistige Leistungsfähigkeit eines Menschen im Vergleich zu Gleichaltrigen. Der IQ wird durch besondere Testverfahren ermittelt.

INTELSAT, Abkürzung für engl. **In**ternational **Te**lecommunication **Sat**ellite Consortium, eine 1964 gegründete internationale Vereinigung mit dem Ziel, ein erdumspannendes Netz von Nachrichtensatelliten (z. B. für Datenaustausch, Fernsehübertragungen) zu errichten und zu betreiben.

Intensität [die], Eindringlichkeit, Anspannung, Stärke, z. B. die Stärke einer Strahlung.

Interesse [das], Anteilnahme, Wissensdrang, Neigung, Vorteil.

Interjektion [die], Ausruf oder Empfindungswort, z. B. »ach«, »oh«, »oje«.

Intermezzo, Zwischenspiel, Einlage in einem Theaterstück.

Internationale [die], **1.** Kurzform für Internationale Arbeiterassoziation; internationaler Zusammenschluss von Arbeiterorganisationen. Die *Erste Internationale* wurde 1864 in London unter Mitwirkung von Karl *Marx* gegründet. Nach ihrem Zerfall entstand 1889 in Paris eine *Zweite Internationale,* die 1918 auseinanderbrach. Als Gegenorganisation entstand 1919 in Moskau die *Kommunistische Dritte Internationale,* die Komintern. **2.** seit 1888 Kampflied der internationalen sozialistischen Arbeiterbewegung (»Völker, hört die Signale ...«), bis in den Zweiten Weltkrieg Hymne der Sowjetunion.

Internationale Raumstation, Abkürzung ISS für englisch **I**nternational **S**pace **S**tation, eine von 16 Ländern finanzierte Raumstation, deren erste Teile 1998 im All installiert wurden. Nach ihrer Fertigstellung wird die Raumstation rund 420 t schwer sein und sich in einer Höhe zwischen 350 und 450 km über der Erde bewegen. Sie dient bereits verschiedenen Forschungszwecken.

Was ist ... Internet

Mit mehr als 1 Mrd. Teilnehmern (rund 50 Mio. deutsche Benutzer) ist das Internet das weltweit größte Datennetz, das der globalen, zeitnahen Kommunikation und dem Austausch von Informationen dient. Die Anfänge des Internet reichen in die frühen 1960er Jahre zurück, aber erst mit der Entwicklung des World Wide Web (WWW) Anfang der 1990er Jahre wurde das Internet auch für Laien nutzbar. Das Internet ist dezentral organisiert, das heißt, es gibt keine zentrale Steuerung oder Verwaltung. Nur die Adressen werden international vereinbart.

Aufbau des Internet: Technisch besteht das Internet aus fest installierten Rechnern (Knotenrechnern) und einer nicht mehr erfassten Zahl von Zugangscomputern. Mit deren Hilfe und mit standardisierten Kommunikationsregeln (Protokollen) leiten die Rechner beliebige Daten weiter oder tauschen sie aus. Verwaltungstechnisch ist das Internet in sogenannte Domains gegliedert, denen jeweils eine feste Internetadresse (IP-Nummer) zugewiesen ist. Die Nummern sind die Basis des Datenverkehrs: Jeder Computer erhält zu Beginn einer Internet-Sitzung eine temporäre IP-Adresse, die am Ende wieder gelöscht wird. Mithilfe dieser Nummern können die Rechner identifiziert werden.

Zugang zum Internet: Den Zugang zum Internet ermöglichen elektronische Geräte, die mindestens eine digitale Kommunikationsschnittstelle (Modem oder Netzwerkkarte) enthalten. Derzeit sind dies meist Desktop-PC, Notebook und Mobiltelefon. Dienstleistungsunternehmen (Provider) vermieten Zugänge zum Internet und vermitteln zwischen dem Rechner des Endbenutzers *(Client)* und dem Zielrechner *(Server).* Die Gebühren dieser Provider bestehen je nach Zugangsgeschwindigkeit und Verfügbarkeit oft aus einem Pauschaltarif *(Flatrate)* oder aus einer Grundgebühr und einem Betrag, der vom übertragenen Datenvolumen abhängig ist.

Dienste im Internet: Man unterscheidet zwischen Kommunikationsangeboten, die dem direkten oder indirekten Nachrichtenaustausch dienen, und Informationsangeboten. Zu den Kommunikationsdiensten gehören elektronische Post (E-Mail), Diskussionsforen, Newsgroups, die direkte Datenübertragung von einem Computer auf einen anderen (FTP), virtuelle Räume (Chats), Weblogs und Internet-Telefonie (Voice-over-IP). Zu den Informationsangeboten zählen Nachrichten, Suchmaschinen, Bilder, Filme, Musik, Podcasts, Internet-Radio oder Anwendungsprogramme. Zudem steigt der Handel von Waren aller Art über das Internet an. Spezielle Programme, die sogenannten Browser, enthalten alle Elemente, um diese Dienste zu nutzen.

Sicherheit im Internet: Die fast uneingeschränkte weltweite Verbindung von Computern führt zu einem erhöhten Sicherheitsrisiko. Über E-Mail oder bestehende Verbindungen können schädliche Programme auf den eigenen Rechner gelangen (z.B. Viren, Würmer, Trojaner), mit denen Daten ausgespäht oder gar zerstört werden können. Schutz bieten spezialisierte Programme (z.B. Firewall, Virenscanner), die eingehende Daten, aber auch den Computer ständig überwachen und Veränderungen melden. Ein weiteres Sicherheitsproblem stellen Zahlungen über Internet dar, die oft mit Kreditkarten getätigt werden. Deren Daten lassen sich leicht abfangen und missbrauchen. Sicherheit bietet die Verschlüsselung von ein- und ausgehenden Nachrichten.

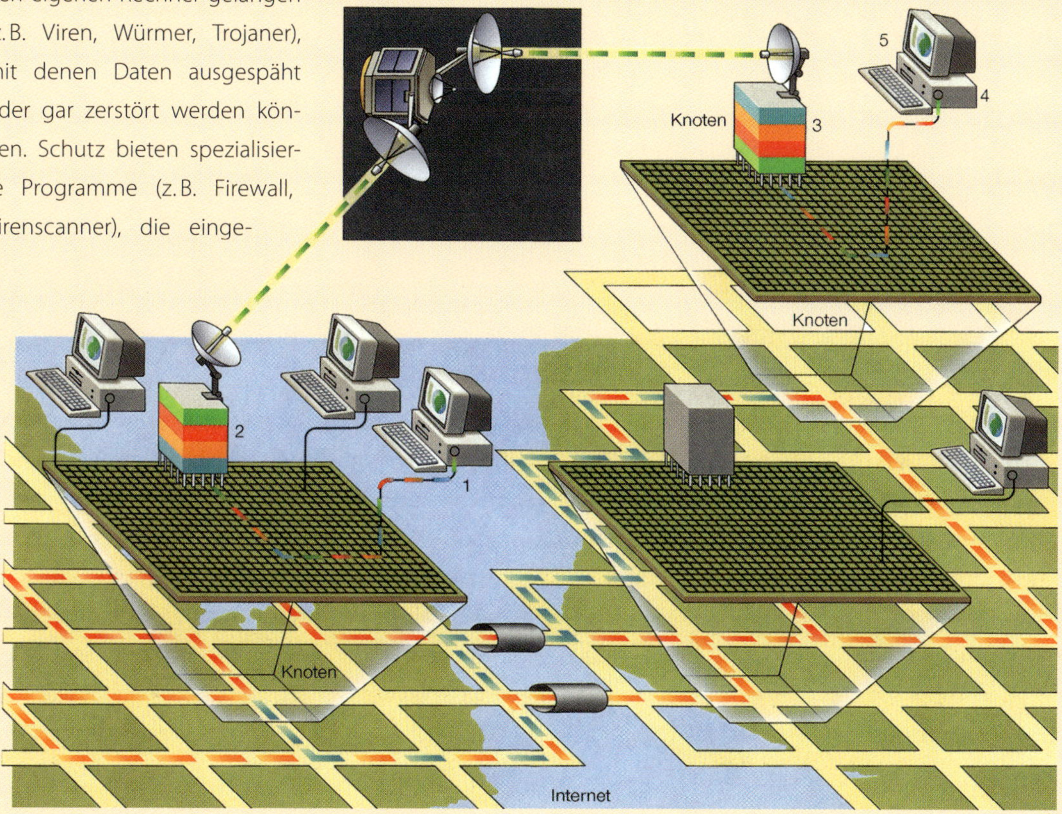

Das Internet besteht aus vielen Computernetzen, die rund um den Erdball miteinander verknüpft sind. Will z.B. jemand eine E-Mail versenden, so tippt er die Nachricht in seinen Computer (1) und benutzt ein Programm, um sie zum Empfänger zu schicken. Die Internet-Software zerlegt die Botschaft in Serien von Datenpaketen (hier durch verschiedene Farben dargestellt). Zuerst bewegen sie sich durch das örtliche Telefonnetz zu einem »Einwahlknoten« – dem Computer eines Internet-Anbieters (»Service-Provider«, 2). Hier werden die Pakete getrennt und in das Netz geschickt, in dem sie sich von Knoten zu Knoten bewegen. Die Informationen können dabei über Telefonleitungen, ISDN, Untersee-Kabel oder Satelliten gesendet werden. Im Server des Providers auf der Empfängerseite (3) werden die Datenpakete wieder in der richtigen Reihenfolge miteinander verbunden und in der für den Empfänger reservierten Mailbox gespeichert. Wenn sich der Empfänger in das Netz einwählt und seine E-Mails abfragt, erreichen ihn die Daten über sein örtliches Telefonnetz und seinen DSL-Anschluss (4), und werden vom E-Mail-Programm zur Darstellung auf dem Monitor (5) decodiert.

Internetauktion, Versteigerung im Internet. Nach Anmeldung beim Auktionator mit Angaben von Name, Adresse und E-Mail kann jeder Internetnutzer mitbieten.

Internetcafé, *Cybercafé, Computercafé,* Café oder Lokal mit der Möglichkeit, im Internet zu »surfen« bzw. E-Mails zu versenden und zu empfangen.

Internetmusik, Musik, die aus dem Internet auf den eigenen Rechner geladen werden kann.

Internet-Telefonie, *IP-Telefonie, Voice over IP, VoIP,* das Telefonieren über das Internet unter Verwendung des Internetprotokolls (IP) mit entsprechend ausgerüsteten PCs oder IP-Telefonen (z. B. analoges Telefon mit IP-Adapter) als Endgeräten.

Interpol [die], Abkürzung für **Inter**nationale Kriminal**pol**izeiliche Organisation, ein Zusammenschluss der Kriminalpolizei verschiedener Staaten zur internationalen Verbrechensbekämpfung. Die Zentrale von Interpol sitzt in Paris.

Interpretation [die], die Erklärung, Deutung eines Sachverhalts, z. B. von Gesetzestexten, aber besonders von Kunstwerken der Dichtung, Malerei oder Musik.

Interpunktion [die] → Zeichensetzung.

Intervall [das], Zwischenraum, zeitlicher Abstand. In der Musik der Abstand zweier Töne voneinander.

Intervention [die], allgemein Einmischung, Vermittlung in einem Streit, im engeren Sinn das Eingreifen eines Staates in die Angelegenheiten eines anderen.

Interview ['intəvju:, das], eine Befragung durch Journalisten, die später in einer Zeitung oder Zeitschrift, im Rundfunk oder im Fernsehen veröffentlicht wird.

intim, ganz persönlich, vertraut, den sexuellen Bereich betreffend. Unter *Intimsphäre* versteht man den Erlebnis- oder Gefühlsbereich, den jeder Einzelne als so privat empfindet, dass er ihn vor der Umwelt abschließt.

Intoleranz [die], Unduldsamkeit gegenüber einer anderen Einstellung; Gegensatz: *Toleranz.*

Intrauterinpessar [das], umgangssprachlich »Spirale«, → Empfängnisverhütung.

Intrige [die], ein hinterhältiger Plan, der anderen schaden soll.

Inuit, eigener Name der → Eskimo.

Invaliden [Pl.], Personen, die nach einer Krankheit oder einem Unfall nicht mehr arbeiten können.

Invasion [die], der Einfall eines Gegners in ein Land, meist mit Waffengewalt.

Inventar [das], Einrichtung, die Ausstattung eines Betriebes.

Inventur [die], die Bestandsaufnahme aller Vermögenswerte (Waren, Wertpapiere, Bargeld) in einer Firma.

Inversion [die], allgemein eine Umkehrung, in der Meteorologie die Umkehrung der Temperaturschichten in der Atmosphäre. Bei einer Inversionswetterlage liegen die kalten Luftschichten unten, die warmen oben. Dadurch ist der Luftaustausch erschwert und es kommt zu einer Konzentration von Schadstoffen in den unteren Luftschichten *(Smog).*

Investition [die], langfristige private oder öffentliche Anlage von Kapital. Aber auch Anschaffungen in einem Betrieb, z. B. neue Maschinen, die dazu dienen, die Firma zu vergrößern oder die Produktivität zu steigern, werden als Investitionen bezeichnet.

Inzest [der], der Geschlechtsverkehr zwischen nahen Verwandten wie Eltern und Kindern oder Geschwistern.

Inzucht [die], die Fortpflanzung nahe verwandter Menschen, Tiere oder Pflanzen. Beim Menschen ist Inzucht bei den meisten Völkern verboten, da dadurch Erbschäden begünstigt werden können.

Ionen [Pl.], Atome oder Atomgruppen, die positiv oder negativ geladen sind. Die positiven Ionen heißen *Kationen,* die negativen Ionen *Anionen,* da sie bei der

Elektrolyse zur Kathode beziehungsweise Anode wandern.

Ionesco, Eugène, * 1912, † 1994; französischer Dramatiker rumänischer Herkunft. Ionescos Theater will die Absurdität der menschlichen Existenz aufzeigen. Zu seinen Hauptwerken gehören: »Die Stühle«, »Die Nashörner«, »Der König stirbt«.

Ionier [Pl.], ein altgriechischer Stamm, der zu Beginn des 2. Jahrtausends v. Chr. nach Griechenland einwanderte und um 1100 v. Chr. von den Dorern zurückgedrängt wurde. Ihre Siedlungen waren Stätten hoher kultureller Blüte.

iPod® [aipɔt], Familie tragbarer Abspielgeräte der Firma Apple für Audiodateien im MP3- u. a. Formaten und (seit 2005) Videodateien im MPEG-4- und H.264-Format.

IRA [die], Abkürzung für → **I**risch-**R**epublikanische **A**rmee.

Ländersteckbrief
Irak

Fläche:	438 317 km²
Einwohner:	29,6 Millionen = 67 je km²
Hauptstadt:	Bagdad
Religion:	Islam
Amtssprache:	Arabisch
Währung:	1 Irak-Dinar = 1000 Fils

Irak: Die prächtige Goldene Moschee in Kadhimain bei Bagdad zählt zu den wichtigsten schiitischen Heiligtümern.

Irak, Staat in Vorderasien.

Landesnatur: Im Norden und östlich des Tigris steigt das Land stufenförmig zum armenischen Bergland und zu den iranischen Randgebirgen an. Im Westen und Südwesten erstreckt sich meist Wüste oder Wüstensteppe. Die wirtschaftlich bedeutende und dicht besiedelte Kernlandschaft ist Mesopotamien zwischen Euphrat und Tigris. Irak hat milde Winter und heiße Sommer mit Niederschlägen fast nur im Winter.

Bevölkerung: Die zu 95% islamische Bevölkerung besteht aus 80% Arabisch sprechenden Irakern, 15% Kurden und 2% Turkmenen sowie Aramäern und anderen kleinen Volksgruppen.

Wirtschaft: Die Landwirtschaft (Bewässerungsfeldbau) liefert Weizen, Gerste, Mais, Reis, Baumwolle, Tabak, Hülsenfrüchte, Datteln. Die Viehzucht umfasst v. a. die Schaf- und Ziegenhaltung. Hauptexportprodukte sind mit rund 98% des Ausfuhrwerts Erdöl und Erdgas (Vorkommen bei Kirkuk, Mosul und Basrah). Die Industrie erzeugt besonders Textilien, chemische und petrochemische Produkte. Die Wirtschaft ist durch die Kriege größtenteils zum Erliegen gekommen. – Haupthäfen sind Basrah, Umm-Qasr, Fao und Khor Al Amamiya. Flughäfen gibt es in Bagdad und Basrah.

Geschichte: Etwa im 4. Jahrtausend v. Chr. war Irak von den *Sumerern* bewohnt. Nach der Herrschaft der *Akkader* formierten sich die Reiche *Babylonien* und *Assyrien*. 539 v. Chr. nahm Kyros II. Babylonien ein, damit gehörte das Land zum *Perserreich*. Im 7. Jh. n. Chr. fiel das Gebiet an die Araber und wurde weitgehend islamisiert. 750 machten es die *Abbasiden* zur Zentralprovinz ihres Reichs mit Bagdad als Residenz (seit 762). 1638–1918 war Irak Teil des Osmanischen Reiches. 1921 wurde Irak britisches Mandatsgebiet (Einsetzung König *Faisal I.*). 1932 erhielt Irak die formelle Unabhängigkeit, allerdings bewahrten sich die Briten bis 1955 erhebliche Vorrechte. Nach der Revolution von 1958 unter General Abd Al Karim *Kassem* wurde die Monarchie abgeschafft. 1968 kam durch Staatsstreich die Baath-Partei an die Macht. 1979 wurde S. *Hussein* Staatspräsident. Unter seiner Regierung kam es 1980–1988 zum Krieg mit Iran um die Vorherrschaft am Persischen Golf. 1990 besetzte Irak Kuwait. Dadurch kam es 1991 zu einem weiteren Golfkrieg, der mit einer irakischen Niederlage endete. Irak musste sich u. a. zum Rückzug aus Kuwait und zum Verzicht auf ABC-Waffen verpflichten. Aufstände schiitischer und kurdischer Widerstandsgruppen gegen das Hussein-Regime blieben erfolglos. In der Folgezeit verschärften sich die Spannungen mit den USA, insbesondere über die UN-Waffeninspektionen. Die Auseinandersetzungen mündeten schließlich 2003 in den *Irak-Krieg*, mit dem die Diktatur S. Husseins beendet wurde. Das Land wurde unter US-amerikanischem Oberkommando in Besatzungszonen aufgeteilt. Am 14. 12. 2003 konnte der untergetauchte S. Hussein aufgespürt und verhaftet werden. 2004 übertrugen die Besatzungsmächte die politische Souveränität auf eine irakische Übergangsregierung. Unruhen im sunnitischen Zentrum Iraks, Selbstmordanschläge islamistischer Terroristen, Geiselnahmen sowie militärische Auseinandersetzungen mit radikalen Schiiten erschwerten eine politische Stabilisierung. Trotzdem fanden 2005 erstmals seit über 50 Jahren freie Wahlen statt, die die schiitische Gruppierung *Vereinigte Irakische Allianz* gewann. Das neue Parlament wählte den kurdischen Politiker J. *Talabani* zum Staatspräsidenten. 2006 wurde S. Hussein zum Tode verurteilt und hingerichtet. Die Sicherheitslage blieb prekär. Gefechte zwischen Aufständischen und multinationalen Verbänden bzw. Regierungseinheiten sowie Terroranschläge forderten eine erhebliche Zahl von Todesopfern. Der notwendige wirtschaftliche Aufbau wurde dadurch blockiert. Aufgrund dieser Entwicklung beschloss die US-amerikanische Regierung 2007, ihre Truppen im Irak massiv zu verstärken.

Irak: Bei einem Bombenanschlag 2006 wurde die Goldene Moschee, das bedeutendste schiitische Heiligtum, völlig zerstört.

Irak-Krieg, *3. Golfkrieg*, der von den USA und Großbritannien (mit Unterstützung durch weitere Staaten) 2003 geführte Krieg gegen Irak, mit dem die Herrschaft des Diktators S. *Hussein* (2006 hingerichtet) beendet wurde.

Ländersteckbrief
Iran

Fläche:	1 629 807 km²
Einwohner:	70,3 Millionen = 43 je km²
Hauptstadt:	Teheran
Religion:	Islam
Amtssprache:	Neu Persisch
Währung:	1 Rial = 100 Dinars

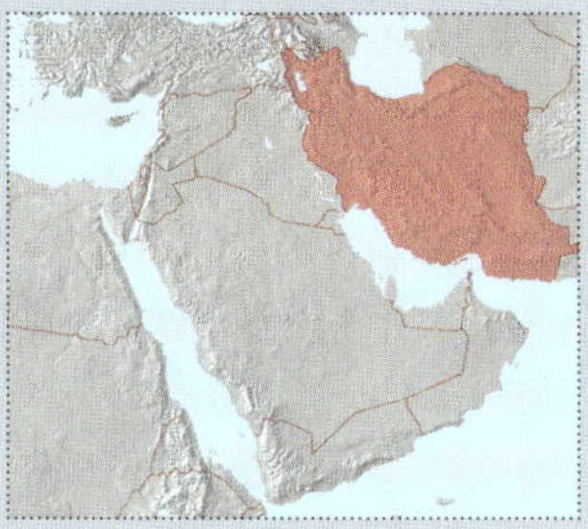

Iran, Staat in Vorderasien.

Landesnatur: Das von Randketten (Elbursgebirge im Norden, Sagrosgebirge im Süden) eingeschlossene Iranische Hochland hat subtropisches, kontinentales Trockenklima und wird großenteils von Wüsten und Steppen eingenommen. Wälder gibt es nur am Kaspischen Meer und im Gebirge. Regelmäßig wird das Land durch schwere Erdbeben erschüttert.

Bevölkerung: Die islamische (v. a. Schiiten) Bevölkerung besteht zu 50% aus Persern. Daneben gibt es fast 20% Aserbaidschaner sowie Kurden, Araber, Turkmenen u. a.

Wirtschaft: An Ausfuhrgütern steht Erdöl an der Spitze, Erdgas gewinnt an Bedeutung, es folgen Teppiche, Erze und Agrarprodukte (Rohbaumwolle, Datteln und Rosinen, Wolle, Reis, Häute und Felle, Ölsaaten). An Bodenschätzen besitzt Iran bedeutende Kupfer-, Eisen-, Kohle-, Chrom- u. a. Erze, die aber erst z. T. abgebaut werden. Die Industrie erzeugt Textilien, Eisen und Stahl, Chemikalien, Nahrungsmittel, Elektrogeräte u. a. – Wichtigste Überseehäfen sind Bandar-e Chomeini und Khark; internationale Flughäfen Teheran und Abadan.

Geschichte: *Kyros II.* begründete mit seinen Siegen über den Mederkönig *Astyages* (550 v. Chr.), über den Lyderkönig *Krösus* (547 v. Chr.) und über Babylonien die Vormachtstellung der Perser im Vorderen Orient. Sein Sohn *Kamyses II.* eroberte 525 v. Chr. Ägypten. *Dareios' I.* (521–485 v. Chr.) Niederlage bei Marathon (490 v. Chr.) verhinderte ein weiteres Vordringen der Perser nach Westen. Seine Nachfolger *Xerxes I.* und *Artaxerxes* verloren in den *Perserkriegen* (490–479 v. Chr.) die griechischen Gebiete. Unter *Dareios III.* wurde das Reich von *Alexander dem Großen* (331 v. Chr.) vernichtet. Alexanders Nachfolger, die *Seleukiden,* herrschten bis 160 v. Chr. 190–164 v. Chr. gingen die Westprovinzen an die Römer verloren. 224 begründete *Ardaschir I.* die Herrschaft der Sassaniden. Unter *Chosrau I.* (531–579) und *Chosrau II.* (590–628) eroberten die Perser nochmals den ganzen Vorderen Orient.

Unter dem Ansturm der islamischen Araber zerbrach das Sassanidenreich (642) und wurde ein Teil des Islamischen Reichs. Um 1040 unterwarfen die türkischen

Iran: Das Sagrosgebirge erstreckt sich über etwa 1200 km im Westen des Landes; Hochbecken unterbrechen die bis über 4000 m hohen Gebirgsketten.

Seldschuken das Gebiet. Der Einfall der Mongolen 1256–1268 vernichtete das mittelalterliche persische Reich. 1502 schuf *Ismail I.* das Neupersische Reich; er begründete die Herrschaft der alidischen *Safawiden.* Aus den inneren Wirren des 18. Jh. gelangte die Kadscharen-Dynastie an die Regierung (1794–1925). Unter dem Kadscharen *Fath Ali* (1797–1834) musste Iran große Gebiete an Russland abtreten. 1907 teilten Großbritannien und Russland das Land in zwei Einflusssphären. Im August 1919 sicherte sich Großbritannien vertraglich die Schutzherrschaft über Iran. 1921 unternahm *Riza Pahlewi* einen Staatsstreich und ließ sich 1925 zum Schah ausrufen. 1941 besetzten britische und sowjetische Truppen das Land, und der Schah musste zurücktreten. Ihm folgte sein Sohn *Mohammed Riza.* 1978 kam es zu Unruhen, die sich steigerten und den Schah 1979 zum Verlassen des Landes zwangen. Oberste Autorität wurde der Schiitenführer (Ayatollah) R. *Chomeini.* Er rief am 1. 4. 1979 die »Islamische Republik Iran« aus und errichtete eine theokratische Diktatur. 1980–1988 führte Iran den Golfkrieg gegen den Irak. 1989 starb Chomeini. Die religiöse Führerschaft übernahm H. A. *Chamenei.* Staatspräsident wurde A. A. H. *Rafsandschani.* 1997 wählte die Bevölkerung den als gemäßigt geltenden M. *Chatami* zu seinem Nachfolger (Wiederwahl 2001). Die an ihn geknüpften Hoffnungen auf eine Liberalisierung erfüllten sich jedoch nicht. Die Präsidentschaftswahlen 2005 gewann der religiös-konservative Teheraner Bürgermeister M. *Ahmadinedschad.* In der Außenpolitik verschlechterten sich die Beziehungen zu den USA und zur EU durch das umstrittene iranische Atomprogramm. Wegen dieses Programms verhängte der UN-Sicherheitsrat im Dezember 2006 Sanktionen gegen Iran.

Iris [die], die Regenbogenhaut des Auges.

Irisch-Republikanische Armee [die], *IRA,* ein 1919 gegründeter militärischer Verband, der für die Unabhängigkeit Irlands kämpfte. Nach der Unabhängigkeit der Republik Irland 1937 erlangte die IRA ab 1969 mit den bürgerkriegsähnlichen Unruhen in Nordirland wieder Bedeutung. Sie spaltete sich in die *Officials,* die eine politische Lösung anstreben, und die *Provisionals,* die mit Terror arbeiten. 1998 konnte ein Friedensabkommen für Nordirland unterzeichnet werden. Die vollständige Umsetzung dieses Abkommens wurde aber durch den Streit über eine Entwaffnung und einen Gewaltverzicht der IRA in Frage gestellt. 2005 erklärte die Organisation das Ende des bewaffneten Kampfes.

Ländersteckbrief
Irland

Fläche:	70 273 km²
Einwohner:	4,1 Millionen = 59 je km²
Hauptstadt:	Dublin
Religion:	römisch-katholische Kirche
Amtssprache:	Irisch, Englisch
Währung:	1 Euro = 100 Cent

Irland, Staat in Westeuropa.

Landesnatur: Der Staat umfasst den Großteil der Insel Irland (ohne → Nordirland). Das flachwellige, seen- und moorreiche Tiefland wird von abgetragenen Mittelgebirgen (im *Carrauntoohil* 1041 m) umgeben.

Irland: Das Dunluce Castle scheint mit der Steilküste verwachsen zu sein.

Das Klima (milde Winter, kühle Sommer) ist sehr niederschlagsreich und begünstigt den weit verbreiteten Graswuchs (»Grüne Insel«); nur gut 8% der Landesfläche sind mit Wald bedeckt.

Bevölkerung: Die zu rund 77% römisch-katholische Bevölkerung (Iren) hat bis in die 1960er Jahre durch Abwanderung ständig abgenommen.

Wirtschaft: Die Viehzucht (Rinder, Schweine, Schafe, Pferde) ist von Bedeutung. Es gibt nur wenig Bodenschätze. Als Brennmaterial und zur Stromerzeugung wird Torf aus riesigen Torflagern verwendet. Die wachsende Industrie (Nahrungsmittel-, Textil-, chemische, elektronische Industrie, Maschinenbau u.a.) erwirtschaftet über 80% des Ausfuhrwerts. – Überseehäfen sind Dublin und Cork. Die wichtigsten Flughäfen sind Dublin, Cork und Shannon.

Geschichte: Im 3. Jh. v. Chr. verdrängten einwandernde *Kelten* (Gälen) die Urbevölkerung. Seit der Mitte des 4. Jh. n. Chr. fand das Christentum Eingang in Irland. 1171 landete König *Heinrich II.* in Irland, nachdem er sich vom Papst mit der Insel hatte belehnen lassen. Damit begann die englische Herrschaft über Irland, die zu scharfen Gegensätzen zwischen Iren und Engländern führte. 1541 ließ sich *Heinrich VIII.* zum König von Irland proklamieren. Es kam zu Aufständen, als Irland 1560 der englischen Staatskirche unterstellt wurde. Auch in der Folgezeit kam es zu weiteren Erhebungen, die blutig niedergeworfen wurden, so von Cromwell 1649. Eine Milderung des Drucks und eine gewisse Selbstständigkeit (*Irisches Parlament* 1782) brachten die Unabhängigkeitskriege der englischen Kolonien in Amerika. Doch der Aufstand 1798 auf der irischen Insel veranlasste England wieder zu einer Politik der Gewalt. Am 1. 1. 1801 wurde Irland mit England zum *Vereinigten Königreich Großbritannien und Irland* verbunden. Durch die Verelendung des Landes und eine schwere Hungersnot setzte um 1850 eine Massenflucht in die USA ein. Als endlich 1914 die Selbstregierung in Kraft treten sollte, brach der Erste Weltkrieg aus. Daraufhin riefen die Iren 1916 die unabhängige Irische Republik aus. Nach jahrelangen Kämpfen gab England nach: 1921 wurde Irland nach Abtretung der Provinz Ulster (Nordirland) Freistaat, zunächst noch mit Dominionstatus. Unter E. de *Valera* machte dann 1937 eine republikanische Verfassung Irland endgültig zum unabhängigen und demokratischen Freistaat *Éire.* Am 18. 4. 1949 schied Irland auch aus dem Commonwealth aus. 1955 trat es den UN bei. 1973 wurde Irland Mitglied der EG. Regierungspartei war meist die Fianna Fáil. In den 1990er Jahren bemühte sich die irische Regierung verstärkt um eine politische Lösung des Nordirland-Konfliktes. 1998 konnte ein Friedensabkommen unterzeichnet werden. Staatspräsident wurde 1997 Mary *McAleese,* Ministerpräsident ist seit 1997 B. *Ahern.*

Ironie [die], ein oft versteckter, feiner Spott.

irrational, mit dem Verstand nicht fassbar, dem logischen Denken nicht zugänglich; Gegensatz: *rational.*

Isaak, im Alten Testament der Sohn Abrahams und Saras. Aus Isaaks Ehe mit Rebekka stammen die Söhne Jakob und Esau. Isaak war der zweite Patriarch Israels.

Isar [die], rechter Nebenfluss der Donau, 283 km lang. Die Isar entspringt in den Tiroler Alpen und mündet bei Deggendorf.

Ischias [der], eine Erkrankung des großen Beinnervs (Ischiasnerv) im Hüftbereich, die durch Erkältung, Bandscheibenschäden oder Überanstrengung hervorgerufen wird.

ISDN, Abkürzung für **i**ntegrated **s**ervices **d**igital **n**etwork, Bezeichnung für ein Netz der digitalen Übertragungstechnik, das von der Deutschen Telekom entwickelt wurde. Auf der Grundlage des Telefonnetzes wurden Dienste wie Telefon, Teletex, Telefax und Datenübertragung zusammengefasst. Über das ISDN-Netz, das seit 1995 flächendeckend verfügbar ist, wird die Datenkommunikation weltweit und mit großer Geschwindigkeit abgewickelt.

Isis, die ägyptische Muttergöttin, Schwester und Gemahlin des *Osiris*.

Was ist … Islam

Islam ist die vom Propheten *Mohammed* Anfang des 7. Jh. gestiftete Religion. Sie ist heute mit rund 1 Mrd. Gläubigen, die sich selbst Muslime oder Moslems nennen, nach dem Christentum die zweitgrößte Glaubensgemeinschaft. Religiöses Zentrum ist Mekka (Saudi-Arabien), der Geburtsort des Propheten. Dort befindet sich in der Großen Moschee auch der würfelförmige heilige Schrein, die *Kaaba,* der für alle Muslime heiligste Ort. Nach dem Tod Mohammeds 632 entstanden im Islam zwei Hauptrichtungen: die *Sunniten* (Anteil: rund 90%) und die *Schiiten*. Der bevölkerungsreichste islamische Staat ist Indonesien; in Deutschland leben rund 3,3 Mio. Muslime.

Glaubensgrundsätze: Der Islam erkennt *Allah* (Gott) als den einzigen Gott und Schöpfer aller Dinge an; er ist allgegenwärtig, allwissend und wird als Herr über die Welt verehrt. Der Mensch ist selbst für seinen Glauben und seine Taten verantwortlich und wird am Ende der Tage ins Paradies oder in die Hölle eingehen. Von Bedeutung ist auch der *Dschihad,* der einerseits das Bemühen des einzelnen Gläubigen um sittliche und religiöse Vervollkommnung bedeutet, andererseits aber auch den »heiligen Krieg« bezeichnet, der die Herrschaft des Islam sichern soll. Ein Muslim, der kämpfend »auf dem Weg Allahs« stirbt, ist ein Märtyrer. Das Leben des Muslims beruht auf fünf Grundpflichten (»Pfeilern«): 1. Glaubensbekenntnis: Es gibt keinen Gott außer Allah und Mohammed ist sein Gesandter (Prophet); 2. Gebet: die Sunniten beten fünfmal, die Schiiten dreimal am Tag, jeweils kniend auf öffentlichen Aufruf hin; dabei müssen sie die rituelle Reinheit beachten. Freitag ist der heilige Tag des Gebets in der *Moschee* (Gebetshaus); 3. Almosen geben; 4. Fasten: Als Zeichen der Hinwendung zu Gott wird im Monat Ramadan (9. Monat des islamischen Mondkalenders) von Sonnenaufgang bis Sonnenuntergang gefastet; 5. Wallfahrt: Jeder Muslim sollte mindestens einmal im Leben nach Mekka gepilgert sein *(Hadsch)*. Die beiden Hauptfeste des Islam sind der »kleine Bairam« (Fastenbrechen am Ende des Ramadan) und der »große Bairam« (Opferfest der Nicht-Mekka-Pilger).

Koran, Recht und Organisation: Das heilige Buch des Islam ist der *Koran*. Er gilt als das unmittelbare Wort Gottes, das im Himmel geschrieben und Mohammed durch den Engel Gabriel geoffenbart wurde. Der Koran besitzt für jeden Muslim absolute Autorität. Seine Worte selbst sind heilig, daher darf der Koran nur im ursprünglichen Arabisch gelesen werden. Der Koran wurde kurz nach dem Tod des Propheten aus mündlichen und schriftlichen Quellen zusammengetragen. Dabei wurde der Inhalt nach der jeweiligen Länge der 114 Suren (Kapitel) angeordnet. Der Koran ist das wichtigste Lehr- und Gesetzbuch des Islam. Daneben gibt es noch zwei weitere: Die *Sunna,* die die Aussprüche und Handlungen Mohammeds und seiner Gefährten enthält, und die *Scharia,* die das religiöse Recht (u.a. Gebet, Fasten), Speisegesetze (u.a. Verbot von Alkohol, Schweinefleisch), Opfer- und Schlachtvorschriften *(schächten),* Privatrecht (u.a. Erb-, Ehe-, Familien- und Schuldrecht) sowie Straf- und Kriegsrecht beinhaltet. Der Islam kennt im Gegensatz zum Christentum keinen hierarchisch organisierten Klerus und keine zentrale religiöse Instanz. Geistliches Oberhaupt und Leiter der jeweils selbstständigen islamischen Gemeinde ist der *Imam* (Vorbeter).

Ausdehnung und Bedeutung des Islam: Die Nachfolger Mohammeds *(Kalifen)* breiteten den Islam in zahlreichen Kämpfen aus. Zur Zeit der größten Ausdehnung prägte der Islam die Staatenwelt zwischen Iberischer Halbinsel und indo-asiatischem Raum. Zu den größten islamischen Reichen zählt das *Osmanische Reich* (ab 13.Jh.). Mitte des 17.Jh. setzte eine rückläufige Bewegung ein. Heute hat der Islam als politische Kraft weite Teile der islamischen Welt erfasst. So fordert der Fundamentalismus (Islamismus), in radikaler Abgrenzung zur westlichen Welt, die unlösbare Einheit von Religion, Staat und Gesellschaft sowie die Scharia als Staatsgesetz (Gottesstaat).

Islamabad [»Stadt des Islam«], die Hauptstadt Pakistans, 799 000 Einwohner.

Ländersteckbrief
Island

Fläche:	103 000 km²
Einwohner:	297 000 = 3 je km²
Hauptstadt:	Reykjavík
Religion:	evangelisch-lutherische Kirche
Amtssprache:	Isländisch
Währung:	1 Isländische Krone = 100 Aurar

Island, Staat in Nordeuropa.

Landesnatur: Der Inselstaat wird bestimmt von einem Hochland mit zahlreichen, z.T. noch tätigen Vulkanen, warmen Quellen und Geysiren; große Teile sind vergletschert (Vatnajökull); durch Fjorde stark gegliederte Küsten (außer im Süden); milde Winter, kühle Sommer; im Landesinnern Eis- und Lavawüsten, an den Küsten Tundrenvegetation.

Bevölkerung: Die mit den Skandinaviern verwandte, evangelisch-lutherische Bevölkerung lebt überwiegend im Küstengebiet. Mit 3 Einwohnern/km² ist Island das am dünnsten besiedelte Land Europas.

Wirtschaft: Die Wirtschaft basiert v.a. auf dem Dienstleistungssektor, der Industrie und der Küstenfischerei; Ausfuhr von Fischprodukten, Aluminium und pharmazeutischen Produkten, Einfuhr von Maschinen, Konsumgütern und Nahrungsmitteln.

Geschichte: Island wurde 825 erstmalig beschrieben und seit 874 von Norwegen her besiedelt. Außerdem wanderten Kelten ein. 1000 wurde die Insel christianisiert. 1262 unterstellte sich Island dem norwegischen König. 1380 wurde Island Dänemark angeschlossen.

Um 1550 setzte sich die Reformation durch. 1874 erhielt Island eine Verfassung, die dem Land die innere Autonomie gewährte. 1918 wurde Island ein selbstständiges Königreich, in Personalunion mit Dänemark verbunden. 1944 wurde die politische Verbindung mit Dänemark gelöst und Island unabhängige Republik. 1949 trat Island der NATO bei. Seit 1996 ist O. R. *Grimsson* Staatspräsident.

Isobaren [Pl.], auf Wetterkarten die Linien, die Orte mit gleichem Luftdruck verbinden.

Isolation [die], **1.** *Isolierung,* allgemein Abschließung, Absonderung. **2.** in der Technik Maßnahmen, die den Verlust von Energie oder die Einwirkung von Feuchtigkeit, Kälte oder Schall verhindern, z. B. bei Warmwasserleitungen der Schutz vor Wärmeverlust. Besonders Gebäude werden durch Dämmstoffe gut isoliert, so dass Wärmeverlust, Kälteeinwirkung, Feuchtigkeit und Lärm weitgehend vermieden werden.

Isomerie [die], eine Erscheinung in der organischen Chemie, bei der verschiedene Stoffe die gleiche Zusammensetzung bei der Art und Menge der sie aufbauenden Elemente haben, sich aber chemisch und physikalisch unterschiedlich verhalten. Bei isomeren Verbindungen ist die Lage der Atome innerhalb der Moleküle jeweils verschieden.

Israel: Die Klagemauer in Jerusalem ist die restliche Westmauer des zerstörten jüdischen Tempels. Sie ist heute Stätte des Gebets für gläubige Juden.

Isotope [Pl., griech., »am gleichen Ort«], die zu einem chemischen Element gehörenden Atome gleicher Kernladung, aber verschiedener Masse. Ihre Atomkerne besitzen die gleiche Zahl an Protonen, enthalten aber eine verschiedene Anzahl an Neutronen.

Ländersteckbrief
Israel

Fläche:	22 145 km²
Einwohner:	6,8 Millionen = 309 je km²
Hauptstadt:	Jerusalem
Religion:	Judentum, Islam
Amtssprache:	Hebräisch, Arabisch
Währung:	1 Neuer Schekel = 100 Agorot

Israel, Staat in Vorderasien.

Landesnatur: Hinter der meist flachen Mittelmeerküste und einer Küstenebene, der Hauptsiedlungszone, erhebt sich ein bis über 1000 m hohes Bergland (Kalkhochflächen), in das der *Jordangraben* eingesenkt ist. Das Klima ist mittelmeerisch. Der Negev und das Gebiet des Toten Meeres sind wüstenhaft. Der Feldbau setzt fast überall künstliche Bewässerung voraus.

Bevölkerung: Neben 79% Juden gibt es 15% islamische Araber (v. a. Palästinenser), 2% Christen und über 2% Drusen. In den besetzten Gebieten leben rund 2 Mio. Palästinenser ohne israelische Staatsangehörigkeit.

Wirtschaft: Die landwirtschaftliche Nutzfläche ist größtenteils in den Händen von Staat oder Genossenschaften (Moschavim, Kibbuzim). Die Landwirtschaft erzeugt 75% des inländischen Nahrungsmittelbedarfs. Für den Export werden vor allem Zitrusfrüchte, ferner Avocados, Bananen, Oliven, Gemüse, Weintrauben, Blumen und Erdbeeren angebaut. Die Industrie ist weitgehend auf importierte Rohstoffe und Energieträger angewiesen. Wichtig für den Export ist die Diamantenschleiferei. Die Industrie wurde systematisch entwickelt (Lebensmittel-, Getränke-, Metall-, Maschinen-, Textil-, chemische, Flugzeug-, Fahrzeug-, elektronische, Elektrogeräteindustrie. u. a.); sie erzeugt rund 70% der Exportgüter. – Haupthäfen sind Haifa, Ashdod und Elat. Der internationale Zentralflughafen ist Ben Gurion bei Tel Aviv.

Geschichte: Auch → Juden, → Palästina. Nach der Zerstörung des selbstständigen jüdischen Staates durch die Römer 70 n. Chr. begann die Zerstreuung der Juden über den Mittelmeerraum; eine kleine jüdische Bevölkerung blieb aber stets im Lande. Mit der Entstehung des *Zionismus* (Ende des 19. Jh.) begann eine organisierte Einwanderung von Juden nach Palästina. Seit den 1920er Jahren kam es zu Konflikten zwischen der jüdischen und der arabischen Bevölkerung. 1947 beschloss die UN-Vollversammlung die Teilung Palästinas in einen jüdischen und einen arabischen Staat. Der Staat Israel wurde am 14. 5. 1948 von D. *Ben-Gurion* ausgerufen. Die Araber erkannten den Teilungsbeschluss nicht an; fünf arabische Staaten griffen Israel militärisch an. Der erste arabisch-israelische Krieg endete 1949 mit einem Waffenstillstand. Weitere Kriege folgten 1956, 1967 (Eroberung der Sinaihalbinsel, des Gazastreifens und des Westjordanlands durch Israel) und 1973, ohne dass es zu einem Friedensschluss kam. Als erster arabischer Staat erkannte Ägypten das Existenzrecht Israels 1979 an und schloss mit ihm Frieden, woraufhin Israel die Sinaihalbinsel räumte. 1982–1985 unternahm Israel einen militärischen Vorstoß nach Libanon, um von dort ausgehenden PLO-Angriffen zu begegnen. Ein israelisch-libanesisches Abkommen musste Libanon 1984 unter syrischem Druck annullieren. 1985 zog Israel seine Truppen aus Libanon ab, behielt aber eine »Sicherheitszone« im Süden des Landes.

In den Jahrzehnten nach der Staatsgründung wanderten über 2 Mio. Juden ein, hauptsächlich aus Osteuropa, Nordafrika und dem Nahen Osten. Ihre soziale und wirtschaftliche Eingliederung war eine große Herausforderung. In der Innenpolitik war bis 1977 die sozialdemokratische *Mapai* bzw. *Arbeiterpartei* führend, 1977–1984 der national-konservative *Likud*-Block; 1984–1990 bestand eine Große Koalition aus Arbeiterpartei und Likud, danach wieder eine rechtsnationale Koalition. Zum schwierigsten politischen Problem für die israelischen Regierungen entwickelten sich die besetzten Gebiete mit ihren arabischen Bewohnern *(Palästinensern)*. Seit Ende 1987 kam es dort immer wieder zu gewalttätigen Protestaktionen gegen die Besatzungsmacht *(Intifada)*. Nachdem die PLO-Führung ihr ursprüngliches Ziel, die Vernichtung Israels, aufgegeben hatte, schlossen Israel und die PLO 1993 ein Abkommen über eine begrenzte palästinensische Selbstverwaltung in diesen Gebieten. Mit der Räumung des Gazastreifens und des Gebiets von Jericho begann 1994 der Teilabzug der israelischen Truppen. Im gleichen Jahr schloss als zweiter arabischer Staat Jordanien mit Israel Frieden. 1992–1996 amtierte eine Linksregierung unter Führung der Arbeiterpartei. Ministerpräsident I. *Rabin* fiel 1995 einem Attentat zum Opfer; im Amt folgte ihm S. *Peres*. 1996 wurde ein palästinensischer Autonomierat gewählt. Nach dem Amtsantritt der konservativen Regierung

Netanjahu im selben Jahr kam es zu einem Stillstand des Friedensprozesses; dieser wurde 1998 unter US-amerikanischem Einfluss *(Abkommen von Wye)* wieder aufgenommen. Die Wahlen 1999 entschied E. *Barak* von der Arbeiterpartei für sich und bildete eine Mehrparteienkoalition, mit der er den Friedensprozess vorantreiben wollte. 2000 zog Israel seine Truppen aus der »Sicherheitszone« im Südlibanon ab. Im selben Jahr wurde M. *Katsav* Staatspräsident. Ein Besuch des Oppositionsführers A. *Scharon* auf dem Tempelberg in Jerusalem im September 2000 löste eine *2. Intifada* in den palästinensischen Autonomiegebieten aus. Nachdem Scharon 2001 an der Spitze eines Kabinetts der nationalen Einheit das Amt des Regierungschefs übernommen hatte, eskalierten die Auseinandersetzungen. Selbstmordattentate palästinensischer Extremisten verschärften die Situation weiter. Die israelische Armee rückte in die Autonomiegebiete vor und griff dort Ziele der palästinensischen Selbstverwaltungsbehörde an. Außerdem ließ die Regierung einen stark befestigten Sicherheitszaun zum Westjordanland bauen. Nach vorgezogenen Neuwahlen 2003 blieb Scharon Ministerpräsident mit einer Koalition aus Likud und kleineren Parteien. Der von Scharon 2004 angekündigte und 2005 vollzogene Rückzug aus dem Gazastreifen führte zu einer Regierungskrise. Durch eine schwere Erkrankung konnte Scharon die Amtsgeschäfte seit Januar 2006 nicht mehr ausüben. Neuer Regierungschef wurde E. *Olmert.* Er gewann mit der noch von Scharon gegründeten Kadima-Partei die Wahlen im März 2006. Im selben Jahr ging die israelische Armee militärisch gegen die Hizbollah im Libanon vor *(Libanonkrieg)* und marschierte auch wieder in den Gazastreifen ein. 2007 wurde S. Peres zum Staatspräsidenten gewählt.

Istanbul: Die Sultan-Ahmed-Moschee (im Vordergrund), aufgrund ihres Kachelschmucks auch »Blaue Moschee« genannt, wurde im 17. Jh. erbaut.

ISS: Die Internationale Raumstation ISS auf ihrer Umlaufbahn um die Erde

ISS, Abkürzung für englisch **I**nternational **S**pace **S**tation, → Internationale Raumstation.

Istanbul, größte Stadt und der Haupthafen der Türkei, 8,8 Mio. Einwohner. Istanbul liegt an beiden Ufern des Bosporus. Auf der europäischen Seite liegen Alt-Istanbul (Stadtzentrum mit der *Hagia Sophia*) und das Geschäftszentrum Beyoğlu mit modernen Wohnvierteln, auf der asiatischen Seite befindet sich der Stadtteil Üsküdar mit Villenvororten. – Die Stadt wurde 660 v. Chr. unter dem Namen *Byzanz* gegründet; seit 330 n. Chr. war sie unter dem Namen *Konstantinopel* Hauptstadt des Römischen, seit 395 des

Ost römischen (Byzantinischen) Reichs. 1453 wurde die Stadt von den Türken erobert und in Istanbul umbenannt. Istanbul war bis 1923 Hauptstadt des Osmanischen Reiches beziehungsweise der Türkei.

Istrien, eine Halbinsel in der nördlichen Adria, 4955 km², rund 350 000 (meist kroatische und slowenische) Einwohner.

IT, Abkürzung für *Informationstechnologie.* Oberbegriff für Technologien, die sich mit der Informationssammlung, -verarbeitung und -verteilung befassen.

Ländersteckbrief Italien

Fläche:	301 336 km²
Einwohner:	58,1 Millionen = 193 je km²
Hauptstadt:	Rom
Religion:	römisch-katholische Kirche
Amtssprache:	Italienisch, regional Deutsch und Französisch
Währung:	1 Euro = 100 Cent

Italien, Staat in Südeuropa.

Landesnatur: *Festland-Italien* (Norditalien) umfasst den italienischen Alpenanteil sowie die einzigen größeren Flachlandgebiete. Als *Halbinsel-Italien* wird die vom Apennin durchzogene Apenninhalbinsel bezeichnet; der Westteil wird von einem Hügelland und Küstenebenen mit Vulkanismus eingenommen. *Insel-Italien* umfasst *Sizilien, Sardinien* und verschiedene kleinere Inseln. Das Klima ist in Norditalien warm gemäßigt, südlich von Rom mediterran mit trockenheißen Sommern und milden, regenreichen Wintern.

Bevölkerung: Zu 94% besteht die Bevölkerung aus Italienern und konzentriert sich besonders in den fruchtbaren Ebenen und im Küstenland. Im Norden leben deutsche, französische, rätoromanische und slawische Minderheiten. Rund 90% der Bewohner sind Katholiken.

Wirtschaft: Die Industrie konzentriert sich in Nord- und Mittelitalien, in Süditalien nur an wenigen Küstenstandorten. Die bedeutenden Industriezweige sind Eisen- und Stahl-, Zement-, chemische, Papier-, Textil-, Schuh- und Kraftfahrzeugindustrie. An Bodenschätzen gibt es Schwefel, Eisen, Zink, Blei u. a. Ein besonders wichtiger Wirtschaftsfaktor ist der Tourismus. – Die Landwirtschaft mit Anbau von Weizen, Mais, Reis, Oliven, Gemüse, Obst, Wein und Südfrüchten, Seidenraupenzucht und Viehzucht ist stark exportorientiert. Die Fischerei bringt gute Erträge. – Die wichtigsten Ausfuhrwaren sind Kraftfahrzeuge, Maschinen, Textilien, Schuhe, Chemikalien, Obst, Südfrüchte und Wein. Haupthandelspartner sind die BR Deutschland und Frankreich. – Das Verkehrsnetz ist v. a. in Norditalien gut ausgebaut. Italien verfügt über mehrere internationale Flughäfen (insbesondere Rom, Mailand und Venedig). Wichtige Seehäfen sind Genua, Venedig, Tarent und Triest.

Geschichte: Nach Zusammenbruch des Weströmischen Reichs 476 (→ Römisches Reich) entstanden auf italienischem Boden germanische Nachfolgereiche. Der germanische Söldnerführer *Odoaker* wurde 493 vom Ostgotenkönig *Theoderich* im Auftrag Ostroms gestürzt. Auch das ostgotische Reich brach bereits 553 zusammen, und Italien wurde oströmische Provinz. Seit 568 fielen die Langobarden in Oberitalien ein, so dass Italien in einen langobardischen und einen byzantinischen Teil getrennt wurde.

Die *Pippinsche Schenkung* (754) sicherte dem Papsttum Rom, Perugia und Ravenna. *Karl der Große* vernichtete 774 das langobardische Königreich. Unteritalien blieb byzantinisch; im 9. Jh. eroberten die Araber Sizilien. Vom 10. bis zum 13. Jh. betrachteten die deutschen Kaiser Italien als Teil ihres Reichs, konnten ihre Herrschaft aber nur vorübergehend durchsetzen. Die z. T. von Sarazenen besetzten byzantinischen Gebiete Siziliens und Kalabriens wurden im Lauf des 11. Jh. von Normannen erobert. Die normannischen Fürstentümer wurden 1130 von König *Roger II.* zu einem Staat vereinigt. Die Heirat Kaiser *Heinrichs VI.* mit der Erbin des Normannenreichs, *Konstanze,* vereinigte zum ersten Mal seit dem Untergang Westroms fast ganz Italien unter einer Herrschaft. Dem Staufer *Friedrich II.* gelang nicht nur in Süditalien der Aufbau des ersten modernen Beamtenstaats im Abendland, sondern im Kampf mit Papst *Gregor IX.* und den Städten der Lombardei auch die Festigung seiner Macht in Italien. Mit der Hinrichtung von *Konradin* in Neapel (1268) brach die Herrschaft der Staufer zusammen. *Karl von Anjou* vermochte wie sein Nachfolger *Robert von Neapel* (1309–1343) seinen Einfluss über ganz Italien auszudehnen.

Italien: Weinberge in der Toskana

Im 14./15. Jh. gewannen u. a. die Republiken Venedig und Genua, die Fürstentümer der *Visconti* und *Sforza* (Mailand), der *Este* (Mòdena) und der *Scaliger* (Verona) an Einfluss und Bedeutung. Mit Beendigung der Kirchenspaltung (1378–1415), als mehrere Päpste die Vorherrschaft beanspruchten, festigte sich auch der Kirchenstaat wieder. In Florenz setzten sich die *Medici* durch, und nach dem *Frieden von Lodi* (1454) herrschte ein Gleichgewicht von fünf Mittelstaaten (Neapel-Sizilien, Florenz, Kirchenstaat, Mailand, Venedig). Im 15. Jh. war Italien kulturell führend in Europa. Nach 1500 war es jahrhundertelang Spielball der europäischen Großmächte Frankreich, Spanien und Österreich. Im 19. Jh. entstand eine Einheits- und Freiheitsbewegung (C. *Cavour* und G. *Garibaldi*), das »Risorgimento«. 1861 wurde das Königreich Italien gegründet. 1870 wurde die staatliche Einheit mit der Einnahme Roms vollendet.

1882 schloss Italien den *Dreibund* mit Deutschland und Österreich-Ungarn. 1881–1885 besetzte Italien in Afrika das Gebiet von Eritrea, 1889 die Somaliküste; 1911/1912 konnten libysche Gebiete erworben werden. Italien blieb bei Ausbruch des Ersten Weltkriegs neutral. Aber 1915 erklärte es Österreich und 1916 Deutschland den Krieg. Der *Friede von Saint-Germain* 1919 brachte Italien u. a. Südtirol, Triest und Istrien ein. Innenpolitische Krisen führten zum unaufhaltsamen Aufstieg der von *Mussolini* gegründeten faschistischen Bewegung. Durch den »Marsch auf Rom« zwang Mussolini *Viktor Emanuel III.,* ihm die Regierung zu übertragen (31. 10. 1922). Mussolini errichtete einen totalitären Staat. Mit dem Vatikan kam es in den Lateranverträgen (1929) zum Ausgleich. 1936 überfiel Italien Äthiopien, 1939 wurde Albanien erobert. Nach Ausbruch des Zweiten Weltkriegs erklärte Italien 1940 Frankreich den Krieg. Nach Abschluss des *Dreimäch-*

Italien: Die mit weißem Marmor verkleidete Fassade des Doms Santa Maria in Siena zählt zu den Meisterwerken der italienischen Gotik.

tepakts mit Deutschland und Japan (1940) eröffnete Italien erfolglos den Krieg gegen Griechenland und in Nordafrika. 1943 wurde Mussolini gestürzt und ein Waffenstillstand mit den im selben Jahr in Italien gelandeten Alliierten geschlossen.

Durch Volksabstimmung wurde Italien 1946 Republik. König *Umberto II.* dankte ab. Durch den *Pariser Frieden* vom 10. 2. 1947 verlor Italien u. a. Rhodos und Istrien; es verzichtete auf alle Kolonien in Afrika. Die Region Triest wurde 1954 zwischen Italien und Jugoslawien geteilt. Italien wurde Gründungsmitglied der Europäischen Gemeinschaft. Auch wenn sie nicht immer den Ministerpräsidenten stellten, waren die Christdemokraten (Democrazia Cristiana, DC) von 1945 bis 1992 die stärkste innenpolitische Kraft. In den 1970er Jahren häuften sich Terrorakte links- und rechtsextremer Gruppen. 1978 wurde der DC-Vorsitzende A. *Moro* von Linksextremisten *(Rote Brigaden)* ermordet. Durch verschiedene Korruptionsaffären kam es 1992/1993 zu einer Krise des politischen Systems. Die Democrazia Cristiana zerfiel in mehrere kleine Gruppierungen. Nach institutionellen Reformen setzten sich bei den Wahlen 1994 neue Parteigruppierungen durch. Ministerpräsident wurde S. *Berlusconi* (Forza Italia). Er wurde bereits 1995 von dem Parteilosen L. *Dini* abgelöst. Nach vorgezogenen Parlamentswahlen 1996 bildete R. *Prodi* eine Regierung der linken Mitte. 1998 entzog das Parlament der Regierung Prodi das Vertrauen. M. *D'Alema,* Führer der postkommunistischen Linksdemokraten, bildete eine neue Mitte-Links-Koalition, 2000 wurde er von G. *Amato* als Regierungschef abgelöst. 2001 wurde S. Berlusconi an der Spitze des Mitte-Rechts-Bündnisses *Casa delle Libertà,* das in beiden Kammern des Parlaments die absolute Mehrheit gewann, erneut Ministerpräsident. Einige Gesetzesvorhaben (z. B. Änderung der Strafprozessordnung) der Berlusconi-Regierung stießen auf Kritik der Opposition, die den Vorwurf der Begünstigung des Ministerpräsidenten, gegen den die Justizbehörden in verschiedenen Verfahren ermittelten, erhob. Bei den Parlamentswahlen 2006 konnte sich das von R. *Prodi* geführte Linksbündnis L'Unione mit knapper Mehrheit gegen das Berlusconi-Lager durchsetzen. Im selben Jahr wurde der Linksdemokrat G. *Napolitano* zum Staatspräsidenten gewählt.

Iwan der Große, *Iwan III. Wasiljewitsch,* * 1440, † 1505, Großfürst von Moskau 1462–1505. Er vollendete die Einigung Russlands, indem er Nowgorod, Twer, Wjatka und Rjasan unterwarf und erreichte 1480 die Beendigung der Mongolenherrschaft. Iwan der Große herrschte über 43 Jahre und ließ sich als erster Herrscher »Zar« nennen.

Izmir, früher *Smyrna,* eine türkische Stadt an der Westküste Anatoliens, an einer Bucht des Ägäischen Meers, 2,2 Mio. Einwohner.

J

J, **1.** zehnter Buchstabe des Alphabets (Konsonant). **2.** Kurzzeichen für Joule. **3.** chemisches Zeichen für das Element → Jod.

Jacht [die], ein schnelles, meist luxuriös eingerichtetes Motor- oder Segelschiff für Sport und Vergnügen.

Jade [der oder die], ein hartes, meist blassgrünes Mineral, aus dem Schmuck oder kleine Ziergegenstände hergestellt werden.

Jagd [die], das weidgerechte Verfolgen, Erlegen und Hegen jagdbarer Tiere durch den Jäger. Die Jagd war ursprünglich die Hauptbeschäftigung der Männer und diente der Beschaffung von Nahrung und Fellen für die Bekleidung. Später wurde sie zum Vergnügen und war zunächst dem Adel vorbehalten. Heute ist die Jagd innerhalb eines Jagdreviers nur berechtigten Personen (z. B. Förster, Jagdpächter) mit einem *Jagdschein* (Jagdprüfung) erlaubt. Zur Jagd gehört die Hege (z. B. die Fütterung im Winter) und das Jagen. Dabei müssen bestimmte Schonzeiten für die Tiere eingehalten werden. Die Jagd soll der Auslese der Tiere dienen, da oft die natürlichen Feinde fehlen. Man unterscheidet die *hohe Jagd,* z. B. auf Rehe, Hirsche oder Gämsen, und die *niedere Jagd,* z. B. auf Hasen oder Rebhühner. Bei der Jagd gibt es verschiedene Formen wie die *Pirsch* (Anschleichen an das Wild), den *Ansitz* (Warten z. B. auf dem Hochsitz) oder die *Treibjagd* (das Wild wird durch Treiber auf die Jäger zugetrieben).

Jaguar: Mit ihrem gelbbraunen, schwarz gefleckten Fell ist die Raubkatze auf der Jagd gut getarnt.

Genauer betrachtet …

Friedrich Ludwig Jahn

Turnvater Jahn »erfand« das Turnen. Er füllte das Wort »Turnen« mit dem Inhalt jenes reichhaltigen Übungsprogramms, das bis dahin »Gymnastik« hieß und praktisch alle Leibesübungen umfasste. Dazu kam ein ideeller Gehalt, den Jahn im »Geist der Turnkunst« beschrieb: »Frisch, fromm, fröhlich, frei [ursprünglich ein Studentenwahlspruch aus dem 16. Jh.] – ist des Turners Reichtum. Muster, Beispiel und Vorbild zu werden, danach soll er streben.« Wegen dieser ideellen Werte und der Verbreitung in aufständischen Studentenkreisen wurde das Turnen 1820 in Preußen als staatsgefährdend verboten. Jahn kam als politischer Aufrührer für 6 Jahre in Festungshaft und wurde erst nach über 20 Jahren rehabilitiert. 1842 schenkte ihm der preußische Staat 1500 Taler, die er 1811 bei der Anlage des Turnplatzes auf der Hasenheide in Berlin ausgegeben hatte.

Jaguar [der], die größte Raubkatze Amerikas. Er hat ein gelbbraunes Fell mit schwarzen Ringen und erreicht eine Länge von 1,85 m und eine Schulterhöhe von 76 cm.

Jahn, Friedrich Ludwig, * 1778, † 1852; Begründer der deutschen Turnbewegung. 1811 errichtete Jahn in Berlin den ersten Turnplatz. Auch → »Genauer betrachtet«.

Jahr [das], die Umlaufzeit der Erde um die Sonne mit 12 Monaten oder 365,2422 Tagen. Da das astronomische Jahr etwas länger als 365 Tage ist, ist jedes vierte Jahr ein *Schaltjahr* mit 366 Tagen.

Jahresring [der] → Holz.

Jahreszeiten [Pl.], die vier Abschnitte des Jahres mit immer annähernd gleichen Klima- und Wachstumsbedingungen: Frühling, Sommer, Herbst und Winter. Die Jahreszeiten gelten für die gemäßigten Klimazonen und werden vom Stand der Sonne bestimmt. Den höchsten Stand erreicht die Sonne zu Sommerbeginn (Sommersonnenwende), den tiefsten zu Winterbeginn (Wintersonnenwende). In Äquatornähe gibt es keine Jahreszeiten wie bei uns, man unterscheidet zwischen Trocken- und Regenzeit. Auch → »Genauer betrachtet«.

Jahwe, nach dem Alten Testament Name des Gottes der Juden.

Jak [der] → Yak.

Jakarta [dʒa'karta], *Djakarta,* bis 1950 *Batavia,* die Hauptstadt der Republik Indonesien, an der Nordwestküste Javas, 9,5 Mio. Einwohner.

Jakobiner [Pl.], die radikalen Republikaner der Französischen Revolution, die nach ihrem Versammlungsort, dem ehemaligen Kloster St. Jakob in Paris, benannt wurden. Sie wollten die Monarchie abschaffen und die völlige Gleichheit der Bürger erreichen. Unter der Führung von *Robespierre* übten sie eine blutige Schreckensherrschaft aus, nach seiner Hinrichtung (1794) wurden sie zunehmend einflusslos.

Jakuten, ein Turkvolk in Sibirien.

Genauer betrachtet … Jahreszeiten

Datum	Nordhalbkugel	Südhalbkugel
21. 03.–20. 06.	Frühling	Herbst
21. 06.–22. 09.	Sommer	Winter
23. 09.–20. 12.	Herbst	Frühling
21. 12.–20. 03.	Winter	Sommer

Ländersteckbrief Jamaika

Fläche:	11 420 km²
Einwohner:	2,7 Millionen = 233 je km²
Hauptstadt:	Kingston
Religion:	Christentum
Amtssprache:	Englisch
Währung:	1 Jamaika-Dollar = 100 Cents

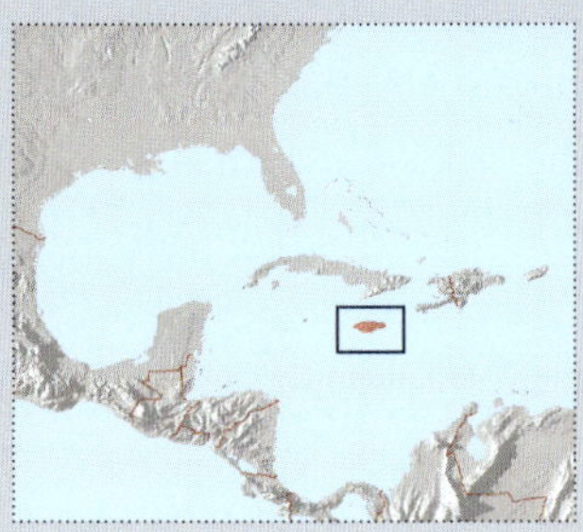

Jamaika, Staat in der Karibik.

Landesnatur: Das Innere der Insel wird von einem zentralen Faltengebirge (bis 2257 m) und Kalkplateaus eingenommen. Die Küstenebene im Norden ist feuchtheiß mit Regenwäldern und Feuchtsavanne, an der Südküste Trocken- und Dornbuschsavanne.

Bevölkerung: 76% der Bevölkerung sind Schwarze, 15% Mulatten; indische, europäische und chinesische Minderheiten. Die Bewohner sind überwiegend protestantisch, rund 5% gehören zur Glaubensgemeinschaft der *Rastafari*.

Wirtschaft: Exportgüter sind Bauxit und Aluminium, Textilien und Zuckerrohr, daneben auch Bananen, Zitrusfrüchte, Nelkenpfeffer, Kakao und Kaffee. Bedeutender Fremdenverkehr; Haupthäfen und internationale Flughäfen sind Kingston und Montego Bay.

Geschichte: 1494 von *Kolumbus* entdeckt, gelangte die Insel 1655 in britischen Besitz. 1866 wurde Jamaika Kronkolonie und erhielt 1944 eine neue Verfassung. Jamaika wurde 1962 unabhängig. Premierministerin ist seit 2006 P. *Simpson-Miller.*

Jambus, ein Versfuß aus einer kurzen und einer langen Silbe.

Jangtsekiang → Chang Jiang.

Janosch, eigentlich Horst *Eckert,* * 1931; deutscher Schriftsteller und Illustrator. Er schreibt vor allem Kinderbücher, deren Texte und farbenfrohe Illustrationen von alltäglichen Nöten handeln und den fantastischen Möglichkeiten, diesen zu begegnen. Für »Oh, wie schön ist Panama« erhielt er 1979 den Deutschen Jugendbuchpreis.

Japan: Eine Schrägseilbrücke verbindet die Hafen- und Industriegebiete von Yokohama.

Ländersteckbrief
Japan

Fläche:	377 880 km^2
Einwohner:	128,2 Millionen = 339 je km^2
Hauptstadt:	Tokyo
Religion:	Shintoismus, Buddhismus
Amtssprache:	Japanisch
Währung:	1 Yen = 100 Sen

Japan, Staat in Ostasien.

Landesnatur: Vulkanische Gebirge, die im Fuji (3776 m) gipfeln, bestimmen das Gesicht der vier großen (*Honshu*, *Hokkaido*, *Kyushu*, *Shikoku*) und rund 500 kleineren Inseln. 67% der Landesfläche sind mit Wald bedeckt. Im Norden überwiegen Laubwälder, im Süden herrschen immergrüne Holzgewächse und tropische Formen vor. Nur um Tokyo gibt es eine größere Tiefebene (*Kanto*). Das Klima ist im Norden gemäßigt, im Süden subtropisch. Die Niederschläge bringt der sommerliche Südost-Monsun. Neben Taifunen (v. a. im Süden) bedrohen die relativ zahlreichen Erdbeben und Vulkanausbrüche das Land.

Bevölkerung: Neben Koreanern, Chinesen, Brasilianern, Filipinos und Ainu besteht die Bevölkerung hauptsächlich aus Japanern, die je zur Hälfte Buddhisten und Anhänger des Shintoismus sind.

Wirtschaft: Weniger als ein Fünftel der Landesfläche ist landwirtschaftlich nutzbar. Hauptanbauprodukt ist Reis. Japan ist eine der bedeutendsten Fischereinationen der Welt. Die Bodenschätze (Kohle, Blei, Zink, Schwefel, Kupfer) können den Inlandsbedarf bei weitem nicht decken. Die Energieversorgung stützt sich zunehmend auch auf die Kernkraft. Die Industrie hat Japan in die erste Reihe der Wirtschaftsgroßmächte gestellt. Produziert bzw. exportiert werden besonders Eisen- und Stahlwaren, Maschinen, Schiffe (vor allem Supertanker), Kraftfahrzeuge, elektronische, optische und feinmechanische Geräte, Papier, Chemikalien, Bekleidung, aber auch Obstwaren und -konserven, Fischkonserven, Tabak, Perlen und keramische Erzeugnisse. Die Industriebetriebe konzentrieren sich in Küstennähe, v. a. aber in der Kanto-Ebene und an der Japanischen Inlandsee. Von großer Bedeutung ist der tertiäre Sektor (Handel- und Dienstleistungen), der rund 65% der japanischen Erwerbstätigen beschäftigt. – Japan verfügt über ein hervorragend entwickeltes Eisenbahn-, Straßen- und interinsulares Schiffsverkehrsnetz. Die japanische Handelsflotte zählt zu den größten der Erde. Internationale Häfen: Yokohama, Kobe, Osaka, Tokyo, Moji, Nagasaki, Nagoya. Knotenpunkt des Flugnetzes ist Tokyo (Flughäfen Haneda und Narita).

Geschichte: Durch die Zentralisation mehrerer Teilreiche entstand von Yamato aus um 400 durch die Expansion der *Tenson-Gruppe* ein neues politisches Gebilde. Nach der Übernahme des Buddhismus wurde 645 die Taika-Ära eingeleitet, die Japan bis 702 in eine absolutistische Monarchie umwandelte, der als Grundlage eine zentralistisch organisierte Beamtenschaft diente. Von der Hauptstadt Nara aus übte der japanische Kaiser (*Tenno*) die unumschränkte Herrschaft aus. Nach dem Niedergang der Kaisermacht begann im 12. Jh. die Herrschaft des Adels (*Shogunat*). Der Shogun war seit 1192 der mächtigste Mann im Staate. Der Tenno wurde zu einer Zeremonialfigur reduziert. Inzwischen waren Buddhismus und Shintoismus miteinander verschmolzen. Um die Mitte des 16. Jh. trafen die ersten Europäer in Japan ein. Das Christentum gewann seit 1556 viele Anhänger. Danach wurde Japan von der Außenwelt völlig abgeschottet. 1614 begann die rücksichtslose Ausrottung des Christentums. Der *Konfuzianismus* erlebte eine Blütezeit. Die Ankunft ausländischer Schiffe (1854 der US-amerikanische Commodore M. C. *Perry*) war Anstoß zum Zusammenbruch der feudalistischen Struktur und gab das Signal zu einer raschen Modernisierung. 1868 trat der Shogun vom Amt zurück. Der Kaiser übernahm die Regierungsgewalt. In der *Meiji-Ära* (1868–1912) wurde der kaiserliche Hof von Kyoto nach *Tokyo* verlegt. 1869 wurde das Programm der »Neuen Ära« verkündet, das eine Periode der Reformen einleitete. Die neue, 1889 verkündete Verfassung machte Japan zur konstitutionellen Monarchie (nach preußischem Muster). Das japanische Bestreben, *Korea* unter seinen Einfluss zu bringen, führte zum *chinesisch-japanischen Krieg* (1894/1895). Japan gewann Formosa. Der *russisch-japanische Krieg* (1904/1905) endete mit der Niederlage Russlands. Dadurch gewann Japan freie Hand zur Inbesitznahme Koreas (1910). Japan erhielt im Versailler Vertrag Kiautschou und das Mandat über die Karolinen, Marianen und Marshallinseln. 1926 bestieg Kaiser *Hirohito* den Thron und leitete die Regierungsperiode *Showa* ein. 1931 besetzte Japan die Mandschurei. 1937 kam es zum offenen Krieg mit China. Nach Ausbruch des Zweiten Weltkriegs schloss Japan im September 1940 mit Deutschland

Japan: Die im 16. Jh. zum Schloss umgebaute »Burg des weißen Reihers« in Himeji gehört zum Weltkulturerbe.

und Italien den Dreimächtepakt. Am 7. 12. 1941 begannen die Japaner mit dem Überfall auf *Pearl Harbor* den Krieg gegen die USA und Großbritannien. Nach Teilerfolgen kam die Niederlage 1945 mit den Atombombenabwürfen auf Hiroshima und Nagasaki. Japan kapitulierte. Nach der Besetzung durch die Alliierten trat 1947 eine demokratische Verfassung in Kraft. Im Friedensvertrag von San Francisco 1951 wurde der japanische Gebietsstand auf die 4 Hauptinseln beschränkt. 1952 erlangte Japan seine volle Souveränität zurück. 1956 wurde der Kriegszustand mit der UdSSR beendet, 1978 ein Friedens- und Freundschaftsvertrag mit China geschlossen. Japan entwickelte sich zur modernsten Industriegesellschaft Asiens. 1989 verstarb Kaiser Hirohito. Nachfolger wurde sein Sohn *Akihito*, der die Regierungsperiode *Heisei* einleitete. Ministerpräsident ist seit 2006 J. *Abe* (Liberaldemokratische Partei). Der Kaiser (Tenno) übt als Staatsoberhaupt nur repräsentative Funktionen aus. Höchstes Gesetzgebungsorgan ist das Zweikammerparlament, das aus dem Unterhaus und dem Oberhaus besteht. Wichtigste Partei sind die konservativen Liberaldemokraten.

Jasmin: Mit über 200 Arten ist der Echte Jasmin in fast allen wärmeren Gebieten der Erde verbreitet.

Jasmin [der], **1.** zu den *Ölbaumgewächsen* gehörender Strauch mit wohlriechenden weißen oder gelben Blüten, der in fast allen warmen Gebieten der Erde beheimatet ist. Die ätherischen Öle der Blüte werden in der Parfümindustrie verwendet. **2.** *Falscher Jasmin,* bis zu 3 m hoher, zu den *Steinbrechgewächsen* gehörender Strauch aus Südeuropa und Vorderasien, mit weißen, schwer duftenden Blüten. Er ist bei uns als Zierstrauch sehr beliebt.

Jaspers, Karl, * 1883, † 1969; deutscher Psychiater und Philosoph. Ein bedeutender Vertreter des Existenzialismus.

Jazz [dʒæz, der], eine Musikgattung, die stark auf die moderne Unterhaltungsmusik, teilweise auch auf Bereiche der »ernsten« Musik eingewirkt hat. Der Jazz

Genauer betrachtet … Jazz

Beat: der harte Schlagrhythmus, auch ein besonders betonter Teil des Taktes

Bebop: eine Stilart (ab 1940) mit aggressivem Ton und kompliziertem Rhythmus

Big Band: eine Jazzband mit großer Besetzung

Cool Jazz: ein Stil (ab 1950), der sich durch Distanziertheit und Verinnerlichung auszeichnet

Dixieland: ein Stil der Weißen (ab 1900), geprägt von Improvisationen der Band um ein Thema

Free Jazz: eine Stilrichtung (ab 1960), die sich an experimenteller Musik orientiert

Improvisation: das freie Fantasieren (auf einem Instrument)

New Orleans Jazz: der früheste Jazzstil (1900) der Schwarzen, bringt Blues und Ragtime zusammen

Swing: die Spannung zwischen dem Schwerpunkt eines Taktes und kleinen Abweichungen; danach wurde auch eine Stilrichtung der 1930er Jahre benannt

entstand um 1900 in den Südstaaten der USA (besonders New Orleans) aus den weltlichen und geistlichen Gesängen der Schwarzen (Blues, Gospels und Spirituals) sowie aus Folklore und Tanzmusik der Weißen. Ein Hauptmerkmal des Jazz ist die *Improvisation.* Das Musikstück wird nicht streng nach Noten gespielt, sondern bei jeder neuen Wiedergabe finden spontan melodische und rhythmische Veränderungen des vorgegebenen Themas statt. Es gibt verschiedene Stilarten, u. a. Ragtime, New Orleans, Dixieland, Chicago, Swing, Bebop, Cool Jazz, Free Jazz. Auch → »Genauer betrachtet«, Seite 103.

Jeanne d'Arc [ʒan 'dark] → Jungfrau von Orléans.

Jeans [dʒiːnz, die], Hose aus einem derben Baumwollstoff, meist als *Bluejeans* aus blauer Baumwolle.

Jefferson ['dʒɛfəsən], Thomas, * 1743, † 1826; US-amerikanischer Politiker. Er verfasste die *Unabhängigkeitserklärung* der USA und war 1801–1809 dritter Präsident. Jefferson gehört mit seinem aufklärerischen Denken zu den bedeutendsten Präsidenten der USA.

Jelzin, Boris Nikolajewitsch, * 1931, † 2007; russischer Politiker. Boris Jelzin war seit 1981 Mitglied des ZK der KPdSU, aus der er 1990 austrat. Er gilt als Vertreter einer radikalen Reformpolitik. 1991 wurde er der erste frei gewählte Präsident Russlands. Er war maßgeblich beteiligt an der Vereitelung des Putsches 1991 gegen *Gorbatschow* und wirkte entscheidend bei der Gründung der GUS mit. Ende 1999 trat er vom Präsidentenamt zurück.

Jemen: Die bis zu achtstöckigen Hochhäuser in Shibam wurden aus luftgetrockneten Lehmziegeln errichtet; sie gehören zum Weltkulturerbe.

Ländersteckbrief
Jemen

Fläche:	527 968 km²
Einwohner:	21,6 Millionen = 41 je km²
Hauptstadt:	San'a
Religion:	Islam
Amtssprache:	Arabisch
Währung:	1 Jemen-Rial = 100 Fils

Jemen, Staat in Vorderasien.

Hinter feuchtheißen, wüstenhaften Küstenebenen am Roten Meer und am Golf von Aden erhebt sich das zentrale Hochland, das bis 3760 m Höhe erreicht und nach Osten abnehmende Sommerniederschläge erhält. Nach Norden und Osten senkt sich das Land zur Sandwüste Rub Al Khali.

Die Bevölkerung besteht aus Jemeniten u. a. Arabern, Indern und Somali. Der Islam ist Staatsreligion. Angebaut werden Hirse, Gerste, Weizen, Baumwolle und Gemüse an den Gebirgshängen und in den Hochtälern. Im Innern leben z. T. nomadische Viehzüchter. An der Küste ist der Fischfang von Bedeutung. Hauptexportgut ist Erdöl. – Haupthäfen sind Aden, Al Mukalla und Al Hudaydah; internationale Flughäfen gibt es in Aden und San'a.

Geschichte: In vorchristlicher Zeit gehörte Jemen zum Reich der *Sabäer* und *Minäer*. 631 unterwarfen die Muslime Jemen (Abbasidenkalifen). Nach 1517 wurde Jemen teilweise dem Osmanischen Reich eingegliedert. 1918 entstand in Nordjemen das unabhängige Königreich Jemen unter britischer Kontrolle. Nach einem Militärputsch 1962 wurde die Republik ausgerufen. Daraufhin brach ein Bürgerkrieg zwischen Republikanern und Royalisten aus, der erst 1968 erlosch. 1974 ergriff das Militär die Macht. In Südjemen versuchte seit 1959 Großbritannien aus seinen südarabischen Protektoraten eine autonome *Südarabische Föderation* zu bilden. Nach dem Abzug der Briten erklärte diese 1967 unter dem Namen *Südjemen* ihre Unabhängigkeit, schlug einen linkssozialistischen Kurs ein und nannte sich seit 1970 *Demokratische Volksrepublik* Jemen. Nach Verhandlungen vereinigten sich 1990 beide Länder und proklamierten die *Republik Jemen*. 1994 brach ein Bürgerkrieg zwischen dem Norden und dem Süden aus, der mit der Niederlage des Südens endete. Präsident ist seit 1990 A. *Saleh*.

Jena, eine Stadt in Thüringen, an der Saale, 103 000 Einwohner. In Jena besteht seit 1557 eine Universität, zur Zeit Goethes und Schillers war die Stadt neben Weimar ein geistiges Zentrum in Deutschland.

Jenissej, wasserreichster Fluss Russlands, mit Großem Jenissej 4093 km lang. Er entspringt mit 2 Quellflüssen nahe der Mongolei und mündet in den 435 km langen Jenissejbusen der Karasee. Der Jenissej ist rund 7 Monate im Jahr eisbedeckt.

Jerusalem, Hauptstadt und größte Stadt Israels, 702 000 Einwohner. Jerusalem ist das Zentrum des jüdischen Glaubens, aber auch die Heilige Stadt der Christen und Muslime. Die Altstadt gliedert sich in ein christliches, ein islamisches, ein jüdisches und ein armenisches Viertel. Bekannte heilige Stätten und Sehenswürdigkeiten sind die Klagemauer, der Ölberg mit dem Garten Gethsemane, die Grabeskirche und der Felsendom.

Jesuiten [Pl.], *Gesellschaft Jesu*, ein katholischer Orden, der 1540 von *Ignatius von Loyola* gegründet wurde. Er zeichnet sich durch straffe Organisation aus und spielte in der Gegenreformation eine wichtige Rolle. Ziel der Jesuiten ist die Festigung des katholischen Glaubens.

Wer war …
Jesus

Jesus (auch Jesus Christus, Jesus von Nazareth) ist die heilsgeschichtliche Gestalt, auf deren Erscheinen sich das *Christentum* gründet. Jesus ist dem Glauben nach Gottes Sohn, der durch seinen Opfertod die Menschen erlöst, ihnen Heil bringt und sie mit Gott aussöhnt. Er führte ein beispielhaftes Leben, predigte, tat Wunder, litt und starb am Kreuz, bezwang mit seiner Auferstehung den Tod und fuhr in den Himmel.

Die ältesten Nachrichten über Jesus als historische Person enthalten die Paulusbriefe, die wichtigsten Quellen sind jedoch die *Evangelien* im Neuen Testament. Sie versuchen, ein zusammenhängendes Bild des Erlösers zu vermitteln, sind aber in erster Linie als Glaubenszeugnisse zu verstehen. Jesus wurde etwa 4 v. Chr. als Sohn Marias und des Zimmermanns Joseph in Nazareth geboren. Er blieb auf einer Pilgerfahrt mit seinen Eltern 8 n. Chr. in Jerusalem zurück. Seit etwa 28 n. Chr. sammelte er einen Kreis von Jüngern um sich, dem auch Frauen angehörten (Maria Magdalena), und zog als Wanderprediger durch seine Heimat Galiläa. Jesus verkündete die unmittelbar bevorstehende Gottesherrschaft und rief zum radikalen Lebenswandel auf, wobei er Nächstenliebe und die uneingeschränkte

Hieronymus Bosch, Dornenkrönung Christi; um 1508. Madrid, El Escorial

Liebe Gottes zu allen Menschen, auch zu den gesellschaftlichen Außenseitern predigte. Jesus beanspruchte für sich, den Willen Gottes aus eigener Erfahrung und Autorität zu kennen, ihn auszulegen und an seiner statt Sünden zu vergeben. Damit geriet er in Konflikt zu den Bestimmungen der rabbinischen Gelehrten und der Hohen Priester, was ihn in den Augen der römischen Verwaltung zu einem Unruhestifter und Aufrührer machte. Als solcher wurde er wahrscheinlich 30 oder 31 n. Chr. in der Zeit des Passahfestes zum Tod am Kreuz verurteilt. Seine Jünger blieben unbehelligt und kehrten nach Galiläa zurück. Nach Berichten des Neuen Testaments wurden sie am dritten Tag Zeugen seiner Auferstehung und Himmelfahrt. Zwölf von ihnen waren von Jesus zur Verkündung seiner Lehre auserwählt worden (*Apostel*).

Jet [dʒɛt, der], ein Flugzeug mit Strahltriebwerk.

Jiddisch, die im Mittelalter entstandene jüdische Sprache, die sich aus mittelhochdeutschen, hebräischen, romanischen und slawischen Elementen zusammensetzt. Sie wird mit hebräischen Schriftzeichen geschrieben.

Jiu-Jitsu [dʒ(i)u dʒitsu, das, japanisch], eine waffenlose Form der Selbstverteidigung aus Japan und China, die auf bloße Gewalt verzichtet. Der Gegner wird durch Verrenkung der Gliedmaßen und Schläge gegen empfindliche Körperteile kampfunfähig gemacht. Aus dem Jiu-Jitsu entwickelte sich der Wettkampfsport *Judo.*

Jobsharing ['dʒɔb ʃɛːriŋ, das, engl.], eine Form der Teilzeitarbeit, bei der ein Arbeitsplatz auf zwei (oder mehr) Personen aufgeteilt wird.

Jod [das], fachsprachlich *Iod,* ein chemisches Element mit dem Zeichen I. Jod ist ein bei normaler Temperatur festes, grauschwarzes, metallglänzendes Nichtmetall aus der Gruppe der Halogene. Im flüssigen Zustand ist Jod braun, im dampfförmigen violett. Jod kommt als Natriumjodat in Meeresalgen und im Meerwasser vor. Als Jodtinktur wird es bei der Behandlung von Wunden verwendet, als Silberjod dient es zur Herstellung lichtempfindlicher fotografischer Schichten. Jod ist ein Spurenelement, das dem Organismus in geringen Mengen mit der Nahrung zugeführt werden muss.

Joga [der oder das] → Yoga.

Jogging ['dʒɔgiŋ, das, engl.], ein Dauerlauf mit mäßigem Tempo.

Joghurt [der oder das], *Yoghurt, Jogurt,* ein Sauermilchprodukt, das leicht verdaulich ist. Es entsteht, wenn entkeimter, leicht erhitzter Milch Milchsäurebakterien zugesetzt werden.

Johannesburg, größte Stadt der Republik Südafrika, 1,9 Mio. Einwohner. In der Nähe befindet sich das größte Goldfeld der Erde.

Johannes der Täufer, Heiliger, ein Bußprediger, der das nahende Reich Gottes verkündete. Er lebte und predigte in der Wüste und taufte Jesus im Jordan. Herodes ließ ihn enthaupten.

Johannes Paul II., eigentlich Karol *Wojtyla,* * 1920, † 2005; 1978–2005 Papst. Er war nach 455 Jahren (seit Hadrian VI.) der erste nichtitalienische und der erste polnische Papst.

Johanniterorden [der], *Johanniter, Hospitaliter, Malteser,* der früheste, während der Kreuzzüge (11. Jh.) entstandene christliche Ritterorden. Der katholische Johanniterorden (Malteserorden) und der evangelische Johanniterorden unterhalten u. a. Krankenhäuser und Altenheime.

Jolle [die], ein kleines Segelboot mit Schwertkiel.

Jongleure [ʒɔ̃'gløːrə, Pl.], Artisten, die Geschicklichkeitsübungen z. B. mit Bällen, Keulen oder Ringen vorführen.

Jordan [der], längster Fluss Jordaniens und Israels, 330 km lang. Er hat mehrere Quellflüsse, durchfließt den See Genezareth und mündet in das Tote Meer.

Johannes der Täufer tauft Jesus im Jordan; Darstellung von 1744. London, British Library

Ländersteckbrief Jordanien

Fläche:	89 342 km^2
Einwohner:	5,8 Millionen = 65 je km^2
Hauptstadt:	Amman
Religion:	Islam
Amtssprache:	Arabisch
Währung:	1 Jordan-Dinar = 1000 Fils

Jordanien, Staat in Vorderasien.

Landesnatur: Über dem Jordangraben steigen die Bergländer Ostjordaniens steil an; sie gehen Nordosten und Osten in Wüste über. Der Nordwesten des Landes hat Mittelmeerklima, der Süden und der Osten vorwiegend Wüsten- und Steppenklima.

Bevölkerung: Die Bevölkerung (zu 98% Araber) bekennt sich vorwiegend zum Islam sunnitischer Richtung. Rund 1/3 der Bevölkerung sind Flüchtlinge aus Palästina und ihre Nachkommen.

Wirtschaft: Die Landwirtschaft erzeugt Weizen, Gerste, Mais, Hülsenfrüchte, Oliven, Weintrauben. Die Viehzucht (Schafe, Ziegen, Kamele) wird v. a. von Nomaden betrieben. Die Industrie erzeugt Nahrungsmittel und Verbrauchsgüter. An Bodenschätzen gibt es Phosphat und Kupfer. – Einziger Hafen ist Aqaba am Roten Meer. Für den internationalen Luftverkehr steht der Flughafen Amman zur Verfügung.

Geschichte: Das *Ostjordanland*, bis 1918 Teil des Osmanischen Reichs, kam 1920 als Völkerbundmandat unter britische Verwaltung; als Emirat Tansjordanien wurde es 1922 von Palästina abgetrennt. 1945 wurde Transjordanien Mitglied der Arabischen Liga und im Mai 1946 als *Haschemitisches Königreich Transjordanien* (seit 1949 Jordanien) formell unabhängig. 1948 nahm Jordanien am Krieg gegen Israel teil, seine Truppen besetzten den östlichen Teil Palästinas und die Altstadt von Jerusalem. Nach dem *Sechstagekrieg* gegen Israel wurde 1967 das Gebiet westlich des Jordan von Israel besetzt. 1988 verzichtete Jordanien formell auf alle rechtlichen Bindungen zum Westjordanland. 1994 schloss Jordanien Frieden mit Israel. Staatsoberhaupt war 1952–1999 König *Hussain II.*, der Jordanien als konstitutionelle, erbliche Monarchie regierte. Nachfolger wurde sein Sohn *Abdullah II.*

Joseph, im Neuen Testament der Ehemann Marias und Pflegevater Jesu. Von Beruf war Joseph offenbar Zimmermann. Er wird von der katholischen Kirche als Heiliger verehrt.

Joule [dʒuːl, das], Kurzzeichen J, die Einheit der Arbeit, Energie und Wärmemenge. In der Ernährungslehre dient die Maßeinheit zur Angabe des Energiewerts von Nahrungsmitteln: 1 Kalorie = 4,1868 Joule.

Wer war … James Joyce

Der irische Schriftsteller James Joyce (* 1882, † 1941) revolutionierte mit seinem Werk die Gattung des Romans in Sprache und Form und zählt zu den herausragenden Vertretern der literarischen Moderne. Joyce studierte am jesuitischen University College in Dublin 1898 bis 1902 Literatur und Sprachen. Das Verhältnis zu seinem katholischen konservativen Heimatland Irland blieb immer schwierig, so dass er den Großteil seines Lebens als Schriftsteller, Buch- und Theaterkritiker, Journalist und Sprachlehrer im Ausland, vor allem in Triest, Paris und Zürich, verbrachte. Zu Weltruhm gelangte Joyce mit seinem ab 1914 entstandenen Werk »Ulysses« (1922). Hierin erzählt er in 18 Kapiteln einen Tag im Leben des Anzeigenakquisiteurs Leopold Bloom und des Schriftstellers Stephen Dedalus. Die Handlung wird dabei zeichenhaft mit dem Stoff der homerischen »Odyssee« verquickt. Joyce verwendete eine neue Erzähltechnik, die die Überlegungen, Empfindungen und Erinnerungen einer Figur in langen Gedankenketten ohne Satzzeichen wiedergibt. Diese Technik des Bewusstseinsstroms stellte einen Bruch mit den herkömmlichen Erzählverfahren dar und wurde zum Vorbild für viele andere Schriftsteller, beispielsweise V. *Woolf* und A. *Döblin*. Joyce' letzter Roman, »Finnegans Wake« (entstanden 1923 bis 1939), blieb aufgrund seiner umfangreichen Symbolik, der zahlreichen kulturhistorischen und mythologischen Anspielungen sowie seiner sprachlichen Experimentierfreude weithin unverstanden.

James Joyce

Journalisten [ʒurna'listən, Pl.], Personen, die Berichte für Nachrichtenagenturen, Presse, Hörfunk, Fernsehen und Film verfassen.

Juden [Pl.], ursprünglich der Name des Volkes in Palästina, benannt nach dem Stamm und späteren Königreich *Juda,* später die Bezeichnung für alle, die ihre Herkunft auf das Volk *Israel* zurückführten und sich zur Religion des Judentums bekannten. Die Geschichte des Volkes Israel ist im Alten Testament aufgezeichnet. Seit der Unterdrückung durch die Römer wanderten viele Juden aus ihrer Heimat aus und siedelten sich besonders in Ost- und Mitteleuropa an. In vielen Ländern wurden sie wegen ihrer Andersartigkeit und ihrer Religion verfolgt. Höhepunkt der Judenverfolgungen war der Mord an rund 6 Mio. Juden durch die Nationalsozialisten. Mit der Gründung des Staates Israel 1948 fanden sich die Juden nach fast 2000-jähriger Zerstreuung wieder in einem eigenen Staatswesen zusammen.

Was ist … Judentum

Das Judentum ist die nach dem Stamm der Juden bzw. nach dem antiken Königreich *Juda* in Palästina benannte älteste monotheistische Religion, in deren Mittelpunkt der einzige und allmächtige Gott *(Jahwe)* steht. Als Jude gilt, wer von einer jüdischen Mutter geboren wurde oder zum Judentum übergetreten ist. Der Begriff Judentum umschreibt nicht nur die Religion, sondern das gesamte kulturelle und politische Umfeld, d.h. für die Juden ist der religiöse Bereich untrennbar mit dem öffentlichen Leben verbunden. Die heiligen Schriften des Judentums und zugleich Quelle für die frühe jüdische Geschichte ist das Alte Testament der Bibel, vor allem die 5 Bücher Mose, die die *Tora* (hebräisch = »Lehre«) bilden. Dazu tritt der *Talmud* (hebräisch = »Studium«) mit religiösen Vorschriften für das tägliche Leben. Das Judentum kennt keine kirchliche Organisation. Von den rund 13 Millionen Juden leben 5 Millionen in Israel, 6 Millionen in den USA und 1,5 Millionen in Europa.

Mit der Zeremonie Bar Mizwa mit erster öffentlicher Thoralesung erreichen die Jungen ihre religiöse Mündigkeit.

Glaube und Leben: Dem jüdischen Glauben zufolge hat Gott mit Abraham, dem Begründer ihres Glaubens, einen Bund geschlossen, der darauf beruht, dass er und seine Nachkommen den Segen Gottes genießen, solange sie den Glauben an ihren Gott bewahren. Dieser Bund wurde durch Isaak und Jakob (auch Israel genannt) erneuert, daher die Bezeichnung »auserwähltes Volk«. Gott ist Gesetzgeber, der den Israeliten durch Moses die Zehn Gebote übergab und dem der Mensch in direkter Verantwortung gegenübersteht. Daher kennt das Judentum auch keine Priester, als Glaubensgelehrte gibt es die *Rabbiner.* Die Welt ist Gottes Schöpfung, ihr Sinn ist die Verwirklichung des Guten. Ausgehend von der Annahme, dass jeder Mensch göttlich ist, kann der Einzelne frei entscheiden, ob er in seinem Leben gut oder böse handeln will. Der sündige Mensch wird von Gott gerichtet, kann sich jedoch durch Umkehr zum Guten mit ihm versöhnen. Die Juden erwarten den *Messias,* der nicht nur ihnen, sondern der ganzen Menschheit Erlösung bringt und das von Frieden, Liebe und Gerechtigkeit gekennzeichnete Reich Gottes auf Erden verwirklicht. Charakteristisch für das Judentum ist, dass nicht der Glaube Mittelpunkt der Frömmigkeit ist, sondern das Tun und die Haltung. Frömmigkeit ist für den Juden Gehorsam gegenüber dem göttlichen Gebot. Dazu gehören bestimmte Riten, wie die Beschneidung der männlichen Nachkommen acht Tage nach der Geburt oder die strenge Beachtung ritueller Reinheitsvorschriften, Speisegesetze u.a. Im jüdischen Leben hat der Gottesdienst in der Synagoge einen zentralen Platz. Neben dem *Sabbat* werden vier große Feste im Jahr gefeiert: Das achttägige *Pessach* oder *Passah* (März/April) als Erinnerung an die Befreiung aus ägyptischen Gefangenschaft, *Schawuot* (Wochenfest) als Erinnerung an die Gesetzgebung am Sinai, *Sukkot* (Laubhüttenfest) als Erinnerung an den Zug durch die Wüste, *Jom Kippur*, der höchste jüdische Feiertag, als Tag der Versöhnung.

Judenverfolgung [die] → Holocaust, → Juden, → Nationalsozialismus.

Judikative, die (vorwiegend) Recht sprechende Gruppe der Staatsorgane eines Staates mit Gewaltenteilung, meist die Gerichte.

Judo [das], ein Kampfsport, der im vergangenen Jh. in Japan aus dem → Jiu-Jitsu entwickelt worden ist. Beim Judo sind alle rohen und gefährlichen Griffe verboten.

Jugend [die], ein Lebensabschnitt. Die Jugend dauert biologisch von der Geburt bis zur Geschlechtsreife. Allgemein ist es die Reifezeit, die von der Pubertät bis zur körperlichen und psychischen Reife im Erwachsenenalter dauert. Auch → »Genauer betrachtet«.

Jugendamt [das], eine Behörde der Städte und Kreise für Jugendhilfe. Zu ihren Aufgaben gehören u.a. der Schutz von Pflegekindern, Vormundschaftsangelegenheiten, Erziehungsbeistand und Erziehungshilfe sowie Jugendgerichtshilfe.

Jugendarbeitsschutz [der] → Jugendschutz.

Jugendbewegung [die], eine Protest- und Reformbewegung gegen die als naturfremd und heuchlerisch empfundene bürgerliche Gesellschaft in den ersten drei Jahrzehnten des 20. Jh. Die Jugendbewegung führte zur Gründung von Jugendgruppen und Jugendbünden wie des »Wandervogels«. Sie wollte Volkskunst und Volksbräuche wiederbeleben, um der Gefahr einer zunehmenden Verstädterung und Industrialisierung entgegenzuwirken. 1933 wurden alle Jugendgruppen aufgelöst oder in die Hitler-Jugend überführt. Nach 1945 wurden einige Bünde neu gegründet.

»Jugend forscht«, ein Förderungswerk für den naturwissenschaftlichen Unterricht. Es wurde 1965 gegründet und schreibt in jedem Jahr einen Wettbewerb für Jugendliche von 9 bis 21 Jahren aus. Zu dem Wettbewerb können Arbeiten aus den Gebieten Arbeitswelt, Biologie, Chemie, Mathematik, Informatik, Geo- und Raumwissenschaft, Physik und Technik eingereicht werden.

Jugendherbergen [Pl.], Unterkunftsstätten für Jugendliche und Jugendgruppen. Die erste Jugendherberge wurde 1909 von dem deutschen Lehrer R. *Schirrmann* gegründet. Nach deutschem Vorbild entstanden nach dem Ersten Weltkrieg auch in vielen anderen Ländern Jugendherbergen, die heute im Internationalen Verband der Jugendherbergen zusammengeschlossen sind. Der Ausweis eines Mitgliedslandes berechtigt zur Inanspruchnahme der Jugendherbergen in allen Ländern.

»Jugend musiziert«, ein jährlicher Wettbewerb zur Förderung des Nachwuchses bei der Instrumentalmusik. Er wird seit 1963/1964 vom Deutschen Musikrat und anderen Institutionen veranstaltet.

Jugendreligionen, 1974 entstandene Bezeichnung für seit Ende der 1960er Jahre auftretende religiös-weltanschauliche Gemeinschaften, die ihre Anhänger besonders unter jungen Erwachsenen finden, z. B. die Vereinigungskirche, Ananda Marga, Divine-Light-Mission, Hare-Krishna-Bewegung, Transzendentale Meditation, die Bhagwan-Raj-neesh-Bewegung oder die Scientology-Kirche. Die Jugendreligionen basieren auf Elementen einer neuen christlichen, indisch-hinduistischen oder spiritistischen Lehre. Die persönliche Ausrichtung der Mitglieder auf eine zentrale messianische Führergestalt erfordert unbedingte Gefolgschaft in Fragen des Glaubens und des Lebens.

Jugendschutz [der], rechtliche Vorschriften zum Schutz der Jugend vor gesundheitlichen und sittlichen Gefahren. Zum Jugendschutz gehören z. B. Maßnahmen zum *Schutz der Jugend in der Öffentlichkeit* (z. B. Verbot des Genusses alkoholischer Getränke, des Rauchens in der Öffentlichkeit). Auch der *Jugendarbeitsschutz* ist ein Teil des Jugendschutzes. Er regelt die zulässige Arbeitszeit für Jugendliche, die Ruhepausen, die Freizeit und den Urlaub und verbietet Nachtarbeit sowie Sonn- und Feiertagsarbeit. Ärztliche Untersuchungen und eine regelmäßige gesundheitliche Betreuung der Jugendlichen sind vorgeschrieben.

Jugendstil [der], eine Kunstrichtung, die gegen Ende des 19. Jh. aufkam. Ihren Namen leitete sie von der Münchner Zeitschrift »Jugend« her. Der Jugendstil wandte sich von der damals üblichen Nachahmung alter Stilformen ab und entwickelte besonders in der Baukunst und der Innenraumgestaltung sowie in Kunstgewerbe und Malerei (Glaskunst, Möbel, Buchillustration) neue, an der Natur orientierte Formen (z. B. Ranken- und Blumenornamente).

Jugendstrafrecht [das], das Strafrecht für Jugendliche von 14 bis 18 Jahren, in besonderen Fällen bis 21

Genauer betrachtet … Jugend

Altersstufen im deutschen Recht (nach vollendeten Lebensjahren)

Geburt	Beginn der Rechtsfähigkeit
6. Lebensjahr	Beginn der Schulpflicht
7. Lebensjahr	beschränkte Geschäftsfähigkeit, bedingte Deliktsfähigkeit
12. Lebensjahr	Zustimmungserfordernis (beschränkte Religionsmündigkeit) zum Bekenntniswechsel
14. Lebensjahr	Jugendstrafmündigkeit, uneingeschränkte Religionsmündigkeit
16. Lebensjahr	Eides- und Testierfähigkeit
18. Lebensjahr	Volljährigkeit und Ehemündigkeit; unbeschränkte Geschäftsfähigkeit; regelmäßig volle Strafmündigkeit (Ende des Jugendstrafrechts); volle bürgerlich-rechtliche Deliktsfähigkeit; aktives und passives Wahlrecht
21. Lebensjahr	volle Strafmündigkeit (absolutes Ende des Jugendstrafrechts)

Jahren. Es ist etwas »milder« und sieht im Vordergrund den Erziehungszweck der Strafe vor dem Vergeltungsgedanken. Für die Rechtsprechung sind besondere Jugendgerichte zuständig. Sie entscheiden nach Schwere und Häufigkeit der Straftat, ob Erziehungsmaßregeln (z. B. Schutzaufsicht, Fürsorgeerziehung) oder Zuchtmittel (z. B. die Auferlegung bestimmter Pflichten, Jugendarrest) verhängt werden. Kinder, d.h. zur Tatzeit noch nicht Vierzehnjährige, sind strafrechtlich überhaupt noch nicht verantwortlich.

Jugendweihe, feierliche Einführung der Jugendlichen in die Welt der Erwachsenen anstelle der *Konfirmation*, in freireligiösen Gemeinden und politischen Organisationen im 19. Jh. entstanden; in der DDR seit 1954 offizieller Festakt; blieb auch nach dem Ende des SED-Regimes unter Abschaffung weltanschaulicher Bekenntnisse bestehen.

Jugoslawien, ehemaliger Staat in Südosteuropa, Hauptstadt war Belgrad.

Geschichte. Nach dem Zerfall der Donaumonarchie vereinigten sich 1918 die selbstständigen Staaten Serbien und Montenegro mit bisher habsburgischen Gebieten zum *Königreich der Serben, Kroaten und Slowenen*, das 1929 in Jugoslawien (= Südslawien) umbenannt wurde. Der neue Staat war von Anfang an durch nationale und religiöse Gegensätze belastet; der Versuch, die südslawischen Völker zu einem einheitlichen Volk zu verschmelzen, scheiterte. 1941 wurde das Land von deutschen und italienischen Truppen besetzt und aufgeteilt. Eine kommunistische Partisanenarmee unter J. *Tito* hatte bereits 1944 große Teile des Landes unter Kontrolle. 1945 wurde die von der kommunistischen Partei beherrschte *Föderative Volksrepublik Jugoslawien* ausgerufen, die sich in die sechs Republiken Serbien, Kroatien, Slowenien, Bosnien-Herzegowina, Makedonien und Montenegro gliederte. 1948 kam es zum Bruch mit der UdSSR; Tito bemühte sich um einen »eigenen Weg zum Sozialismus«. In den 1980er Jahren brachen die nationalen Gegensätze wieder auf, und sie verschärften sich nach dem Zusammenbruch des Kommunismus in Europa. 1991 erklärten sich Slowenien, Kroatien und Makedonien für unabhängig, 1992 Bosnien-Herzegowina. Serbien unter Präsident S. *Milŏsević* proklamierte zusammen mit Montenegro 1992 die *Bundesrepublik Jugoslawien* als Nachfolge des aufgelösten Gesamtstaates. Der bisherige jugoslawische Staat war endgültig zerfallen. Die Bundesrepublik Jugoslawien wurde 2003 zur Staatengemeinschaft Serbien und Montenegro. 2006 wurden Serbien und Montenegro unabhängige Staaten.

Jugoslawien: Die im Bosnienkrieg 1993 zerstörte historische »Alte Brücke« in Mostar wurde rekonstruiert und verbindet heute wieder die beiden Teile der Stadt.

Jumbojet [-dʒɛt, der, engl.], Bezeichnung für das Großraum-Strahlflugzeug Boeing B 747; auch allgemeine Bezeichnung für alle Großraumflugzeuge.

Jung, Carl Gustav, * 1875, † 1961; schweizerischer Psychologe und Philosoph. Er war Schüler S. *Freuds*, begründete aber später eine eigene Schule der Psychologie. Jung entwickelte eine Philosophie des Unbewussten, dessen Inhalte Urbilder, sogenannte Archetypen sind, die in Träumen und Fantasien erscheinen. Außerdem geht auf Jung die Unterscheidung in extrovertierte und introvertierte Menschentypen zurück.

Junge Liberale, die Jugendorganisation der Freien Demokratischen Partei (FDP).

Jünger [der], allgemein ein Anhänger, Gefolgsmann, besonders die Schüler Jesu Christi.

Junge Union, die Jugendorganisation der Christlich Demokratischen Union (CDU).

Jungfernhäutchen → Hymen.

Jungfrau von Orléans, *Jeanne d'Arc,* *etwa 1410/1412, † 1431; französische Nationalheldin. Das Bauernmädchen glaubte sich im Hundertjährigen Krieg durch göttliche Stimmen aufgerufen, Frankreich von der englischen Herrschaft zu befreien. An der Spitze eines französischen Heers gewann sie Orléans zurück und führte den französischen Thronfolger nach Reims, wo dieser 1430 als Karl VII. gekrönt wurde. Bald darauf geriet sie in die Hände burgundischer Truppen, die sie an die verbündeten Engländer auslieferten. Vom französischen Hof im Stich gelassen, wurde sie als Hexe und Ketzerin verurteilt und verbrannt (1920 Heiligsprechung).

Jungsozialisten, Kurzwort Jusos, die Jugendorganisation der Sozialdemokratischen Partei Deutschlands (SPD).

Junior [der], Abkürzung jun.; der Jüngere (z. B. Juniorchef eines Betriebes); Gegensatz: *Senior.*

Juno, in der römischen Götterwelt die Gemahlin Jupiters. Sie entspricht der griechischen Göttin *Hera.*

Junta ['xunta, die], ein Ausschuss aus Regierungsmitgliedern in Spanien oder Südamerika. Auch eine Militärregierung, die durch Umsturz an die Macht gekommen ist, wird als Junta bezeichnet.

Jupiter [der], **1.** höchster Gott der römischen Sagenwelt, ihm entspricht der griechische Gott *Zeus.* **2.** der größte Planet unseres → Sonnensystems. Er wird von mindestens 63 Monden begleitet.

Jupiter mit vier seiner Trabanten

Jura, **1.** eine für die Rechtswissenschaft gebrauchte Bezeichnung; Jura studieren. **2.** Abschnitt des Erdmittelalters. Auch → Erdzeitalter.

Jura [der], **1.** ein Gebirgszug in Mitteleuropa, der westliche Teil liegt in Frankreich, der östliche in der Schweiz. Die höchste Erhebung ist im *Crêt de la Neige,* 1723 m. **2.** Kanton der Schweiz.

Juristen [Pl.], Rechtswissenschaftler mit einer akademischen Ausbildung (z. B. Richter, Rechtsanwälte, Staatsanwälte, Notare).

Jurte [die], runde, zeltartige Filzhütte der mittelasiatischen Nomaden.

Jury [franz. ʒyr'riː, engl. 'dʒuːri, die], Preis- oder Schiedsgericht.

Justinian der Große, *Justinian I.,* *482, † 565, byzantinischer Kaiser 527–565. Er eroberte durch seine Feldherren das Wandalenreich in Afrika, das Ostgotenreich in Italien sowie das westgotische Spanien und stellte die Größe und Einheit des Römischen Weltreichs wieder her. Zur Stärkung des Kaisertums ließ er das römische Recht im *Codex Justinianus* zusammenstellen. Diese bedeutende Gesetzessammlung wirkt bis in unser heutiges Recht fort. Justinian ließ auch bedeutende Bauwerke errichten, u. a. die *Hagia Sophia* in Istanbul.

Justiz [die, lat. iustitia, »Gerechtigkeit«], die Rechtsprechung im organisatorischen Sinne, die Gerichte und Richter.

Jute [die], eine in Indien beheimatete Faserpflanze. Ihre Bastfasern dienen zur Herstellung von Seilen, Segeltuch, Säcken u. Ä.

K

K, **1.** elfter Buchstabe des Alphabets (Konsonant). **2.** chemisches Zeichen für das Element → Kalium.

Kaaba [die, arab., »Würfel«], ein würfelförmiges Gebäude im Mittelpunkt der Moscheeanlage in Mekka. In der Kaaba befindet sich der »Schwarze Stein«, ein zentrales Heiligtum des Islam, das von jedem Muslim einmal im Leben besucht werden soll.

Kabarett [das], eine Kunstgattung, die sich der Mittel des Theaters, der Literatur, der Musik und vor allem der Satire bedient, um sich kritisch mit politischen Ereignissen und der Entwicklung der Gesellschaft auseinanderzusetzen. Es entstand als *literarisches Kabarett* 1881 in Paris; daraus entwickelte sich das *politisch-literarische Kabarett,* und erst nach 1945 entstand das heutige *politisch-satirische Kabarett.*

Kabel [das], **1.** ein Tragseil aus Stahldrähten. **2.** eine Leitung für die Übertragung elektrischer Energie.

Kabelfernsehen [das] → Fernsehen.

Kabeljau [der], ein bis 1,50 m langer und 50 kg schwerer Speisefisch. Er ist in allen nördlichen Meeren verbreitet. In der Ostsee wird er als *Dorsch* bezeichnet, getrocknet heißt er *Stockfisch,* getrocknet und gesalzen *Klippfisch.*

Kabinett [das], **1.** kleiner Nebenraum, kleines Zimmer. **2.** die Regierung, also der Regierungschef und alle Minister. Die Beratungen der Bundesregierung heißen auch Kabinettsitzungen.

Kabeljau: Als gefräßiger Räuber frisst der Fisch alles, was er am Boden und im feien Wasser erbeuten kann.

Käfer: Der Rücken des Kartoffelkäfers hat ein auffälliges Streifenmuster.

Kabriolett [das], *Cabriolet,* ein Personenkraftwagen mit zurückklappbarem Verdeck.

Kabul, Hauptstadt von Afghanistan, 2,7 Mio. Einwohner.

Kadaver [der], der tote Körper von Tieren.

Käfer [Pl.], eine Ordnung der Insekten mit rund 400 000 bisher bekannten Arten. Käfer sind weltweit verbreitet und von sehr unterschiedlicher Gestalt. Die Vorderflügel sind meist durch Chitin-Einlagerungen zu harten Deckflügeln versteift, die in Ruhestellung die hinteren zusammengefalteten Hautflügel und den Hinterleib bedecken und beim Fliegen als Tragflächen dienen. Käfer haben kauende Mundwerkzeuge und nutzen fast alle Nahrungsquellen. Die meisten Käfer sind Pflanzenfresser, manche leben räuberisch, manche sind Vorratsschädlinge und wieder andere ernähren sich von Aas oder Mist. Sie machen eine vollständige Verwandlung durch, d.h. sie entwickeln sich über Larvenstadien und ein Ruhestadium (Puppe) zum erwachsenen Käfer. Auch → »Genauer betrachtet«, Seite 116.

Genauer betrachtet … Käfer

Der *Bombardierkäfer* müsste eigentlich den Warnhinweis tragen: Vorsicht Explosionsgefahr! In speziellen Drüsen seines Hinterleibes befindet sich eine Flüssigkeit. Droht dem Käfer Gefahr, fließt diese in eine stark gepanzerte, hitzebeständige Brennkammer. Enzyme bringen das Sekretgemisch zur Explosion, und ein stechend riechender, rund 100 °C heißer, ätzender Säurestrahl entfährt dem Käfer mit einem Knall. Das schreckt fast jeden Angreifer ab. Durch geschicktes Lenken seines Hinterleibes kann er in alle Richtungen schießen und bis zu 20 Schüsse in rascher Folge abfeuern.

Kaffee [der], *Kaffeebaum,* eine ursprünglich in Afrika (Provinz *Kaffa* in Äthiopien) und Asien beheimatete Pflanze. Heute wird Kaffee v. a. in Mittel- und Südamerika angebaut. Der wichtigste Kaffeelieferant ist Brasilien. Die roten, fleischigen Früchte des Kaffeebaums enthalten im Allgemeinen zwei gegeneinander abgeplattete Steinkerne, die den Samen (Kaffeebohnen) umschließen. Erst durch das Rösten der Kaffeebohnen entstehen die Aroma- und Geschmacksstoffe. Die Kaffeebohnen enthalten das Alkaloid *Coffein,* das eine anregende Wirkung auf Herz und Kreislauf hat. Das Kaffeetrinken wurde im 17. Jh. in Europa modern.

Kafka, Franz, * 1883, † 1924; deutschsprachiger Schriftsteller. In seinen Werken beschreibt er ein angst- und schuldgequältes Daseinsgefühl in auswegloser Lage. Zu seinen Hauptwerken gehören: »Das Urteil«, »Der Prozess«, »Das Schloss«, »Amerika«.

Kahlo, Frida, * 1907, † 1954; mexikanische Malerin. Sie litt zeitlebens an den Folgen eines schweren Unfalls; ihre Bilder (oft Selbstporträts) beschäftigen sich daher vielfach mit körperlichen und seelischen Leiden. Kahlo verband Elemente des *Surrealismus* mit Einflüssen der mexikanischen Volkskunst.

Kairo, *Cairo,* die Hauptstadt Ägyptens und größte Stadt Afrikas. Kairo liegt am Nil und hat 9,6 Mio. Einwohner. Die Al-Azhar-Universität der Stadt ist das geistige Zentrum des Islam.

Kaiser [der, von lat. caesar], seit Augustus der Titel für höchste weltliche Herrscher (entsprechend Zar, Schah, Tenno, Negus, Großmogul).

Kaiserslautern, Stadt in Rheinland-Pfalz, 99 000 Einwohner.

Kajak [der], das einsitzige Jagdboot der Eskimo (Inuit). Kajak ist auch der Name eines geschlossenen Sportboots, das im Sitzen mit Doppelpaddel vorwärts bewegt wird.

Kakadus [Pl.], eine Unterfamilie der Papageien, die in Australien, Tasmanien, Neuguinea, Neuseeland

Kaffee: Da es außer der Hauptblüte noch eine Vor- und Nachblüte gibt, verteilt sich die Ernte der Früchte über mehrere Zeiträume im Jahr.

Kakao: Die Früchte enthalten 25–50 Samen, die in ein säuerliches Fruchtmus eingebettet sind.

und auf den Philippinen beheimatet ist. Es sind recht große (33–80 cm lang), gesellig lebende Vögel, oft mit deutlicher Federhaube auf dem Kopf.

Kakao [der], *Kakaobaum,* eine im tropischen Mittel- und Südamerika angebaute Pflanze mit ovalen Früchten. Die Samen der Früchte (Kakaobohnen) werden nach einem Gärungsprozess gereinigt, geröstet, ausgeschält und gemahlen. Kakaopulver ist das Ausgangsprodukt für Kakaogetränke, Schokolade und andere Süßwaren.

Kakerlak [der], volkstümliche Bezeichnung für eine Ordnung der Insekten, die *Schaben.* Die meisten der über 2000 Schabenarten sind sehr wärmeliebend und daher nur in den Tropen und Subtropen verbreitet. Nur wenige von ihnen leben in unseren Breiten, wie etwa die *Küchenschabe* und die *Amerikanische Schabe.* Dem Menschen unangenehm werden die massenhaft auftretenden Tiere durch die Verschmutzung seiner Vorräte und die Verbreitung des typischen, stinkenden Schabengeruchs. Außerdem können Schaben Krankheiten auf den Menschen übertragen.

Kakteen [Pl., Sg. Kaktus], eine Pflanzenfamilie, die in den Trockengebieten (Wüsten und Halbwüsten) Amerikas vorkommt. Zum Schutz vor Verdunstung sind die Blätter zu Dornen oder Haaren umgebildet, der verdickte Spross dient als Wasserspeicher. Kakteen sind meist säulenförmig oder kugelig.

Kalabrien, der südlichste Teil des italienischen Festlands, der durch die Straße von Messina von Sizilien getrennt ist.

Kalahari, eine abflusslose, wüstenhafte Beckenlandschaft im Süden Afrikas, in Botswana, Namibia und der Kapprovinz Südafrikas, mit dem sumpfigen *Okavango-Becken* und periodischen Flüssen, rund 800 000 km^2 groß. In der Kalahari gibt es Siedlungen von Buschleuten und Khoikhoin sowie großen Wildreichtum.

Kalender [der], das Verzeichnis der Zeitrechnung nach Tagen, Wochen, Monaten und Jahren. Dabei werden auch kirchliche und nationale Feiertage genannt.

Kaliber [das], der innere Durchmesser eines Rohrs oder Waffenlaufs.

kalibrieren, eichen, auf ein genaues Maß bringen.

Kakteen: Nicht nur Kakteen, auch andere Pflanzenfamilien haben die sogenannte Stammsukkulenz (Spross mit Wasserspeichergewebe) verwirklicht. Daher kommt es oft zu Verwechslungen: 1 Kaktusgewächs, 2 Wolfsmilchgewächs, 3 Seidenpflanzengewächs, 4 Korbblütler, 5 Weinrebengewächs.

Kalif [der], seit Mohammed der Titel seiner Nachfolger als religiöse und politische Herrscher des Islam.

Kalifornien, Landschaft im Südwesten von Nordamerika. Der südliche Teil gehört zu Mexiko, der nördliche Teil zum amerikanischen Bundesstaat Kalifornien *(California)*. Die Hauptstadt ist *Sacramento,* zu den wichtigsten Städten zählen *Los Angeles* und *San Francisco.* Kalifornien wurde im 16. und 17. Jh. durch Spanier besiedelt, erlebte in der Mitte des 19. Jh. den Goldrausch und wurde 1950 als 31. Staat in die USA eingegliedert.

Kalifornien: Das Napa Valley ist eine hervorragende Weinbaugegend und für seine guten Weine bekannt.

Kaliningrad, russischer Name der Stadt → Königsberg (Ostpreußen).

Kalium [das], ein chemisches Element mit dem Zeichen K. Kalium ist ein silberweiß glänzendes, sehr reaktionsfähiges Alkalimetall, das sich an der Luft mit einer Oxidschicht überzieht und sehr kräftig mit Wasser reagiert. Kalisalze werden als Düngemittel in der Landwirtschaft, bei der Glasherstellung und in der Sprengstoffindustrie verwendet.

Kalk [der], chemisch $CaCO_3$; kommt in der Natur als Kalkstein, Kreide und Marmor vor und ist als Sedimentgestein im Meer- oder Süßwasser aus den Kalkschalen oder Kalkskeletten von Schnecken, Muscheln, Korallen, Algen und Einzellern entstanden oder durch chemische Ausfällung von Kalk aus dem Wasser. *Gebrannter Kalk* entsteht beim Erhitzen von Kalkstein, durch Wasserzugabe wird er unter starker Wärmeentwicklung zu *gelöschtem Kalk,* der mit Sand vermischt zu Mörtel verarbeitet wird. Aus Mörtel wird beim Trocknen wieder fester Kalkstein.

Kalkulation [die], die Berechnung von Kosten und Preisen einer Ware oder einer Leistung. Die Kalkulation ist ein wichtiger Bestandteil des betrieblichen Rechnungswesens.

Kalkutta → Calcutta.

Kalmare [Pl.], eine Unterordnung der *Kopffüßer;* mit 10 Fangarmen und riesigen, leistungsfähigen Linsenaugen. Zwei der Fangarme liegen versenkt und werden zum Beutefang plötzlich vorgeschleudert. Die frei schwimmenden, torpedoförmigen Kalmare leben räuberisch von Fischen und gelangen bei der Verfolgung von Fischen auch in Schwärmen in die Nordsee. Die größten Kalmare oder Riesentintenfische haben Fangarme von 15 m Länge. Siehe auch ZEIT-Beitrag → »Kalmare: Monster der Tiefsee«, Seite 120–123.

Kalorie [die], die veraltete Einheit der Energie. In der Ernährungslehre wurde die Einheit Kalorie früher zur Angabe des Energiewerts der Nahrung gebraucht. Die Kalorie wurde durch *Joule* ersetzt.

Kaltblüter [Pl.] → wechselwarme Tiere.

Kalter Krieg, eine Bezeichnung für die Auseinandersetzungen zwischen dem Ostblock und den Westmächten nach dem Zweiten Weltkrieg. Man vermied zwar die militärische Auseinandersetzung (»heißer Krieg«), griff sich jedoch mit Propaganda oder mit wirtschaftlichen Maßnahmen und Wettrüsten an. In dieser Zeit entstanden die Militärbündnisse NATO und Warschauer Pakt.

Kalzium [das] → Calcium.

Ländersteckbrief
Kambodscha

Fläche:	181 035 km²
Einwohner:	14,4 Millionen = 79 je km²
Hauptstadt:	Phnom Penh
Religion:	Buddhismus
Amtssprache:	Khmer
Währung:	1 Riel = 10 Kak = 100 Sen

Kambodscha, Staat in Südostasien.

Landesnatur: Das tropische Tief- und Hügelland beiderseits des Mekong empfängt seine reichen Niederschläge vom Sommermonsun. Über die Hälfte des Landes ist von dichtem Regenwald bestanden.

Bevölkerung: Die Bevölkerung besteht zu 92% aus dem Volk der Khmer; daneben gibt es Vietnamesen, Chinesen und malaiische Gruppen. Der Buddhismus ist Staatsreligion.

Wirtschaft: Die Landwirtschaft betreibt den Anbau von Reis, Kautschuk und Mais. Der Wald liefert u. a. Teak, Mahagoni und Ebenholz. An Bodenschätzen gibt es Phosphate, Edelsteine und Eisenerze. Die Textilindustrie ist der wichtigste Industriezweig.

Geschichte: Das hinterindische Reich *Funan* wurde Anfang des 7. Jh. von den *Khmer* erobert. Thai, Schan und Mongolen griffen das Khmer-Reich im 13. Jh. an. 1431 fiel Angkor. Vorübergehend regierten Thai-Könige in Kambodscha. 1867 wurde Kambodscha von den Franzosen besetzt; als *Protektorat Kambodscha* gehörte es seit Ende des 19. Jh. zur *Union von Indochina*. Nach der Niederlage Frankreichs im 1. Indochinakrieg erhielt Kambodscha 1954 die volle Unabhängigkeit und schied aus der Französischen Union aus. *Norodom Sihanouk* dankte 1955 als König ab, erließ eine neue Verfassung und wurde Ministerpräsident. 1970 wurde Sihanouk gestürzt. General *Lon Nol* übernahm die Macht. Es kam zum Bürgerkrieg, in dem die kommunistischen *Roten Khmer* unter *Pol Pot* 1975 siegten. Sie riefen das Demokratische Kambodscha aus und errichteten ein Terrorregime (wahrscheinlich 2 Mio. Todesopfer). 1979 besetzten vietnamesische Truppen das Land und setzten eine neue Regierung ein. 1989 wurde eine neue Verfassung ausgegeben. Die vietnamesischen Truppen zogen im gleichen Jahr ab. Gegen die Regierung kämpften drei Widerstandsgruppen, darunter die Roten Khmer. 1991 wurde ein Friedensabkommen unterzeichnet und die UNO stationierte Truppen in Kambodscha. Das Land wurde zur konstitutionellen Monarchie und Sihanouk erneut König. 1993, 1998 und 2003 fanden freie Wahlen statt. Ministerpräsident ist seit 1985 *Hun Sen*. 2004 wurde *Norodom Sihamoni*, ein Sohn Sihanouks, König des Landes.

Kambodscha: Am Ufer des Tonlé Sap verkaufen Menschen Waren auf ihren Hausbooten.

Taucher und Tintenfisch am Meeresgrund (Palua, Mikronesien)

Kalmare

Monster der Tiefsee

Von Ulrich Baron

Als der Naturkundler Charles Darwin 1832 die Tierwelt der Kapverdischen Inseln erforschte, spielte ihm die Natur einen Streich. »Während ich so, mit dem Kopf ungefähr zwei Fuß über dem steinigen Strand, nach Meerestieren Ausschau hielt«, schrieb er, »wurde ich mehr als einmal von einem Wasserstrahl begrüßt, begleitet von einem feinen scharrenden Geräusch.« Als Übeltäter machte er bald einen kleinen Tintenfisch aus!

Raketengleich schossen dessen Artgenossen durch die flachen Felsentümpel, indem sie Wasser durch ihren Siphon, eine Art Düse am Kopf, pressten. Darwins Spielkamerad aber benutzt diese Düse gezielt wie eine Wasserpistole, während scheuere Verwandte ihre Farbe wechselten, sich so dem Untergrund anpassten oder in dunklen Tintenwolken verschwanden.

Um welche Arten es sich handelte, hat uns Darwin leider nicht überliefert. Denn es gibt deren Hunderte: warzige Kraken, die man wegen ihrer acht Arme als Oktopus bezeichnet, was auf Griechisch »Achtfuß« bedeutet. Schlanke Kalmare, die neben acht mit Saugnäpfen besetzten Armen noch zwei extralange Tentakel haben. Kompakte Sepien, mit deren Tinte die Italiener ihre Spaghetti schwarz färben und deren Farbstoff (Sepia) den Malern früher als Tinte diente. Grazile Nautiloiden, deren Körper in Gehäusen stecken, welche verraten, dass Tintenfische eigentlich Tintenschnecken sind – Verwandte von Gartenschnecken und Muscheln. Und vielleicht hat Darwin ja auch, ohne es zu ahnen, einen jungen Riesentintenfisch beobachtet, denn wie alle Tiere, die viele Eier legen, fangen auch die Giganten unter den Tintenfischen klein an.

Kein Seemannsgarn!

Doch sie wachsen schnell. Und dann fällt die Begegnung mit ihnen weniger heiter aus. Ende Oktober 1873 ruderten Fischer vor Neufundland auf etwas zu, was sie für ein großes Segel oder Wrackteil hielten. Doch als einer von ihnen es mit seinem Bootshaken berührte, wurde das »Segel« plötzlich lebendig. Ein riesiger, papageienhafter Schnabel, angeblich so groß wie ein 20-Liter-Faß, biss in den Bootsrumpf. Ein endloser, mit Saugnäpfen bestückter Arm glitt über den Bootsrand und tastete nach den Seeleuten. Geistesgegenwärtig soll der zwölfjährige Tom Piccot nach einer Axt gegriffen und den Tentakel abgeschlagen haben, worauf das Monstrum vom Boot abließ und das Meer mit seiner Tinte über Hunderte von Metern hin verdunkelte.

Der Axthieb rettete nicht nur das Leben der Fischer, sondern auch ihren Ruf, denn schon immer hatte es Berichte über gewaltige Kraken gegeben, die ganze Schiffe zu sich herabzogen. Man hielt das für Legenden und Seemannsgarn, doch dank Tom konnten die Neufundländer nun einen Beweis präsentieren. Der Tentakel war sechs Meter lang und mit Saugnäpfen besetzt. Es fiel schwer, sich auszumalen, wie das Tier an seinem unteren Ende wohl ausgesehen haben mochte. Doch eins war nun sicher: Diese Legende lebte.

Bald gab es neue Funde. Bei einem sollen die Tentakel so umfangreich wie die Taille eines Mannes und über zwölf Meter lang gewesen sein. Der Körper maß drei Meter und war so dick wie ein Fass. Am 30. November 1896 wurde in Florida sogar etwas angespült, was wie der Kadaver eines gigantischen Oktopus aussah, der eine Spannweite von 60 Metern und ein Gewicht von etlichen Tonnen gehabt hätte.

Heute gilt es als sicher, dass es sich bei diesem sogenannten St.-Augustine-Monster um die verwesten Überreste eines großen Wals gehandelt haben muss. Die Forscher gehen davon aus, dass selbst der größte bekannte Riesenkalmar Archi-

Riesenkraken gibt es – ganz so groß wie auf dieser alten Darstellung werden sie allerdings nicht

teuthis nicht viel länger als achtzehn Meter wird. Und auch dieses Format erreicht er nur, weil seine beiden Tentakel wesentlich länger sind als der Körper und die acht Fangarme. Wie also konnte es zu all den Sagen über Schiffe verschlingende Riesenkraken kommen?

Zunächst einmal kommen die Riesen unter den Tintenfischen aus einer Welt, die uns bis heute weitgehend unbekannt ist. Sie leben dort, wo das Meer sehr tief und fast vollkommen dunkel ist, weil das Tageslicht nur wenige Dutzend Meter weit reicht. Doch in diesem Dunkel blitzen manchmal seltsame Lichter auf. Schon Darwin hat bemerkt, dass einer seiner Tintenfische phosphoreszierte, also von selbst leuchtete. Viele Tiefseebewohner haben solche Leuchtorgane, mit denen sie ihre Beute anlocken. Bei einigen Kalmararten erreichen sie die Größe von Glühbirnen. Noch größer aber sind ihre Augen, die in der Finsternis nach Beute spähen. Die werden so groß wie Teller, und sie sind ein Grund dafür, warum der Ausdruck »Tintenschnecke« einem nicht ganz richtig erscheint: Schnecken können einen nicht anschauen, Tintenfische schon. Und nicht alle wollen bloß spielen.

Muskulöse Giganten

Als der Norweger Thor Heyerdahl 1947 mit seinem Floß *Kon-Tiki* über den Pazifik segelte, sahen er und seine Kameraden nachts manchmal leuchtende Wesen aus der Tiefe auftauchen, deren Körper sechs bis acht Meter gemessen haben sollen. Lautlos umkreisten sie das Floß, ohne je an die Oberfläche zu kommen. Waren es ungeheure Kraken? Aggressive Humboldtkalmare, die bei mehreren Metern Länge das Gewicht eines erwachsenen Menschen erreichen können? Oder waren es Sinnestäuschungen?

Im Meer fehlt es an Orientierungspunkten, anhand deren man bestimmen kann, wie groß etwas ist, das aus der Tiefe auf einen zukommt. Und was sehr groß ist, taucht kaum einmal ganz daraus auf. Riesenkalmare können die Mär von Seeschlangen befördert haben, und bevor man sie an Land studieren konnte, hatten Walfänger von Stücken mächtiger Tentakel berichtet, die harpunierte Pottwale im Todeskampf erbrachen. Tintenfische sind nämlich die Leibspeise dieser gewaltigen Jäger, die auf der Suche nach ihnen oft tausend Meter und mehr hinabtauchen. In den Mägen von Pottwalen fand man auch ihre Schnäbel, die im Zentrum der Fangarme sitzen. Und auf ihrer Haut entdeckte man runde Nar-

Bis zu sechs Meter messen die Fangarme dieses neuseeländischen Riesenkalmars

Mit seinen Saugnäpfen hält dieser pazifische Riesentintenfisch seine Beute gefangen – zwei Krabben (British Columbia, Kanada)

ben, die wie Abdrücke von Saugnäpfen aussahen. Da verwundert es nicht, dass das Bild, das man sich aus alldem zusammensetzte, oft überlebensgroß ausfiel. Doch selbst einen nur wenige Meter langen Kraken oder Kalmar sollte man nicht unterschätzen. Er hat weder Knochen noch Gräten; sein Körper besteht fast ganz aus Muskeln. Der Wasserdruck erhöht noch die Kraft seiner Saugnäpfe, und wenn er einen Taucher auch nicht unbedingt unter Wasser zu halten vermag, so kann er ihm doch die Atemmaske abreißen.

Das große Fressen

Zeitweilig hatte man geglaubt, die größten Kalmare und allen voran der gewaltige Architeuthis seien eher träge Wesen, doch mit dieser Vorstellung war im Frühjahr 2003 endgültig Schluss. Da fingen Fischer in der antarktischen Ross-See ein Weibchen des kolossalen Kalmars Mesonychoteuthis hamiltoni. Mit gut fünf Metern Länge war es noch lange nicht ausgewachsen, doch schon wesentlich kräftiger, als man sich so ein Weichtier vorgestellt hatte.

Imponierend war nicht nur der Schnabel, der so groß war wie zwei ineinandergreifende Hände. Außer mit Hunderten von Saugnäpfen waren die Fangarme mit genug fingerlangen Krallen besetzt, um ein ganzes Löwenrudel auszustatten. Wehe dem Fisch, der einem solchen Räuber in die Arme schwimmt! Von den Keulen der beiden Tentakel gepackt, wird er von einem Bündel schenkeldicker Arme empfangen, von einem gewaltigen Schnabel zerrissen und von einer mit Zähnen besetzten Zunge durch einen engen Schlund in den Magen befördert. Zum Glück aber leben diese vielarmigen Riesen dort, wo es uns Menschen am wenigsten hinzieht. Zum Glück für uns wie für sie. Oder hättet ihr Appetit auf Calamariringe, die so groß sind (und so schmecken) wie Lastwagenreifen?

Kambrium [das], ein Abschnitt des Erdaltertums, → Erdzeitalter (Tabelle).

Kamele [Pl.], hochbeinige, langhalsige Steppen- und Wüstentiere, die zur Ordnung der Paarhufer gehören. Kamele sind Passgänger, d.h. sie setzen Vorder- und Hinterbeine je einer Körperhälfte gleichzeitig nach vorn. Dadurch kommt der schaukelnde Gang zustande. Sie sind in Afrika, Asien und Südamerika verbreitet. Die Tiere können in ihrem Höcker Fett und im Magen Wasser speichern und darum tagelang ohne Wasser und Nahrung auskommen. Zu den Kamelen gehören das *Trampeltier* (2 Höcker), von dem nur noch wenige Wildtiere in der Wüste Gobi leben und ansonsten nur noch Haustiere existieren, das *Dromedar* (1 Höcker), das nur als Haustier vorkommt, und die zierlichen, höckerlosen Kamele Südamerikas, als Wildtiere *Vikunja* und *Guanako* und als Haustierformen *Lama* und *Alpaka*.

Kamera [die], ein Gerät zum Aufnehmen von stehenden Bildern (Fotoapparat) oder bewegten Bildern (Filmkamera, Fernsehkamera, Videokamera).

Kamele: Einhöckriges Kamel oder Dromedar

Ländersteckbrief
Kamerun

Fläche:	466 050 km²
Einwohner:	16,6 Millionen = 36 je km²
Hauptstadt:	Yaoundé
Religion:	Christentum, Islam, Naturreligionen
Amtssprache:	Französisch, Englisch
Währung:	CFA-Franc

Kamerun, Staat in Zentralafrika.

Landesnatur: Den größten Teil des Landes nimmt das Hochland von Kamerun ein. Nach Westen schließt sich das feuchtheiße Küstentiefland an, aus dem sich der *Kamerunberg* (4070 m) erhebt. Im äußersten Norden hat Kamerun Anteil am Tschadbecken. Der Süden und die Küsten werden von Regenwäldern eingenommen, die nach Nordosten in Feucht- und im Norden in Trockensavanne übergehen.

Bevölkerung: Die Bevölkerung besteht aus Bantu- und Sudanvölkern, Fulbe, Arabern und Pygmäen. 53% sind Christen, 22% Muslime und 25% Anhänger von traditionellen Religionen.

Wirtschaft: Für den Export werden Kakao, Kaffee, Baumwolle, Kautschuk, Ölpalmen und Bananen angebaut. Andere Ausfuhrgüter sind Fleischkonserven und Edelhölzer. Es gibt bedeutende Bauxit- (Aluminiumwerk bei Edea), Erdöl- und Erdgaslagerstätten, die über die Hälfte des Gesamtausfuhrwerts stellen. Der Haupthafen Douala hat einen internationalen Flughafen.

Geschichte: Kamerun wurde 1884 deutsche Kolonie. 1919 wurde Kamerun Mandatsgebiet des Völkerbunds und zwischen Frankreich und England geteilt. Die Mandate wandelten sich nach dem Zweiten Weltkrieg in Treuhandgebiete der Vereinten Nationen. 1960 wurde Kamerun unabhängige Republik und 1961 wurden beide Teile des Landes vereint, wobei ein Nordteil bei Nigeria verblieb. 1996 trat eine neue Verfassung in Kraft. Staatspräsident ist seit 1982 P. *Biya*.

Kamille [die], eine einjährige Heilpflanze mit einem kegelförmigen Blütenboden und weißen Blütenblättern. Die getrockneten Blüten werden als Tee aufgegossen und wirken entzündungshemmend, krampflösend und schmerzlindernd.

Kammermusik [die], ursprünglich das nichtöffentliche Musizieren in kleinem Kreis, heute Musikwerke für wenige Instrumente.

Kammersänger [Pl.], ein Titel für hervorragende Sänger.

Kampagne [kam'panjə, die], *Campagne,* ursprünglich ein Feldzug, heute eine begrenzte Aktion in Politik, Wirtschaft oder Werbung.

Kampala, die Hauptstadt von Uganda (seit 1962), am Victoriasee, 1,2 Mio. Einwohner.

Kanada, Staat in Nordamerika.

Landesnatur: Kanada ist flächenmäßig das zweitgrößte Land der Erde. Die Hügel- und Mittelgebirgslandschaften im Osten gehören zu den nördlichen Appalachen. Nach Westen werden sie durch die fruchtbare Tallandschaft am St.-Lorenz-Strom und das flache Hügelland nördlich der Großen Seen begrenzt. Rund um die Hudsonbai schließt sich der Kanadische Schild an, der im Südosten ins Hudsonbai-Tiefland übergeht. Westlich des Schilds dehnt sich das Tiefland der Großen Inneren Ebenen aus, das sehr trocken und sommerwarm ist. Die kühlgemäßigten Rocky Mountains mit den pazifischen Küstenketten (Mount Logan 5951 m) umgeben die Hochbecken von British Columbia und des Yukon Territory. Fast die Hälfte der Fläche nimmt das flache, subpolare bis polare arktische Tiefland mit seinen vorgelagerten Inseln ein. – Viele Seen unterbrechen das Land: Großer Bärensee, Großer Sklavensee, Athabascasee, Rentiersee. Die großen Ströme – St.-Lorenz-Strom, Mackenzie, Saskatchewan-Nelson, Churchill – sind 4–9 Monate im Jahr von Eis bedeckt. Der Wald nimmt 36% der Landesfläche ein.

Ländersteckbrief
Kanada

Fläche:	9 984 670 km^2
Einwohner:	32,6 Millionen = 3 je km^2
Hauptstadt:	Ottawa
Religion:	römisch-katholische Kirche, protestantische Kirchen
Amtssprache:	Englisch, Französisch
Währung:	1 Kanadischer Dollar = 100 Cents

Bevölkerung: Die zu rund 23% französisch-, sonst englischsprechende Bevölkerung besteht aus eingewanderten Weißen vorwiegend britischer und französischer Herkunft, daneben aus 800 000 Indianern und Inuit sowie aus chinesischen, japanischen und schwarzen Minderheiten. Die Bevölkerung konzentriert sich am St.-Lorenz-Strom, an den Großen Seen und im Gebiet von Vancouver, während die übrigen Landesteile äußerst dünn besiedelt sind. Wichtigste Städte: Montreal, Toronto, Vancouver, Winnipeg, Ottawa, Hamilton, Québec, Edmonton, Calgary.

Wirtschaft: Rund 40% der Agrarproduktion werden exportiert, hauptsächlich Getreide und Getreideerzeugnisse (v. a. Weizen), Milch- und Fleischwaren und Obst. Die atlantische Fischerei (die Neufundlandbank zählt zu den ertragreichsten Fischgründen der Welt) und die pazifische Fischerei liefern Lachs, Kabeljau, Hummer, Hering u. a. Holz und Holzerzeugnisse stellen 9% des Ausfuhrwerts. Kanada verfügt über äußerst reiche Bodenschätze. Weltweit gehört das Land zu den bedeutendsten Förderern von Nickel, Uran, Zink, Asbest, Platin, Kadmium, Molybdän, Kupfer, Erdgas, Silber, Magnesium und Erdöl. Die vielseitige Industrie liefert für den Export v. a. Maschinen, Fahrzeuge und Produktionsgüter. – Für den ganzen Norden ist das Flugzeug wichtigstes Verkehrsmittel. Bedeutend ist die Binnenschifffahrt auf dem St.-Lorenz-Schifffahrtsweg und auf den Großen Seen. Haupthäfen sind Montreal, Toronto und Halifax am Atlantik, Vancouver am Pazifik.

Kanada: Der Jasper-Nationalpark ist der größte Nationalpark des Landes. Die fichtenbestandene Insel des Maligne Lake ist für die Indianer heiliges Gebiet. Nach ihrem Glauben wohnen dort die Geister ihrer Ahnen.

Geschichte: 1497 erreichte der Seefahrer und Entdecker J. *Cabot* die kanadische Küste. 1534/1535 erforschte J. *Cartier* den St.-Lorenz-Strom und nahm das Gebiet beiderseits des Flusses für Frankreich in Besitz. Die Gründung der Hudson's Bay Kompanie 1670 verschärfte die britisch-französischen Rivalitäten. Im Frieden von Paris 1763 musste Frankreich alle nordamerikanischen Festlandsbesitzungen an Großbritannien abtreten. Die Engländer garantierten den Franzosen in Kanada Religionsfreiheit und ihr Eigentum. Der *Canadian Union Act* von 1840 vereinigte Ober- und Unterkanada. 1867 verabschiedete das Londoner Parlament den *British North America Act*. Er schuf das *Dominion of Canada*, den ersten Staatsverband seiner Art im Empire.

Im Ersten Weltkrieg kämpfte Kanada an der Seite des Mutterlands. Mit dem *Westminsterstatut* 1931 erhielt Kanada nahezu die volle Unabhängigkeit. Im Zweiten Weltkrieg näherte sich die kanadische Regierung unter W. L. *Mackenzie King* den USA an, unterstützte aber auch Großbritannien. Nach dem Zweiten Weltkrieg wurde Kanada Mitglied der UN und trat der NATO bei. 1949 schloss sich Neufundland dem Dominion an. Mit dem *Constitution Act* von 1982 konnte Kanada Verfassungshoheit von Großbritannien erlangen. Innenpolitisch wurden besonders die Autonomiebestrebungen der Frankokanadier in Québec zum Problem. Zwei Referenden (1980 und 1995) über die Unabhängigkeit der Provinz scheiterten. 1999 erhielten die kanadischen Inuit ein eigenes Territorium *(Nunavut)*. Premierminister war 1968–1979 und 1980–1984 der Liberale P. E. *Trudeau*. 1984–1993 regierten die Progressiv-Konservativen unter B. *Mulroney*, 1993–2006 stellten wieder die Liberalen den Regierungschef. Seit 2006 regiert der Konservative S. *Harper*. – Kanadas Parlament hat 2 gleichrangige Kammern: Oberhaus und Unterhaus. Die Exekutive liegt formal bei dem Generalgouverneur als Vertreter der britischen Krone, tatsächlich bei der Kabinettsregierung, deren Premier zugleich Führer der Mehrheitspartei ist.

Kanal [der], **1.** eine künstlich angelegte Wasserstraße für die Schifffahrt, die oft mit Schleusen ausgestattet ist, um Höhenunterschiede zu überwinden. **2.** bei Funk und Fernsehen ein Frequenzbereich zum Übertragen von Sendungen.

Kanalinseln [Pl.], eine britische Inselgruppe vor der französischen Kanalküste. Die drei großen Inseln sind *Alderney, Guernsey* und *Jersey.*

Kanalisation [die], die Ableitung von Schmutz- und Regenwasser durch ein unterirdisches Abwasserkanalsystem.

Kanarienvogel [der], ein Finkenvogel der Kanarischen Inseln. Er wird seit etwa 500 Jahren besonders nach Gefiederfarbe und Gesang gezüchtet. Ein beliebtes Haustier.

Kanarische Inseln [Pl.], *Kanaren,* eine spanische Inselgruppe vulkanischen Ursprungs vor der Küste von Nordwestafrika. Zu den Inseln gehören *Fuerteventura, Gran Canaria, Lanzarote, La Gomera, Hierro, La Palma* und *Teneriffa.* Die Inseln sind beliebte Touristenziele.

Kandinsky, Wassily, * 1866, † 1944; russischer Maler und Grafiker. Er war der Begründer der *abstrakten Malerei,* Lehrer am Bauhaus und Mitglied der Künstlergruppe »Blauer Reiter«.

Kängurus [Pl.], pflanzenfressende Beuteltiere, die in Australien und auf den umliegenden Inseln leben. Kängurus bewegen sich springend fort. Sie haben meist verlängerte Hinterbeine, sehr kurze Vorderbeine und einen muskulösen Schwanz, der bei ihren weiten Sprüngen als Balancierstange dient. Kleinere Arten werden nur hasengroß, die *Riesenkängurus* erreichen über 2 m Höhe. Es gibt etwa 50 Arten. Die Jungtiere werden nach wenigen Tagen geboren und sind nur bis zu 3 cm lang. Sie entwickeln sich je nach Art 90–270 Tage nach ihrer Geburt im Brutbeutel der Muttertiere weiter.

Kängurus: Viele Beuteltierarten, z. B. die Kängurus, kommen ausschließlich in Australien und auf den benachbarten Inseln vor.

Kaninchen [Pl.], zu den Hasen gehörende Säugetiere mit wenig verlängerten Hinterbeinen. Sie leben gesellig in Erdbauten und zeigen nur einen geringen Wandertrieb. Hierzu gehören das *Europäische Wildkaninchen* und das *Hauskaninchen,* das in zahlreichen Rassen gezüchtet wird. Auch → Hasen.

Kannibalismus [der], *Menschenfresserei,* die heute nahezu ausgestorbene Sitte mancher Volksstämme, Teile von Menschen (Gefangene, gestorbene Angehörige) zu verspeisen, weil sie glaubten, damit auch deren Lebenskraft aufzunehmen.

Kanon [der], eine Form des Musizierens, bei der die einzelnen Stimmen die gleiche Melodie haben, aber in bestimmten Abständen nacheinander einsetzen.

Wer war …
Immanuel Kant

Immanuel Kant in einem Porträt von Gottlieb Döbler; 1791. Original verschollen, Kopie in Duisburg, Haus Königsberg

Immanuel Kant (* 1724, † 1804) war ein deutscher Philosoph und der bedeutendste Denker der deutschen *Aufklärung*. Kant befasste sich in seinem Werk mit dem menschlichen Erkenntnisvermögen und revolutionierte das philosophische und wissenschaftliche Denken. Er verbrachte fast sein gesamtes Leben in Königsberg (Ostpreußen). Dort wurde er 1755 Privatdozent und nach seiner Doktorarbeit 1770 Professor für Logik und Metaphysik. Kant blieb unverheiratet und führte ein strenges, in seinem Tagesablauf genau geregeltes Gelehrtenleben. Sein Aufruf »Habe Mut, dich deines eigenen Verstandes zu bedienen« wurde zum Leitgedanken der Aufklärung.

Kant beschäftigte sich hauptsächlich mit der Frage, wie der menschliche Verstand zu Erkenntnissen gelangt bzw. welche Grenzen und Gültigkeiten es von Erkenntnissen gibt. So kam er in seinem ersten Hauptwerk, der »Kritik der reinen Vernunft« (1781), zu dem Schluss, dass wir in unserem Denken nicht die Dinge an sich erkennen, sondern einzig und allein das, was wir dafür halten. Außerdem beschäftigte sich Kant mit der Frage nach der Freiheit des Menschen und den Regeln, nach denen er handeln soll. In seinem Werk »Kritik der praktischen Vernunft« (1788) forderte er konsequent, dass jeder frei denkende und von der Vernunft geleitete Mensch ethisch handeln sollte. Diesen Gedanken fasste Kant in seinem berühmten Leitsatz, dem *kategorischen Imperativ*, zusammen, in welchem er dazu aufforderte, dass unser Handeln nicht durch Wünsche oder Bedürfnisse, sondern allein durch die Gesetze menschlicher Vernunft bestimmt werden solle: »Handle so, dass die Maxime deines Willens jederzeit zugleich als Prinzip einer allgemeinen Gesetzgebung gelten könnte.« Der Mensch soll sich also bei jeder seiner Taten vor Augen führen, welche Folgen es hätte, wenn jeder so handeln würde. In seinem dritten Hauptwerk, der »Kritik der Urteilskraft« (1790), untersuchte Kant u. a. die Grundsätze des Schönen in Kunst und Natur.

Kanton [der], in der Schweiz die Bezeichnung für einen der 26 Bundesstaaten.

Kanu [das], ein Sportboot, das seine Vorläufer im Kajak der Eskimo (Inuit) und im Kanu der Indianer hat. Heute gehören dazu der *Kajak*, der *Kanadier*, das *Faltboot* und das *Segelkanu*.

Kap [das], eine ins Meer vorspringende Landspitze, z. B. das Kap der Guten Hoffnung (Südspitze Afrikas).

Kapazität [die], allgemein Fassungsvermögen, Leistungsvermögen, in der Physik das Fassungsvermögen elektrischer Leiter für elektrische Ladungen. Im übertragenen Sinn bezeichnet man hervorragende Fachleute als Kapazitäten auf ihrem Gebiet.

Kapital [das], allgemein ein Geldbetrag, der zinsbringend angelegt ist. In Unternehmen sind es die Mittel (z. B. Maschinen, Werkstätten, Waren, Anlagen, Gebäude, Geld), die zum Betreiben des Geschäftes notwendig sind.

Was ist ... Kapitalismus

Kapitalismus ist die Bezeichnung für eine Wirtschafts- und Sozialordnung, bei der die Produktionsmittel, das *Kapital,* in den Händen der Unternehmer (*Kapitalisten*) sind. Arbeiter und Angestellte bringen ihre Arbeitskraft in den Wirtschaftsprozess ein und erhalten dafür ein festes Gehalt oder einen festen Lohn. Die Produktion folgt dem individuellen Streben nach höchstmöglichem Nutzen bzw. Gewinn und wird über das freie Zusammenspiel von Angebot und Nachfrage auf *Märkten* (Marktwirtschaft) gesteuert. Nach Scheitern des *Kommunismus* hat sich Kapitalismus weltweit als dominierende Wirtschaftsordnung durchgesetzt.

Entstehung: Der Begriff des Kapitalismus wurde Mitte des 19. Jh. für die Wirtschafts- und Gesellschaftsordnung geprägt, die sich etwa ab 1500 herausbildete und ab Ende des 18. Jh. unter Einfluss des *Liberalismus und der industriellen Revolution* gegen den *Merkantilismus* durchsetzte. Vorreiter waren England und Frankreich. Der Liberalismus führte zur Befreiung von Produktion und Handel von staatlicher Bevormundung: Der *Zunftzwang*, d. h. die Knüpfung der Erlaubnis zur Ausübung eines Gewerbes an die Mitgliedschaft in einer berufsständischen Organisation, wurde aufgehoben. So war es prinzipiell jedem freigestellt, ein Gewerbe zu betreiben oder einen Arbeitsvertrag zu schließen *(Gewerbefreiheit).* Die Warenproduktion wurde in Fabriken zusammengefasst. Das Eigentum an diesen sowie die Organisation der Produktionsprozesse lag in der Hand von Kapitalisten. Arbeiter, die in den Fabriken die Maschinen bedienten waren v. a. Besitzlose. Diese strömten vom Land in die rasch wachsenden Städte und verkauften ihre Arbeitskraft gegen Lohn an Kapitalisten.

Die soziale Frage: Im Frühstadium der Industrialisierung war der Kapitalismus durch ungezügeltes Wachstum der Städte und schlechte Lebensbedingungen der Lohnarbeiter gekennzeichnet. Die Konkurrenz unter Arbeitsuchenden war groß. Die Löhne waren deshalb oftmals zu gering, um ein Überleben der Familie zu sichern. Kinderarbeit war weit verbreitet, die tägliche Arbeitszeit lang. Die Arbeitsbedingungen waren oft lebensbedrohlich. Es gab keine Vorkehrungen zur materiellen Absicherung der Arbeiter und ihrer Familie bei Krankheit, Invalidität oder Arbeitslosigkeit. So kam es zu einer Polarisierung der Gesellschaft in zwei Klassen: Kapitalisten und Arbeiter. Dieser Gegensatz sollte nach Lehre des *Marxismus* zu einer revolutionären Überwindung des Kapitalismus führen. Organisierte Vertretungen der Arbeiterschaft entstanden. Der marxistisch orientierte Flügel der *Arbeiterbewegung* strebte die Abschaffung des bürgerlich-liberalen Staates an. Der sozialdemokratisch orientierte, v. a. von den *Gewerkschaften* getragene Flügel setzte hingegen mit Erfolg auf Reformen des kapitalistischen Systems.

Der sozial gebändigte Kapitalismus: Das Deutsche Reich schuf 1883 als erstes Land eine gesetzliche *Krankenversicherung*, sechs Jahre später eine *Rentenversicherung*. 1891 wurde die Sonntagsarbeit abgeschafft. 1918 setzten die Gewerkschaften den

Achtstundentag durch. 1927 wurde die gesetzliche *Arbeitslosenversicherung* eingeführt. Diese u.a. Maßnahmen der sozialen Sicherung und der Humanisierung der Arbeitswelt verschafften dem Kapitalismus seine heutige, weitgehend unangefochtene Stellung.

Kapitän [der], ein staatlich geprüfter Führer eines Schiffs oder eines Flugzeugs. Bei einigen Sportarten bezeichnet man den Führer der Mannschaft als Mannschaftskapitän.

Kapitell [das], der oberste, verbreiterte Teil einer Säule oder eines Pfeilers.

Kapitol [das], *Capitol,* einer der 7 Hügel Roms, auf dem der Jupitertempel errichtet wurde. Das Kapitol wurde zum religiösen und politischen Mittelpunkt des Römischen Reichs. Auch das Kongressgebäude der USA in Washington wird Kapitol genannt.

Kap Verde: Fischfang und Fischkonservenherstellung sind bedeutende Wirtschaftszweige auf den Kapverdischen Inseln; Fischer vor der Küste der Insel Sal

Kapitulation [die], die Aufgabe einer Festung, einer Armee und die Erklärung gegenüber dem Gegner, keinen Widerstand mehr zu leisten.

Kapstadt, der Parlamentssitz und die bedeutendste Hafenstadt in der Republik Südafrika, 2,9 Mio. Einwohner.

Ländersteckbrief
Kap Verde

Fläche:	4033 km^2
Einwohner:	519 000 = 129 je km^2
Hauptstadt:	Praia
Religion:	römisch-katholische Kirche
Amtssprache:	Portugiesisch
Währung:	1 Kap-Verde-Escudo = 100 Centavos

Kap Verde, Staat im Atlantischen Ozean von Westafrika.

Der Inselstaat besteht aus 10 größeren und mehreren kleineren Inseln vulkanischen Ursprungs; es herrscht ein tropisches Trockenklima. Die vorwiegend katholischen Bewohner sind zu 71% Mulatten, 28% Schwarze, 2% Weiße. Die Landwirtschaft umfasst den Anbau von Kaffee, Zuckerrohr, Bananen, Rizinus und Tabak für den Export; ferner werden Viehzucht, Fischfang betrieben.

Geschichte: Kap Verde wurde im 15. Jh. von dem Portugiesen Diego *Gomes* entdeckt und in der Folgezeit von Portugal besiedelt. 1951 erhielten die Inseln den Status einer portugiesischen Überseeprovinz. Nach dem Sturz des Caetano-Regimes 1974 erklärte sich Kap Verde am 5. 7. 1975 für unabhängig. 1990 wurde nach einer Verfassungsänderung ein demokratisches Mehrparteiensystem eingeführt.

Karabiner [der], ein Gewehr mit kurzem Lauf und geringer Reichweite.

Karajan, Herbert von, *1908, †1989; österreichischer Dirigent. Er arbeitete mit den bedeutendsten Orchestern der Welt zusammen, u. a. wurde er 1954 Chefdirigent auf Lebenszeit der Berliner Philharmoniker. Auf weltweiten Gastspielen und zahlreichen Schallplattenveröffentlichungen widmete er sich besonders der Musik der Klassik und der Romantik.

Karakorum [der], zweithöchstes Gebirge der Erde in Zentralasien mit mehreren Gipfeln über 8000 m (z. B. *K2,* 8610 m).

Karaoke [japanisch, »leeres Orchester«], das Singen eines bekannten Musikstücks durch Amateure. Die Darbietung wird durch Musik vom Band begleitet *(Halbplayback).*

Karat [das], Kurzzeichen Kt; die Gewichtseinheit für Edelsteine. 5 Karat ergeben 1 g. Karat gibt auch den Reinheitsgehalt von Gold an. Reines Gold hat 24 Kt, Legierungen entsprechend weniger.

Karate [das, japanisch, »nackte Hand«], ursprünglich aus China stammender, dann besonders in Japan verbreiteter waffenloser Kampfsport, bei dem die Hände, Füße und Ellbogen nach bestimmten Regeln und Kampftechniken zum Angriff und zur Verteidigung eingesetzt werden.

Karavelle: Das leichte und wendige Segelschiff wurde vor allem bei Entdeckungsreisen eingesetzt.

Karavelle [die], ein kleines, schnelles, dreimastiges Segelschiff im 15. und 16. Jh. Karavellen hatten einen hohen Heckaufbau und wurden oft bei Entdeckungsfahrten benutzt.

Karawane [die], ein Handels- oder Pilgerzug im Orient und in Afrika, mit Reit- und Tragtieren ausgerüstet.

kardanische Aufhängung [die], eine im 16. Jh. von G. *Cardano* erfundene Aufhängung, besonders für Navigationsinstrumente (z. B. Kompass). Sie besteht aus zwei im rechten Winkel zueinanderstehenden Ringen. Durch Gelenke können sie auch bei Bewegung (des Schiffes, Flugzeugs) ihre senkrechte oder waagerechte Lage beibehalten.

Kardinal [der], nach dem Papst der höchste Würdenträger der katholischen Kirche; er wird vom Papst ernannt. Das Kardinalskollegium hat u. a. das ausschließliche Recht, einen neuen Papst zu wählen.

Karfreitag, Freitag vor Ostern, der Feiertag wird vom Christentum seit dem 2. Jh. als Trauertag in Erinnerung an die Kreuzigung Jesu begangen. Er ist ein Buß- und Fastentag und höchster Feiertag der evangelischen Kirchen.

Karibisches Meer, *Karibik,* das Meer zwischen Mittel- und Südamerika, Jamaika, Hispaniola und den Kleinen Antillen.

Karies [die], *Zahnfäule,* durch Bakterien hervorgerufene Erkrankung der Zähne, wobei

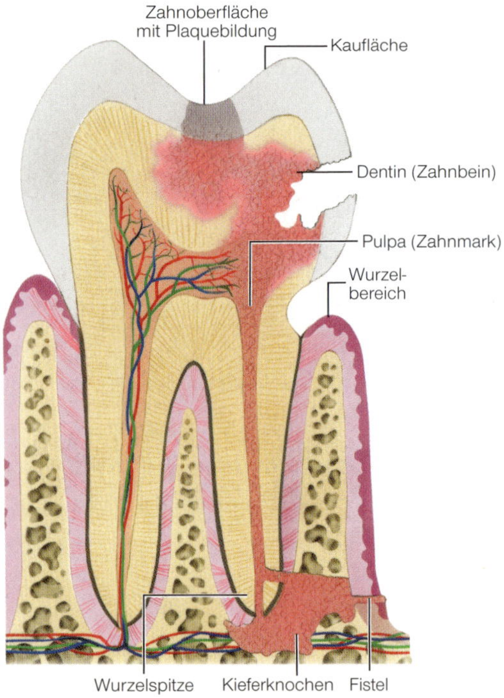

Karies: Ohne zahnärztliche Behandlung führt Zahnkaries u.a. zu Entzündungen des Zahnmarks und der Wurzelhaut, zu Abszessen des Knochens und zu Zahnfisteln.

zunächst der Zahnschmelz und dann das Zahnbein zerstört wird. Ursachen sind u. a. mangelhafte Zahnpflege und falsche Ernährung.

Karikatur [die], eine witzige, verspottende Darstellung von Menschen, Ereignissen oder Zuständen durch Übertreibung oder Verzerrung.

Wer war … Karl der Große

Karl der Große (* 747, † 814) war 768–814 König der Franken und seit 800 Kaiser. In Kämpfen über drei Jahrzehnte gelang es Karl, die Grenzen des Frankenreichs so zu erweitern, dass es zum bedeutendsten Großreich des abendländischen Mittelalters wurde. Der Sohn des fränkischen Königs *Pippin des Jüngeren* wurde nach dem Tod seines Bruders *Karlmann* 771 Alleinherrscher. Karl eroberte 769 Aquitanien und 773/774 das Langobardenreich in Italien. In zahlreichen blutigen Feldzügen (772–804) unterwarf er die Sachsen und christianisierte sie. 788 konnte er auch Bayern dem Frankenreich eingliedern. 795/796 folgte die Unterwerfung des Awarenreichs. Zum Schutz seines Herrschaftsgebietes richtete Karl an den Grenzen verschiedene Marken unter der Leitung besonderer Amtsträger, der Markgrafen, ein, so die Awarische, Karantanische und Spanische Mark. Der Sicherung und dem Ausbau des Reichs dienten zahlreiche Verwaltungsmaßnahmen.

Karl förderte nicht nur nachdrücklich die christliche Mission, sondern auch kirchliche Reformen. Der Hof Karls – sein bevorzugter Aufenthaltsort war die Pfalz zu Aachen – wurde durch die Anwesenheit angesehener Gelehrter zum geistigen Zentrum Europas. Als Idealfigur des christlichen Herrschers verherrlicht, wurde Karl 1165 auf Wunsch Kaiser *Friedrichs I. Barbarossa* heiliggesprochen.

Karl der Große war der herausragendste deutsche Kaiser aus dem Geschlecht der Karolinger.

Karlsruhe, eine Stadt in Baden-Württemberg, in der Oberrheinischen Tiefebene, 283 000 Einwohner. Seit ihrer Gründung 1715 hat die Stadt ein planmäßig angelegtes Stadtbild, das fächerförmig vom Residenzschloss ausstrahlt. Hier haben das Bundesverfassungsgericht und der Bundesgerichtshof ihren Sitz.

Wer war …
Karl V.

Der Habsburger Karl V. (* 1500, † 1558) war 1530 bis 1556 deutscher Kaiser. Der Sohn *Philipps des Schönen* von Österreich und *Johannas der Wahnsinnigen* konnte in seiner Hand das seit *Karl dem Großen* an Bevölkerungszahl, Ausdehnung und Reichtum größte Reich vereinigen und die Dynastie der *Habsburger* zur weltpolitischen Geltung führen.

Bereits 1506 durch den frühen Tod des Vaters Herr der habsburgischen Erblande und 1516 König von Spanien, wurde Karl 1519 mit finanzieller Unterstützung der *Fugger* zum König gewählt; 1530 wurde er als letzter Kaiser des *Heiligen Römischen Reiches Deutscher Nation* von einem Papst gekrönt. Unter Berufung auf die von Karl dem Großen verkörperte Kaiseridee suchte Karl die religiöse Einheit des Mittelalters wiederherzustellen, die Ungläubigen zu bekämpfen und den Glauben auszubreiten. Unter diesem Gesichtspunkt sind sowohl sein Kampf gegen die *Reformation* und gegen die Ausdehnung des Osmanischen Reichs als auch die Förderung der Entdeckungen und Eroberungen in Mittel- und Südamerika zu sehen. Über den Dauerkonflikt mit *Franz I.* von Frankreich, gegen den er vier Kriege führte und sich damit die Herrschaft in Italien und den Niederlanden sicherte, vernachlässigte Karl die Reichspolitik, die er hauptsächlich seinem Bruder *Ferdinand I.* überließ. Im Kampf

Karl V., in seinem riesigen Reich ging die Sonne nie unter.

gegen die Reformation besiegte er zwar 1547 den *Schmalkaldischen Bund,* eine Vereinigung protestantischer Fürsten und Reichsstädte, bei Mühlberg an der Elbe, musste jedoch infolge der *Fürstenverschwörung* unter *Moritz von Sachsen* im *Augsburger Religionsfrieden* von 1555 den Protestantismus anerkennen. Resigniert legte Karl 1555/1556 die Regierung in den Niederlanden, Spanien und Neapel zugunsten seines Sohnes *Philipp II.* nieder und übergab die Herrschaft im Reich seinem Bruder Ferdinand I. Damit entstanden die österreichische und spanische Linie der Habsburgerdynastie.

Karneval [der], im Rheinland die Bezeichnung für → Fastnacht.

Kärnten, südlichstes Bundesland Österreichs, Landeshauptstadt ist *Klagenfurt.* Kärnten hat eine große Bedeutung für den Nord-Süd-Durchgangsverkehr und ist wegen seiner vielen Seen ein beliebtes Urlaubsland.

Karolinger, eine fränkische Herrscherfamilie im 8.–10. Jh., die nach *Karl dem Großen* benannt wurde.

Karosserie [die], der äußere Aufbau eines Kraftfahrzeuges, der auf dem Fahrgestell oder Rahmen sitzt.

Karpaten, ein etwa 1300 km langer Gebirgszug, der sich durch Polen, die Tschechische Republik, die Slowakei, die Ukraine und Rumänien zieht, in der *Hohen Tatra* über 2600 m hoch.

Karpfen [der], ein Süßwasserfisch, der bis 1 m lang und 20 kg schwer werden kann. Karpfen lieben ruhiges Wasser und wühlen häufig im Bodenschlamm. Der Karpfen ist ein beliebter Speisefisch.

Karracke [die], ein dreimastiges großes Segelschiff im Mittelalter. Kolumbus stach 1492 mit der Karracke »Santa Maria« in See.

Karracke: Modell der 118 Tonnen schweren »São Gabriel«, mit der Vasco da Gama das Kap der Guten Hoffnung umsegelte und 1498 die indische Küste erreichte.

Karst [der], Gebirgslandschaft aus durchlässigem, wasserlöslichem Gestein wie Kalk oder Gips, das von Oberflächen- und Grundwasser ausgewaschen wird. Karstgebiete sind reich an Höhlen und unterirdischen Wasserläufen. Karstlandschaften gibt es in Deutschland in der Schwäbisch-Fränkischen Alb und am Südrand des Harzes.

Karthago: Die Ruinen der antiken Stadt zählen heute zum Weltkulturerbe.

Kartell [das], ein Zusammenschluss von Unternehmen der gleichen Branche mit dem Ziel, sich durch Absprache keine Konkurrenz zu machen und den Markt zu beeinflussen. In Deutschland werden Kartellzusammenschlüsse vom *Kartellamt* geprüft.

Karthago, 814 v. Chr. von den Phönikern gegründete Stadt nordöstlich des heutigen Tunis. Karthago wurde bald selbstständig und beherrschte den Handel im westlichen Mittelmeerraum vollständig. In drei *Punischen Kriegen* führte Karthago einen erbitterten Kampf mit den Römern um die Vorherrschaft im westlichen Mittelmeerraum. Sein größter Feldherr war *Hannibal.* 146 v. Chr. wurde Karthago von den Römern zerstört, aber unter *Cäsar* und *Augustus* wieder aufgebaut. Unter der Römerherrschaft erreichte es seine zweite Blütezeit. Von 439 bis 533 war es Königssitz der Wandalen, anschließend Residenz eines Statthalters des Byzantinischen Reichs. 698 wurde es von den Arabern erneut zerstört.

Kartoffel [die], ein krautiges Gewächs, das im 16. Jh. aus Peru und Chile nach Europa eingeführt wurde und dessen stärkereichen unterirdischen Knollen sich zu einem wichtigen Nahrungsmittel entwickelten.

Karwoche [die], in den christlichen Kirchen die Woche von Palmsonntag bis zur Osternacht. In der Karwoche wird besonders der Leiden Christi gedacht.

Karzinom [das] → Krebs.

Ländersteckbrief Kasachstan

Fläche:	2 724 900 km²
Einwohner:	14,8 Millionen = 5 je km²
Hauptstadt:	Astana
Religion:	Islam, orthodoxe Kirche
Amtssprache:	Kasachisch
Währung:	1 Tenge = 100 Tiin

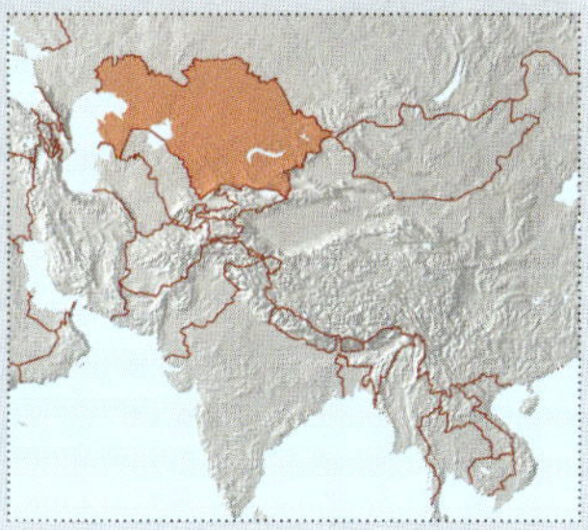

Kasachstan, Staat in Mittelasien.

Landesnatur: Im Westen erstrecken sich wüstenhafte Tiefländer, im zentralen Teil die bis 1559 m ansteigende Kasachische Schwelle (Steppenvegetation), im Osten Ausläufer von Tian Shan und Altai; streng kontinentales Klima, im Süden trockener.

Bevölkerung: Die Bewohner sind zu 53,4% Kasachen und 30% Russen, daneben gibt es Ukrainer, Deutsche, Tartaren, Usbeken u. a. Die Bevölkerung ist je zur Hälfte islamisch oder russisch-orthodox.

Wirtschaft: Im Norden wird Getreideanbau, im Süden v. a. Baumwollanbau mit künstlicher Bewässerung betrieben. Kasachstan besitzt umfangreiche

Kasachstan: Die Trockensteppen in Südkasachstan werden zur Viehzucht genutzt.

Bodenschätze (Kohle, Erdöl, Erdgas, Kupfer u. a.). Wichtigste Industriezweige sind Maschinenbau und Petrochemie.

Geschichte: Ein kasachischer Khanat erreichte im 16. Jh. den Höhepunkt seiner Macht. In der Folgezeit wurde das Gebiet zwischen drei Stammesbünden aufgeteilt. Im 19. Jh. wurde das Gebiet von Russland erobert und 1936 Unionsrepublik der Sowjetunion. Dem stalinistischen Terror fielen bis 1939 über 1 Mio. Menschen zum Opfer. 1941 siedelte man Hunderttausende von Russlanddeutschen zwangsweise nach Kasachstan um. Seit 1991 ist Kasachstan unabhängig und Mitglied der GUS. Präsident ist seit 1991 N. A. *Nasarbajew*.

Käse [der], ein Nahrungsmittel, das aus Milch gewonnen wird und viel Eiweiß und Fett enthält. Der Milch werden Lab oder Milchsäurebakterien beigegeben. Der entstehende Käserohstoff wird von der verbleibenden Flüssigkeit getrennt und weiterverarbeitet. Ihm werden Salz, Gewürze oder auch Reinkulturen von Schimmelpilzen oder Bakterien beigefügt. Nachdem die Masse in eine Form gegeben wurde, muss sie in Käsekellern reifen (gären). Auch → Abbildung, Seite 136.

Kasper [der], eine Gestalt des Puppenspiels, die 1781 als lustige Bühnenfigur nach dem Hanswurst geschaffen wurde.

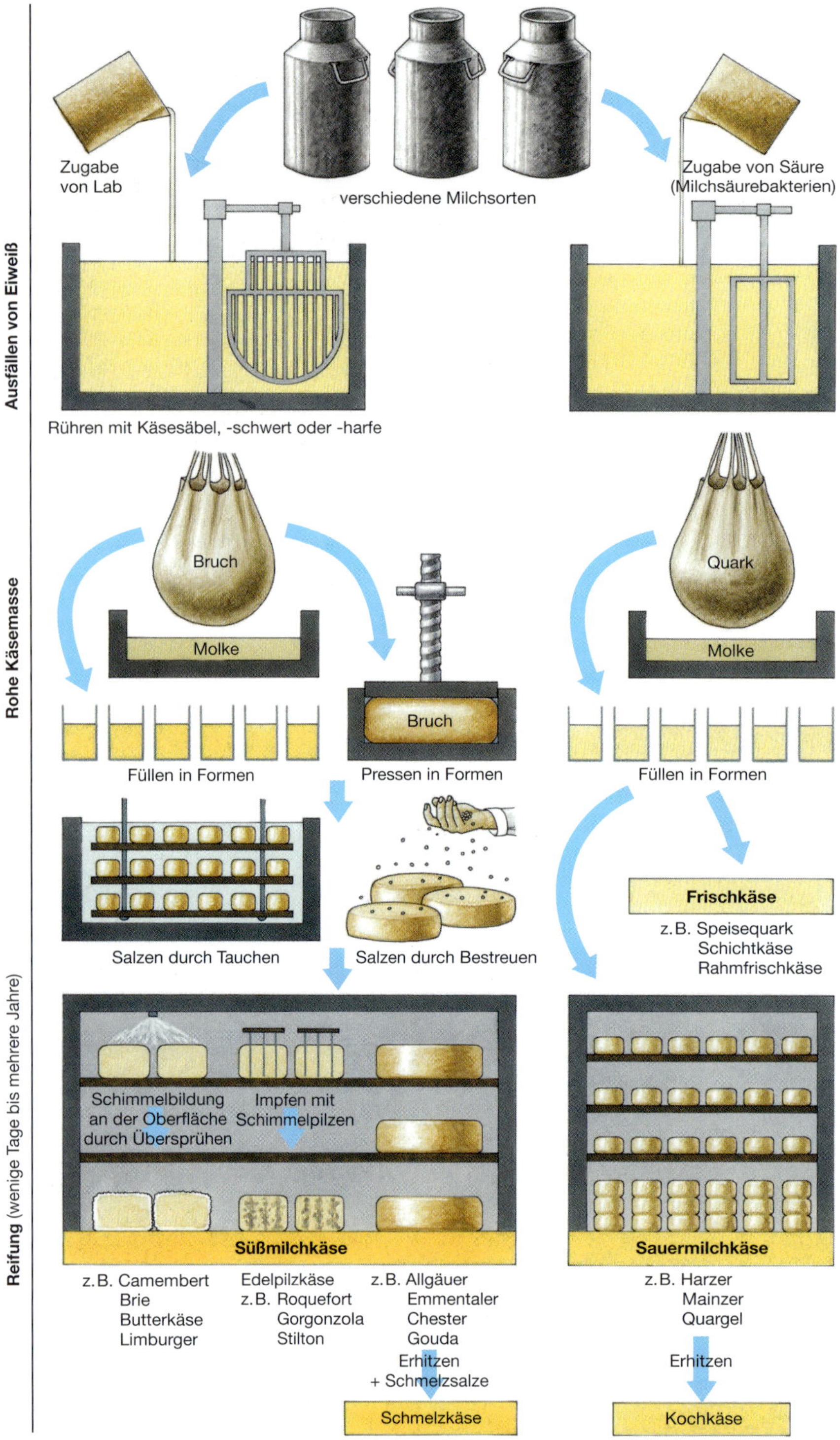

Kaspisches Meer, der größte Binnensee der Erde. Er ist im Südteil bis 1025 m tief und hat einen hohen Salzgehalt. In das Kaspische Meer münden die Wolga und der Ural, es hat jedoch keinen Abfluss. Am südlichen West- und Ostufer befinden sich ausgedehnte Erdöllager.

Kassel, eine Stadt in Nordhessen, an der Fulda, 194 000 Einwohner. Kassel hat mehrere Museen, außerdem findet hier seit 1955 regelmäßig die »documenta« statt, eine große Ausstellung moderner Kunst.

Kassettenrekorder [der], *Kassettenrecorder,* Gerät, das Bilder (Videorekorder) und Tonsignale (Tonbandgerät) auf ein Magnetband aufzeichnen und wiedergeben kann. Das unbespielte oder bespielte Magnetband befindet sich in einer einschiebbaren Kassette.

Kastagnetten [kasta'njɛtən, Pl.], schalenförmige Klappern aus hartem Holz, die gegeneinandergeschlagen werden. Sie werden in Spanien bei Volkstänzen verwendet.

Käse: Schematische Darstellung des Herstellungsprozesses verschiedener Käsesorten

Kastanie [die], **1.** *Edelkastanie,* ein Laubbaum, der in Südeuropa und Kleinasien heimisch ist. Seine essbaren Früchte (Maronen) sind von einer stacheligen Hülle umgeben. Das feste Holz wird als Möbelholz verwendet. **2.** *Rosskastanie,* ein Laubbaum mit fingerförmigen Blättern und auffälligen weißen oder roten Blütenkerzen, der in Deutschland vorkommt. Er ist nicht mit der Edelkastanie verwandt, und seine Früchte sind nicht essbar.

Kastell [das], bei den Römern ein Truppenlager oder eine Wehranlage. Im Mittelalter eine kleine Burganlage.

Kaspisches Meer: Baku ist der wichtigste Hafen.

Kaste [die], Schicht einer Gesellschaftsordnung, die besonders in Indien bei den Hindus verbreitet ist. Die Menschen gehören durch ihre Abstammung einer bestimmten Kaste an und dürfen nur innerhalb dieser heiraten. Jede Kaste hat besondere Sitten und übt bestimmte Berufe aus.

Kästner, Erich, *1899, †1974; deutscher Schriftsteller. Kästner schrieb besonders Gedichte voller Witz und Kritik an der Gesellschaft und weltbekannte Jugendbücher wie »Emil und die Detektive«, »Das fliegende Klassenzimmer« und »Das doppelte Lottchen«.

Kastanie: Maronen (Esskastanien) werden geröstet verzehrt.

Kastration [die], die operative Entfernung der Keimdrüsen (Hoden oder Eierstöcke); im weiteren Sinn auch die Ausschaltung ihrer Funktion durch Röntgenbestrahlung oder Hormongaben. Die Kastration führt zur Unfruchtbarkeit.

Kasus [der, Sg. und Pl., lat.], *Fälle,* die bei der *Flexion* des Substantivs auftretenden vier Möglichkeiten. Die vier Kasus heißen: Nominativ, Genitiv, Dativ und Akkusativ. Auch → »Genauer betrachtet«.

Katakomben [Pl.], unterirdische Begräbnisstätten in frühchristlicher Zeit, besonders in Rom, mit in den Fels gehauenen Grabkammern. Während der Christenverfolgungen dienten die Katakomben auch als Zufluchtsorte.

Genauer betrachtet … Kasus

1. Fall	Nominativ	Wer? Was?	der Mond
2. Fall	Genitiv	Wessen?	des Mondes
3. Fall	Dativ	Wem?	dem Mond
4. Fall	Akkusativ	Wen? Was?	den Mond

Katalysator [der], **1.** → Katalyse. **2.** *Abgaskatalysator,* ein Bauteil von Fahrzeugen mit Otto-Motoren, in dem die im Abgas enthaltenen Schadstoffe (Kohlenmonoxid, Kohlenwasserstoffe und Stickoxide) in die drei unschädlichen Verbindungen Kohlendioxid, Wasser und Stickstoff umgewandelt werden.

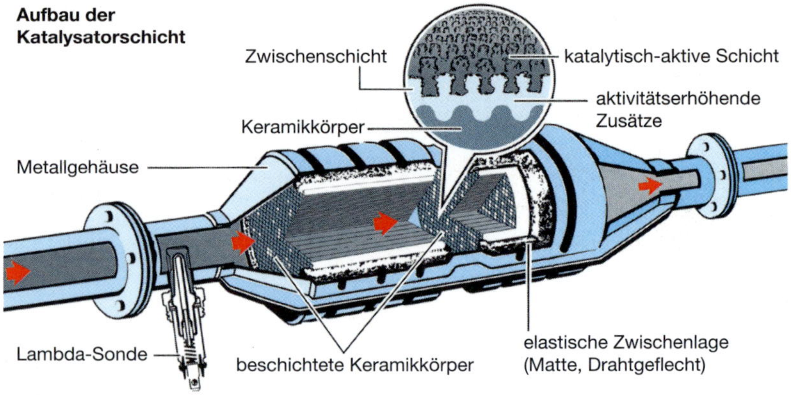

Katalysator: Im Fahrzeugkatalysator überprüft die Lambda-Sonde das Luft-Kraftstoff-Gemisch, in der Katalysatorschicht sorgen die Metalle Platin, Palladium und Rhodium dafür, dass Abgase chemisch umgewandelt werden.

Katalyse [die], Beschleunigung oder auch Verlangsamung einer chemischen Reaktion durch die Zugabe von Substanzen *(Katalysatoren),* die bei der Reaktion selbst nicht verbraucht werden, so dass sie am Ende der Reaktion unverändert wieder vorliegen. Katalysatoren in biochemischen Prozessen heißen *Enzyme.*

Ländersteckbrief
Katar

Fläche:	11 437 km²
Einwohner:	839 000 = 73 je km²
Hauptstadt:	Doha
Religion:	Islam
Amtssprache:	Arabisch
Währung:	1 Katar-Riyal = 100 Dirhams

Katamaran [der], eine von polynesischen Auslegerbooten abstammende Schiffsform. Ein Katamaran ist ein besonders schnelles Boot mit zwei schlanken Rümpfen, die durch eine Brücke verbunden sind.

Katar, Staat in Vorderasien.

Die von Korallenriffen gesäumte Halbinsel am Persischen Golf ist ein wüstenhaftes Tafelland. Die Bewohner (Araber, Inder, Pakistaner und Iraner) sind Muslime. Erdöl und Erdgas stellen 81% der Gesamtausfuhr; daneben gibt es Petrochemie; Erdölraffinerien, Meerwasserentsalzungsanlagen; Hauptseehäfen sind Doha und Umm Said, internationaler Flughafen bei Doha.

Geschichte: Das Scheichtum Katar gehörte bis zum Jahr 1914 zum Osmanischen Reich. 1916 wurde es britisches Protektorat. 1971 erklärte sich Katar für unabhängig. Es ist seitdem Mitglied der UN und der Arabischen Liga.

Katarakt [der], eine Stromschnelle, ein Wasserfall.

Katharina die Große, eigentlich *Sophie Friederike Auguste von Anhalt-Zerbst,* * 1729, † 1796; russische Kaiserin. Sie war eine der einflussreichsten Herrscherinnen aller Zeiten und leitete den Aufstieg Russlands zur europäischen Großmacht ein.

Katmandu: Der Durba Square in der nepalesischen Hauptstadt ist berühmt für seine Tempel und Pagoden.

Kathedrale [die], Bezeichnung für eine Bischofskirche; sie wird in Deutschland häufig *Dom* oder *Münster* genannt.

Kathete [die], jede der Seiten eines rechtwinkligen Dreiecks, die den rechten Winkel einschließen. Kathetensatz: In einem rechtwinkligen Dreieck ist die Fläche des Quadrats mit der Seitenlänge einer Kathete gleich der Fläche eines Rechtecks, das durch die Hypothenuse und den zur Kathete gehörenden Hypothenusenabschnitt aufgespannt wird.

Katharina die Große regierte 34 Jahre lang das russische Reich.

Kathode [die, griech., »Abstieg«], *Katode,* negativer Pol einer elektrischen Stromquelle. Den positiven Pol bildet die *Anode.*

katholische Kirche [die] → Christentum.

Kation [das], ein positiv geladenes Teilchen, das zum negativen Pol, der *Kathode,* wandert.

Katmandu, die Hauptstadt des Himalayastaates Nepal, 672 000 Einwohner.

Katzen: Kurzfellige Katzen wie diese Hauskatze gibt es in vielen Farbschattierungen und mit unterschiedlichen Fellmustern.

Katzen [Pl.], eine Familie der Raubtiere, mit schlankem Körper und gutem Sprungvermögen. Zu den Katzen gehören *Löwe, Tiger, Leopard, Gepard, Puma, Luchs* u. a. Unsere Hauskatze stammt von der ägyptischen Falbkatze ab und wurde von den Römern über Italien nach Europa gebracht. Sie existiert heute in zahlreichen Rassen als Kurzhaarkatze (z. B. Siamkatzen) oder als Langhaarkatze (z. B. Perserkatzen).

Kaugummi [das], ein kaubares, unlösliches Erzeugnis aus natürlichem Kautschuk oder Kunststoff mit

Kautschuk: Im unteren Teil des Gummibaums fließt entlang der eingeritzten Rinde der Milchsaft in das Auffangschüsselchen.

Zusätzen von Zucker, Geschmacksstoffen (z. B. Pfefferminz) und weich machenden Stoffen.

Kaukasus [der], ein Gebirge zwischen dem Schwarzen Meer und dem Kaspischen Meer, zwischen Europa und Asien; rund 1200 km lang. Die höchste Erhebung ist der *Elbrus* mit 5642 m.

Kaulquappe [die], die Larvenform der → Froschlurche.

Kaution [die], die Hinterlegung von Geld oder Wertgegenständen, um eine Vereinbarung zu garantieren. Oft verlangt der Vermieter vom Mieter eine Kaution bei Abschluss des Mietvertrages.

Kautschuk [der], ein natürlicher oder synthetischer Stoff, aus dem Gummi hergestellt wird. Natürlicher Kautschuk wird aus der Milch des Kautschukbaums gewonnen, der in Südamerika und Südostasien angebaut wird. Durch Behandlung mit Schwefel (*Vulkanisation,* seit 1848/1849) entsteht daraus Gummi.

Käuze [Pl.], eine Gruppe der Eulen. Bei uns leben der etwa 40 cm große *Waldkauz* und der etwa 20 cm große *Steinkauz.* Beide gehen nachts auf die Jagd nach Insekten, Mäusen und anderem Kleingetier. Der Steinkauz ist bei uns stark bedroht.

Kavallerie [die], militärische Reitertruppe für Angriffs- und Aufklärungszwecke.

Kaviar [der], gesalzener Rogen (Fischeier) verschiedener Störarten.

Kefir [der], durch Zusatz von speziellen Kefirpilzen vergorene, schwach alkoholhaltige Sauermilch.

Kegel, ein Körper, der dadurch entsteht, dass eine *Kegelfläche* von einer Ebene geschnitten wird. Die Kegelfläche entsteht durch Bewegung einer Geraden im Raum um einen ihrer Punkte (Spitze). Sonderfälle: 1. Der allgemeine (schiefe) *Kreiskegel* ist durch eine Kreisfläche (Grundfläche mit Radius r) und die Kegelfläche (Mantel) begrenzt. Die Strecken von der Spitze (S) zum Umfang der Grundfläche heißen Mantellinien (s). Der Abstand der Spitze von der

Kelten: Bronze-Collier; 1. Jh. Schottland

Grundfläche heißt Höhe (h). Der Rauminhalt beträgt: $(V) = \frac{1}{3}\,G \cdot h = \frac{1}{3} \cdot \pi \cdot r^2 \cdot h$. 2. Ein *Kegelstumpf* entsteht aus einem Kegel durch einen zur Grundfläche parallel geführten Schnitt.

Kegelschnitte, mathematische Kurven, die durch Schnitte einer Ebene mit einem geraden Kreiskegel entstehen: *Kreise*, *Ellipsen*, *Parabeln*, *Hyperbeln*.

Kehlkopf [der], der Eingangsteil der Luftröhre, der aus Knorpeln besteht. Die Luftröhre liegt vor der Speiseröhre, darum verschließt der Kehldeckel beim Schlucken den Kehlkopf, und die Speisen gleiten über ihn hinweg. Im Kehlkopf befinden sich die beiden Stimmbänder, die beim Sprechen die vorbeiströmende Luft in hörbare Schwingungen versetzen.

Kehrwert, die Zahl, deren Produkt mit der gegebenen Zahl gleich 1 ist, z. B. Kehrwert von $3 = \frac{1}{3}$.

Keiler [der], ein männliches Wildschwein.

Keilschrift [die], eine aus keilförmigen Strichen bestehende Schrift, die um 3000 v. Chr. in Mesopotamien aus einer Bilderschrift der Sumerer entstand und bei den Babyloniern, Assyrern und Persern verbreitet war.

Keller, Gottfried, *1819, †1890; schweizerischer Schriftsteller. Keller war ein bedeutender Lyriker und Erzähler, einer der großen Vertreter der realistischen Dichtung. Seine Hauptwerke sind »Die Leute von Seldwyla«, »Züricher Novellen«, »Martin Salander« und der autobiografische Bildungsroman »Der grüne Heinrich«.

Kelten [Pl.], eine Völkergruppe, die besonders im 5.–1. Jh. v. Chr. von Mitteleuropa bis Spanien und Britannien siedelte. Sie wurde in Mitteldeutschland im 1. Jh. v. Chr. von den Germanen und in Gallien von den Römern verdrängt.

Kelvin [das], Kurzzeichen K, Einheit der thermodynamischen Temperaturskala (Kelvinskala), deren Nullpunkt bei –273,15 °C = 0 K (absoluter Nullpunkt) liegt.

Ländersteckbrief Kenia

Fläche:	582 000 km²
Einwohner:	35,1 Millionen = 60 je km²
Hauptstadt:	Nairobi
Religion:	Christentum, Naturreligionen, Islam
Amtssprache:	Kisuaheli
Währung:	1 Kenia-Schilling = 100 Cents

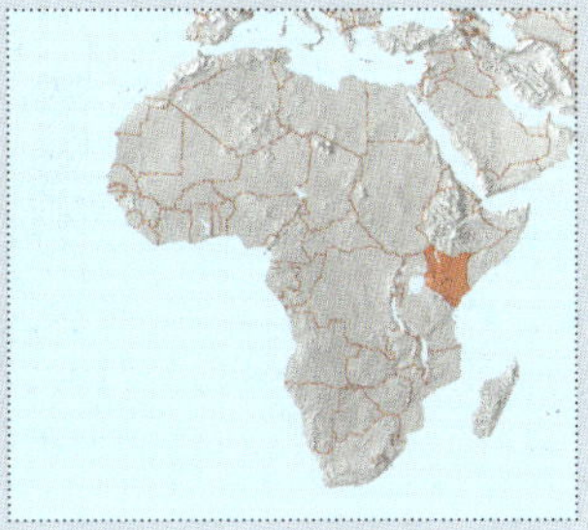

Kenia, Staat in Ostafrika.

Landesnatur: Dem Tiefland im Osten steht das Hochland im Westen gegenüber, das durch den nord-südlich verlaufenden Ostafrikanischen Graben (Rift Valley) mit dem Turkanasee im Norden und dem Aberdaregebirge als östliche Begrenzung sowie durch zahlreiche erloschene Vulkane stärker gegliedert ist. Im Westen grenzt das Land an den Victoriasee. Das Hauptsiedlungsgebiet ist das kühle Hochland, auf das mit Ausnahme der trockeneren Grabenzone reichlich Niederschläge niedergehen.

Bevölkerung: Die Bevölkerung besteht aus Bantuvölkern und Niloten (Massai u. a.). Rund 60% sind Anhänger traditioneller Religionen, über 30% sind Christen.

Wirtschaft: Für den Export werden Kaffee, Tee, Pyrethrum und Sisal angebaut. Bedeutend ist die Viehzucht. Die Industrie ist gegenüber den benachbarten

Ländern weiter entwickelt; sie verarbeitet Agrarprodukte und erzeugt Verbrauchsgüter (Möbel, Textilien, Papier u. a.). Das Handwerk hat durch den Tourismus (wichtigster Devisenbringer des Landes) neuen Aufschwung genommen (Holzschnitzereien, Sisalflechtereien). – Haupthafen ist *Mombasa*, internationaler Flughafen *Nairobi*.

Geschichte: 1895 kam das Land unter britische Kolonialverwaltung. 1920 wurde Kenia Kronkolonie. 1952 brach der *Mau-Mau-Aufstand* gegen die britische Herrschaft aus, den die Engländer 1956 niederschlugen. 1963 erhielt Kenia die Unabhängigkeit. 1964 wurde es präsidiale Republik. Staatspräsident war seit 1978 D. A. *Moi*. Seit Ende der 1980er Jahre wuchs der Druck auf Moi, Kenia zu demokratisieren. Die Wirtschaftslage verschlechterte sich, es kam zu blutigen Unruhen. Nach einer Verfassungsreform fanden 1992 erstmals nach 26 Jahren freie Parlaments- und Präsidentschaftswahlen statt, bei denen sich Moi durchsetzen konnte (1997 wiedergewählt). 2002 kam es zu einem Machtwechsel zugunsten der Opposition. M. *Kibaki* wurde neuer Staatspräsident.

Wer war ...

John Fitzgerald Kennedy

John Fitzgerald Kennedy (* 1917, † 1963 [ermordet]) war 1961–1963 der 35. Präsident der USA. Kennedys Ausstrahlung und sein gewinnendes Auftreten in der Öffentlichkeit machten ihn zum Hoffnungsträger der US-amerikanischen Jugend, der gebildeten Schichten sowie sozial benachteiligter Gruppen.

Kennedy studierte an der Havard-Universität und diente im Zweiten Weltkrieg in der Marine. Seit 1953 Senator für den Bundesstaat Massachusetts setzte er sich bei der Präsidentschaftswahl 1960 knapp gegen R. *Nixon*, den Kandidaten der Republikanischen Partei, durch. Kennedy bemühte sich zunächst um sozialpolitische Reformen, die sich aber aufgrund des Widerstands des Kongresses nicht vollständig verwirklichen ließen. Außerdem setzte er sich für die Gleichstellung der schwarzen Bevölkerung ein. In der Außenpolitik verfolgte die Kennedy-Regierung eine harte Linie gegen den Kommunismus und die UdSSR. Kennedys Auftritt in Berlin (»Ich bin ein Berliner«) nach dem Bau der Berliner Mauer 1961 und sein Ultimatum an die UdSSR zum Abbau russischer Raketenrampen auf Kuba 1962 stärkten sein Ansehen als Verteidiger der freien Welt. Am 22. 11. 1963 wurde Kennedy in Dallas Opfer eines Attentats. Die Ermittlungen ergaben, dass L. H. *Oswald* allein für den Anschlag verantwortlich war. Bis heute gibt es aber Vermutungen, dass Kennedy einer Verschwörung zum Opfer gefallen sei.

John F. Kennedy, der erste katholische und der jüngste Präsident der USA

Wer war …
Johannes Kepler

Der deutsche Astronom und Mathematiker Johannes Kepler (* 1571, † 1630) gilt neben G. *Galilei* und I. *Newton* als einer der bedeutendsten Naturforscher der frühen Neuzeit. Kepler schloss das Studium der Theologie, Philosophie, Mathematik und Astronomie in Tübingen 1591 mit dem Magister ab. 1594–1600 unterrichtete er an der Stiftsschule in Graz und war zugleich Mathematiker der Landesregierung. 1600 kam er als Assistent des Kaiserlichen Mathematikers T. *Brahe* nach Prag; als dieser 1601 starb, trat er seine Nachfolge an. 1612 nahm er in Linz eine Professur für Mathematik an, ab 1628 befand er sich im Dienste *Wallensteins*. Seine erste große Leistung gelang Kepler, als er in Prag Brahes Aufzeichnungen der Planetenbeobachtungen auswertete: Er erkannte, dass die Bahnen der Planeten elliptisch und nicht kreisförmig sind. 1609 formulierte er die ersten beiden der nach ihm benannten drei Gesetze der Planetenbewegung (*Kepler'sche Gesetze*), mit denen er das heliozentrische Weltsystem des Kopernikus mit der Sonne im Mittelpunkt durch Beobachtungsdaten untermauerte. Bei den Arbeiten an seinem Hauptwerk *Weltharmonik* (»Harmonices mundi libri V«, 1619), fand Kepler das dritte Gesetz. Damit war die Grundlage für die Entdeckung des Gravitationsgesetzes durch I. Newton gelegt. 1627 konnte er seine Tafeln zur Planetenbewegung veröffentlichen (»Tabulae Rudolphinae«), die für 200 Jahre die Grundlage aller astronomischen Rechnungen bildeten. Als Astronom beschäftigte Kepler sich mit optischen Instrumenten. Durch seine Theorie des optischen Fernrohrs (1610–1611) machte er sich zum Begründer der geometrischen Optik. Kepler war darüber hinaus ein hervorragender Mathematiker: Sein Verfahren zur Volumenbestimmung (Kepler'sche Fassregel, 1615) war von Bedeutung für die spätere Entwicklung der Infinitesimalrechnung.

Johannes Kepler erfand 1611 das erste astronomische Fernrohr.

Kepler'sche Gesetze, die von J. *Kepler* aufgestellten Gesetze der Planetenbewegung: 1. die Bahnen der Planeten sind Ellipsen, in deren einem Brennpunkt die Sonne steht; 2. die Verbindungslinie (Fahrstrahl) von der Sonne zum Planeten überstreicht in gleichen Zeiten gleiche Flächen; 3. die Quadrate der Umlaufzeiten zweier Planeten verhalten sich wie die dritten Potenzen der großen Halbachsen ihrer Bahnen.

Keramik [die], alle aus Ton geformten und gebrannten Erzeugnisse (Fliesen, Porzellan, Steingut,

Terrakotta). Die Töpferei ist die älteste keramische Technik. Die ältesten Keramikfunde stammen aus Jericho (Palästina) und werden in die Zeit um 7000 v. Chr. datiert.

Kernenergie [die] → Seite 146.

Kernfusion [die] → Kernenergie.

Kernkraftwerk [das] → Kernenergie.

Kernphysik [die], ein Teilgebiet der Physik, das sich mit der Erforschung der Atomkerne beschäftigt. Da man selbst mit den stärksten Mikroskopen nicht in die Atome hineinsehen kann, beschießen Kernphysiker ihre Kerne in einem → Teilchenbeschleuniger mit sehr schnellen Elementarteilchen und beobachten, was geschieht. Die entstehenden Teilchen und Strahlungen geben den Kernphysikern Aufschluss darüber, wie die Atome in ihrem Inneren aufgebaut sind.

Kernreaktor [der] → Kernenergie.

Kernspaltung [die] → Kernenergie.

Kernwaffen [Pl.] → Kernenergie.

Ketzer [der], jemand, der von der offiziellen Lehre bzw. herrschenden Meinung abweicht.

Keuchhusten [der], *Stickhusten,* eine Infektionskrankheit, die durch Bakterien hervorgerufen wird und meist durch Tröpfchen in der Luft übertragen wird, mit krampfartigem Husten, Anfällen von Atemnot und Verschleimung der Atemwege. Sie tritt meistens bei Kindern auf, kann aber auch Erwachsene befallen und dauert mehrere Wochen. Eine vorbeugende Schutzimpfung ist möglich.

Wer war …

John Maynard Keynes

John Maynard Keynes (*1883, †1946) war ein englischer Nationalökonom und neben M. *Friedman* der bedeutendste Wirtschaftstheoretiker des 20. Jh. Keynes prägte Forschung und wirtschaftspolitisches Handeln bis heute. Sein Hauptwerk »Allgemeine Theorie der Beschäftigung, des Zinses und des Geldes« (1936) legte den Grundstein zu einer Neuausrichtung der Wirtschaftstheorie. Die herrschende Lehre war bis dahin von der selbstheilenden Kraft freier Märkte ausgegangen und lehnte staatliche Eingriffe in den Wirtschaftsablauf ab. Diese Haltung wurde durch die lang anhaltende hohe Arbeitslosigkeit in der Weltwirtschaftskrise der 1930er Jahre erschüttert. Keynes lieferte eine schlüssige Erklärung dafür, dass die Wirtschaft in einem Zustand des Gleichgewichts bei Unterbeschäftigung verharrte: Die gesamtwirtschaftliche Nachfrage war zu gering, um Unternehmen zu einer Ausdehnung der Produktion und damit zu Investitionen und zur Schaffung neuer Arbeitsplätze anzuregen. Keynes schlug vor, der Staat

John Maynard Keynes

solle den Mangel an privater Nachfrage durch eigene Ausgabenprogramme ausgleichen. Schon zuvor hatte Keynes sich gegen herrschende politische Denkmuster gestellt. 1915 trat er als Berater in das britische Schatzamt ein und leitete dessen Delegation auf der Friedenskonferenz von Versailles (1919), die den Ersten Weltkrieg beendete. Keynes kritisierte den dort gefassten Beschluss, Deutschland zu hohen Entschädigungszahlungen zu verpflichten. Er sah voraus, dass Europa dadurch in eine wirtschaftliche Rezession geraten würde. Er trat von seinem Posten zurück. 1920–1946 war Keynes Professor am King's College in Cambridge. An der Schöpfung der Weltwährungsordnung, die 1944 auf der Konferenz von Bretton Woods beschlossen wurde, war er maßgeblich beteiligt.

kg, Kurzzeichen für → Kilogramm.

Khartum, die Hauptstadt des Sudan, am Zusammenfluss des Weißen und Blauen Nils, 925 000 Einwohner.

Khoikhoin [»Menschen«], von den Buren abwertend *Hottentotten* genanntes, nomadisches Hirtenvolk in Südafrika, heute nahezu vollständig vernichtet.

Kibbuz [der], eine landwirtschaftliche Gemeinschaftssiedlung in Israel, bei der alle Mitglieder auf privates Eigentum verzichten und freiwillig auf genossenschaftlicher Basis miteinander arbeiten, die Kinder erziehen und alle Dinge der Lebensführung miteinander teilen. Die Kibbuz-Bewegung spielte eine wichtige Rolle bei der Gründung des Staates Israel.

Kickboxen, sportlicher Zweikampf, bei dem Füße (»Kicken«) und Fäuste (»Boxen«) eingesetzt werden. Kickboxen hat seinen Ursprung in den traditionellen ostasiatischen Kampfkünsten *Karate* und *Taekwondo*.

Kiebitz [der], eine Vogelart aus der Familie der Regenpfeifer, mit schwarzem, aufrichtbarem Federschopf am Hinterkopf. Der bis zu 31 cm große Vogel gehört zu den Bodenbrütern, weshalb sein Bestand in unserer Kulturlandschaft sehr zurückgegangen ist. Der Name »Kiebitz« ist lautmalerisch und bezieht sich auf die häufigsten Rufe (»Kiwitt«) dieser Vögel.

Kiebitz: Bei seinen Flugspielen leuchtet die schwarzweiße Gefiederzeichnung wie ein Signal.

Kiefer 1. [der], bewegliche Mundwerkzeuge vieler Tiere; bei höheren Wirbeltieren knöcherne Bildungen, die die Zähne tragen. **2.** [die], ein Nadelbaum, der auf der Nordhalbkugel besonders auf Sandböden wächst. Die Nadeln der Kiefer stehen in Büscheln an kurzen Trieben.

Kiel, Hauptstadt von Schleswig-Holstein, am Ende der Kieler Förde, 233 000 Einwohner. Kiel ist eine bedeutende Hafenstadt mit Seehafen, Marinehafen und einem internationalen Segelsportzentrum. In Kiel mündet auch der Nord-Ostsee-Kanal. Alljährlich findet die *Kieler Woche* statt, eine Segelregatta auf der Kieler Förde für zahlreiche Bootsklassen.

Kickboxen: Zwei Kickboxer in Aktion; der Sport entstand aus der Verschmelzung verschiedener ostasiatischer Kampfstile mit westlichen Kampfsportarten.

Kiemen [Pl.], häutige, blutgefäßreiche Atmungsorgane wasserbewohnender Tiere. Durch die Kiemenwand tritt Sauerstoff aus dem Atemwasser ins Blut über, während Kohlendioxid aus dem Blut ans Wasser abgegeben wird. Kiemen sind meist büschel- oder blattförmig und haben eine große Oberfläche. Die Kiemen der Fische sind von einem Kiemendeckel geschützt.

Mehr wissen …

Die Kraft aus den Atomen: Kernenergie

Kernenergie ist in Atomkernen gespeichert und wird bei der Kernspaltung und der Kernfusion freigesetzt. Sie kann z. T. zur Energiegewinnung genutzt werden. Die Kerne der Atome bestehen aus ungeladenen Neutronen und positiv geladenen Protonen. Da sich gleiche Ladungen abstoßen, müssten die Protonen eigentlich auseinanderfliegen. Sind sie aber so dicht gepackt wie in einem Atomkern, werden sie von der sogenannten *Kernkraft* zusammengehalten. Sie wirkt nur auf sehr kurze Entfernungen und stellt gleichsam gespeicherte Energie dar. Mit Hilfe der *Kernspaltung* ist es gelungen, diese Energie freizusetzen und zu nutzen.

Wie funktioniert Kernspaltung?

Zur Kernspaltung verwendet man sehr schwere Atome, wie z. B. das Uran mit 92 Protonen und 143 Neutronen. Schießt man ein Neutron auf dieses Uranatom, wird es in den Atomkern aufgenommen. Dadurch geschehen zwei Dinge: Zum einen wird ein Teil der Bewegung des Neutrons auf den Atomkern übertragen, der sich dadurch etwas mehr bewegt, zum anderen vergrößert das zusätzliche Neutron im Atomkern die Abstände zwischen einigen Protonen. Durch diese beiden Veränderungen reicht die Kernkraft nicht mehr aus, um die Protonen zusammenzuhalten, so dass der Kern auseinanderbricht. Neben den beiden Kernbruchstücken (2 verschiedene, leichtere Atome) werden auch drei Neutronen frei, die ihrerseits wieder auf Uranatome treffen können. Dies passiert allerdings nur, wenn die Uranatome dicht genug beieinanderliegen. In der Natur kommt dies nicht vor, da diese spaltbare Uransorte (Uranisotop) im natürlichen Uran nur zu einem kleinen Teil vorhanden ist. Reichert man das spaltbare Uran aber an, liegen die Atome dicht genug, so dass sie von den bei der Spaltung des ersten Atoms frei gewordenen Neutronen getroffen werden können. Auf diese Weise setzt sich die Kernspaltung fort, und es kommt zu einer atomaren *Kettenreaktion*. Die Masse, bei der es zu einer Kettenreaktion kommt, wird als *kritische Masse* bezeichnet.

Teilt man eine Urankugel mit überkritischer Masse, die eigentlich sofort explodieren müsste, in zwei Hälften, lässt sich die Explosion planmäßig als *Atombombe* auslösen. Dazu werden die beiden Hälften der Kugel mit Hilfe einer kleinen Sprengladung zusammengeschossen. Die sofort einsetzende Spaltung des Urans führt zu einer schlagartigen Freisetzung von Wärme und radioaktiver Strahlung mit verheerenden Folgen für die Umgebung.

Das Kernkraftwerk:

Eine kontrollierte Kettenreaktion kommt zustande, wenn höchstens ein Neutron wieder auf einen Urankern trifft. Mit Hilfe von Stoffen, die überschüssige Neutronen abfangen, kann die Kettenreaktion genau gesteuert werden, wie es in Kernkraftwerken geschieht. Das Uran befindet sich in langen Brennstäben, die in ein Wasserbecken hineinragen. Dieses Wasser wird durch die Energie, die bei der Kernspaltung frei wird, so stark erhitzt, dass es verdampft. Der heiße Dampf wird durch eine Turbine geleitet: Der Dampf bringt die Schaufeln der Turbine zum Drehen, wodurch in dem dahintergeschalteten Generator Strom erzeugt wird. Der Dampf wird später wieder in einem Kühlturm oder durch Wasser aus einem Fluss abgekühlt. Kernenergie wird v. a. zur Stromerzeugung genutzt. Kernreaktoren werden auch in U-Booten, Flugzeugträgern oder anderen Schiffen zur Gewinnung der Antriebsenergie verwendet.

Risiken:

So simpel das Prinzip eines Kernkraftwerks auch sein mag, so schwierig ist der Umgang mit der Kernspaltung.

Die bei der Spaltung frei werdende radioaktive Strahlung ist für Lebewesen nämlich äußerst gefährlich. Schon relativ geringe Mengen der Strahlung können in den Zellen die Erbsubstanz verändern, so dass nach vielen Jahren Krebswucherungen ausgelöst werden können. Außerdem besteht die Gefahr von Missbildungen bei Neugeborenen. In höheren Dosen tötet die radioaktive Strahlung direkt Zellen ab. Viele Überlebende der Atombombenexplosionen in Hiroshima und Nagasaki sind daher kurze Zeit später gestorben.

Kernkraftwerke werden folglich mit besonderen Sicherheitseinrichtungen ausgerüstet. So soll u.a. eine meterdicke Betonwand im Unglücksfall verhindern, dass radioaktive Strahlung in die Umwelt gelangt. Das Reaktorunglück von Tschernobyl, bei dem zigtausende Menschen verstrahlt wurden, hat aber gezeigt, dass immer ein Risiko bleibt. Ein weiteres Problem der Nutzung der Kernenergie ist der *Atommüll*, dessen Beseitigung große technische und finazielle Schwierigkeiten bereitet. Ausgebrannter Kernbrennstoff und verstrahlte Reaktorbestandteile müssen sicher gelagert werden, da sie z.T. noch Jahrtausende gefährlich weiterstrahlen. Häufig wird der Atommüll daher in alten Bergwerken eingelagert.

Kernfusion:

Noch im Versuchsstadium ist die Energiegewinnung durch Kernfusion. Im Gegensatz zur Kern-

Ein Druckwasserreaktor nutzt die bei der Kernspaltung entstehende Wärme, um Dampf für den Betrieb von Turbinen zu erzeugen. Die Wärme aus dem Reaktorkern gelangt über getrennte Kühlwasserkreise zu den Turbinen. Das Primärwasser (hellblau) wird durch den heißen Reaktorkern gepumpt. Danach durchläuft dieses Wasser die Dampferzeuger. In ihnen durchströmt es Tausende von Metallrohren, die vom Wasser des zweiten Kühlkreises (dunkelblau) umgeben sind. Dieses Wasser siedet und gelangt als unter hohem Druck stehender Dampf zur Turbinenanlage. Die Dampfenergie wird mit Hilfe eines Satzes von Hochdruck- und Niederdruckturbinen zum Betrieb eines Generators genutzt, der an das Stromnetz angeschlossen ist. Überschüssiger Dampf kondensiert an einem dritten Kühlkreis (grün) und wird zu den Dampfgeneratoren zurückgeleitet. Das Reaktorgebäude besteht aus strahlenabsorbierendem Stahlbeton. Eine innere Isolierschicht aus Stahl verhindert den Austritt von Gasen. Fällt der Primärwasserkreis aus, wird der Reaktorkern mit kaltem Wasser geflutet, um die Spaltvorgänge auf ein sicheres Maß zu verringern.

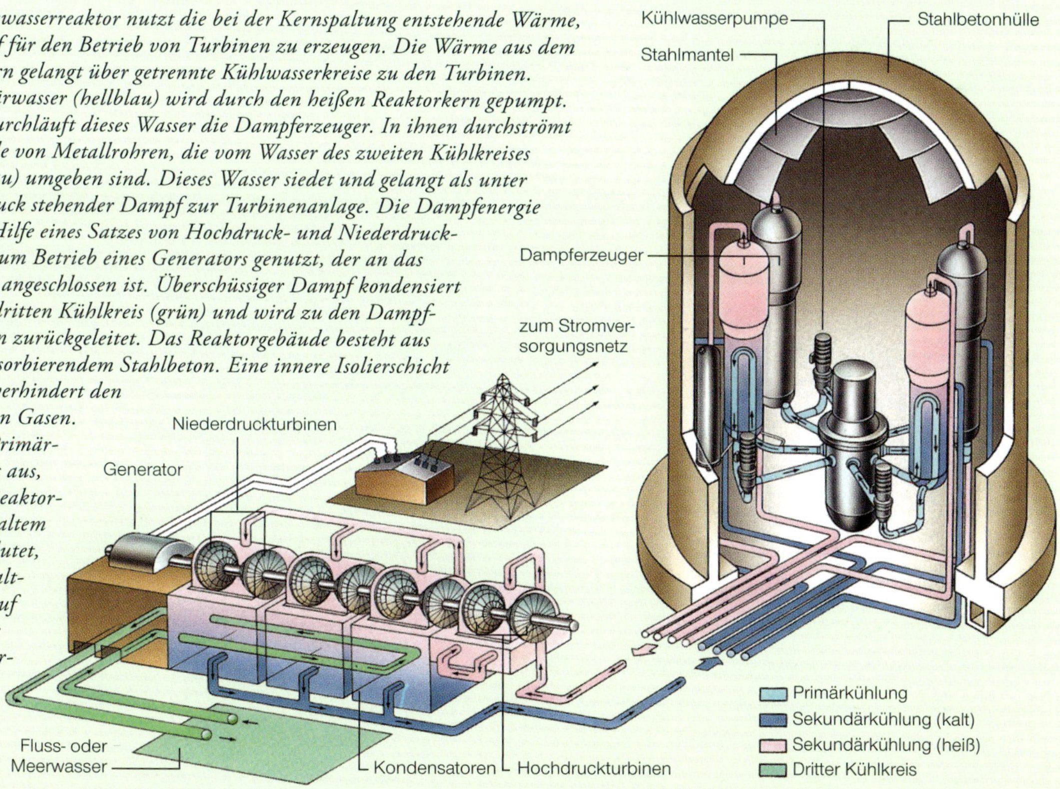

spaltung werden dabei zwei leichte Atomkerne miteinander verschmolzen, wobei auch wieder Energie frei wird, beispielsweise in Form von sich schnell bewegenden Neutronen. Um die Kernfusion allerdings in Gang zu setzen, benötigt man extrem hohe Temperaturen, das heißt mindestens 100 Mio. Grad Celsius. Diese Temperaturen herrschen im Inneren der Sterne, die den Großteil ihrer Energie aus der Kernfusion beziehen, oder werden bei einer Kernfusionsbombe (Wasserstoffbombe) durch die Explosion einer Kernspaltungsbombe (Atombombe) erzeugt. Bei der friedlichen Nutzung der Kernfusion erweisen sich die hohen Temperaturen als großes Problem, da es bisher nicht gelungen ist, mehr Energie zurückzugewinnen, als in die Kernfusion hineingesteckt wurde. Vorteile der Kernfusion gegenüber der Kernspaltung sind jedoch das praktisch unbegrenzte Vorkommen der Ausgangsstoffe und das relativ geringe Anfallen von radioaktivem Müll.

Kierkegaard ['kjɛrgəgɔːr], Sören, *1813, †1855; dänischer Philosoph. Er beschrieb in seinen Schriften das Verhältnis von Angst, Existenz und Zeitlichkeit in der Theologie; sein Denken war von großem Einfluss auf die spätere Existenzphilosophie.

Kiesinger, Kurt Georg, *1904, †1988; deutscher Politiker (CDU). Kiesinger war 1958–1966 Ministerpräsident von Baden-Württemberg und 1966–1969 Bundeskanzler.

Kiew, Hauptstadt der Ukraine, am Dnjepr, 2,6 Mio. Einwohner.

Kigali, Hauptstadt von Rwanda (Ost-Afrika), 412 000 Einwohner.

Kilimandscharo [der], der höchste Berg Afrikas, im Nordosten Tansanias. Die Hauptgipfel des heute erloschenen Vulkans heißen *Kibo* (5895 m), *Mawensi* (5270 m) und *Schira* (4300 m).

Kilo-, Vorsilbe für Maßeinheiten mit der Bedeutung Tausend, z. B. 1 Kilometer = 1000 Meter.

Kilogramm [das], Kurzzeichen kg; eine Maßeinheit für Gewicht; 1 kg = 1000 g.

Kinderbücher, siehe ZEIT-Beitrag → »Kinderbücher: Das erste Buch«, Seite 150–153.

Kinderdorf [das], *Jugenddorf,* eine Siedlung für elternlose Kinder und Jugendliche, die in familienähnlichen Gruppen zusammenleben und von Kinderdorfeltern betreut und erzogen werden.

Kindergeld [das], ein in der Bundesrepublik Deutschland vom Staat gewährter Zuschuss für jedes Kind an die Eltern. Mit dem Kindergeld soll ein wirtschaftlicher Ausgleich zwischen Familien mit Kindern und kinderlosen Familien geschaffen werden.

Kinderlähmung [die], eine durch Viren hervorgerufene Infektionskrankheit, die meist im Kindesalter auftritt, aber auch Erwachsene befallen kann. Die Krankheit führt zur Lähmung von Muskelpartien. Auch nach der Ausheilung bleiben oft Lähmungen

Kilimandscharo: In der Ferne ragt der schneebedeckte Gipfel des Massivs empor, das sich nur rund 300 km südlich des Äquators erhebt.

zurück. Deshalb ist es wichtig, durch eine Schutzimpfung (meist eine Schluckimpfung) vorzubeugen.

Kinderschutz-Zentren [Pl.], Einrichtungen, die bei schwerwiegenden Gefährdungen von Kindern, etwa durch Misshandlung, Vernachlässigung oder sexuellen Missbrauch, der gesamten Familie auf freiwilliger Basis Hilfe und therapeutische Beratung anbieten.

Kinder- und Jugendliteratur [die], alle für Kinder und Jugendliche geeigneten Werke der Literatur. Sie sind entweder speziell für Kinder und Jugendliche geschrieben oder wurden aus der Volks- und Erwachsenenliteratur übernommen und bearbeitet. Sie wird zum einen durch Druckerzeugnisse wie Bücher, Hefte und Zeitschriften, zum anderen auch durch Massenmedien wie Film, Fernsehen und Kassetten verbreitet. Eine eigenständige Kinder- und Jugendliteratur entwickelte sich mit der Aufklärung in der 2. Hälfte des 18. Jh. Es entstanden moralisch belehrende Geschichten und Bearbeitungen der Erwachsenenliteratur (z. B. Defoes »Robinson Crusoe«) und der Volksliteratur (z. B. »Till Eulenspiegel«). Im 19. Jh. wurden Kindergedichte, Sagen und Märchen besonders gepflegt. Es erschienen aber auch zahlreiche Abenteuer-, Reise- und Indianergeschichten und spezielle Mädchenbücher (z. B. Emmy von Rhodens »Trotzkopf«). Gegen Ende des 19. Jh. und zu Beginn des 20. Jh. gelangten nationalistische und imperialistische Gedanken in die Kinder- und Jugendliteratur. Nach dem Zweiten Weltkrieg wurden viele ausländische Werke (z. B. von Astrid Lindgren) übersetzt. Seit den 1960er und 1970er Jahren werden in der Kinder- und Jugendliteratur vor allem zeitgeschichtliche und sozialkritische Themen verarbeitet.

Kinetik [die, griech. kinein, »bewegen«], die Lehre von den Bewegungen unter dem Einfluss innerer und äußerer Kräfte.

King, Martin Luther, * 1929, † 1968 (ermordet); farbiger amerikanischer Bürgerrechtler. Der protestantische Geistliche trat für die gewaltlose Durchsetzung der Bürgerrechte der farbigen amerikanischen Bürger in den USA ein. Auch → »Genauer betrachtet«.

Genauer betrachtet …

Martin Luther King

»I have a dream.« – »Ich habe einen Traum.« Das sind die berühmtesten Worte des farbigen US-amerikanischen Bürgerrechtlers und Pfarrers, die er 1963 einer Rede voranstellte, in der er die Vision einer Gesellschaft beschrieb, die auf Freiheit und Gleichheit beruht. Im Süden der Vereinigten Staaten war die Hautfarbe in dieser Zeit noch immer Anlass für Diskriminierung. Alle Bereiche des täglichen Lebens waren in Bereiche für Schwarze und solche für Weiße getrennt. Bis 1965 wurde der schwarzen Bevölkerung unter allerlei fadenscheinigen Gründen das Wahlrecht vorenthalten. Kings Einsatz für gleiche Rechte für alle Menschen, unabhängig von ihrer Hautfarbe, erreichte erstmals nationale Bedeutung, nachdem die Schwarze Rosa Parks sich am 1. 12. 1955 geweigert hatte, ihren Sitzplatz im Bus für einen Weißen zu räumen, und verhaftet worden war. Das führte zur Solidarisierung der schwarzen Bevölkerung und zu einer unter anderem von King geführten schwarzen Bürgerrechtsbewegung. Er orientierte sich dabei sehr an seinem Vorbild *Gandhi* und dessen Philosophie des gewaltlosen Widerstands. Für seine Verdienste erhielt Martin Luther King 1964 den Friedensnobelpreis. Am 4. 4. 1968 fiel er einem Attentat zum Opfer, dessen Hintergründe bis heute ungeklärt sind. Seit 1986 ist der dritte Montag im Januar in den Vereinigten Staaten Nationalfeiertag, der sogenannte Martin Luther King Memorial Day.

Wenn ein Buch wirklich gut ist, vergessen wir beim Lesen, wo wir gerade sind – und betreten eine fremde Welt

Kinderbücher

Das erste Buch

Von Susanne Gaschke

Das erste Buch, an das ich mich erinnern kann, ist ein Buch ohne Worte, *Rundherum in meiner Stadt* von Ali Mitgutsch. Auf seinen bunten Wimmelbildern tobt das Leben: Bauarbeiter sägen, hämmern und mauern am Neubau; ein Parkwächter jagt Jungen, die es gewagt haben, den fein gestutzten Rasen zu betreten; im Hafen kippt ein Smutje vor den Augen eines wütenden Wasserschutzpolizisten seine Küchenabfälle ins Wasser; das Freibad ist brechend voll mit spielenden, planschenden Kindern; auf dem Rummelplatz locken Riesenrad, Geisterbahn und Kasperletheater.

Mitgutsch erschafft in seinen Bildern (auf denen noch tausenderlei andere Dinge geschehen) eine vollständige Welt, in diesem Fall die Welt einer Kleinstadt im Sommer. Man kann sich in sie hineinversenken und dabei fast vergessen, dass man zu Hause auf dem Sofa sitzt.

Keine Drachen im Freibad

Das Gleiche tun Bücher, die Text enthalten; auch sie entführen uns in andere Welten. Wenn es sich um gute Bücher handelt, dann halten sich die Autoren an die Regeln, die sie selbst für diese Welten gemacht haben: Mitgutsch will eine Stadt zeigen, die es im Großen und Ganzen wirklich geben könnte – er lässt also nicht plötzlich Drachen, Hexen oder Riesen im Freibad auftauchen.

Joanne K. Rowling hat in ihrer ersten Harry-Potter-Geschichte die Regel aufgestellt, dass minderjährige Zauberer außerhalb der Schule nicht zaubern dürfen – diese Regel gilt nun in allen weiteren Büchern, auch wenn es für Rowling beim Schreiben sicher manchmal bequemer gewesen wäre, sie zu vergessen. Aber dann wären wir Leser – zu Recht – verwirrt und verärgert gewesen. Denn wir können uns auf eine erfundene Welt nur wirklich einlassen, wenn sie *in sich* stimmt, wenn sie vollständig ist und einer inneren Logik folgt. Es ist kein Problem für uns, uns Hobbits oder Elfen oder sprechende Tiere vorzustellen, aber wenn wir einmal gelernt haben, dass Hobbits wollige Füße und lederige Fußsohlen haben und darum niemals Schuhe tragen, wollen wir sie nicht in Reitstiefeln sehen.

Gab es im Mittelalter Kinder?

Dass wir uns überhaupt mit so luxuriösen Fragen wie derjenigen befassen können, ob ein Kinderbuch *gut,* ob seine Welt überzeugend ist, ist eine relativ neue Erscheinung. Denn Kinderbücher gab es nicht immer – und Kinder eigentlich auch nicht. Das heißt, es gab sie natürlich: Aber die Menschen zum Beispiel des Mittelalters machten keinen Unterschied zwischen Erwachsenen und Kindern. Kinder trugen die gleichen Kleider wie Erwachsene, sie aßen das gleiche Essen (und bekamen Bier zu trinken), sie erhielten nur in seltenen Fällen Schulunterricht und mussten im Haus und auf dem Hof mitarbeiten, sobald ihre Kräfte es zuließen. Dass es Gesprächsthemen geben könnte, die für sie nur schwer zu verkraften wären – wie Krieg oder Tod –, oder dass sie gar eigene Bücher zu ihrer Unterhaltung brauchen könnten, das konnte sich damals niemand vorstellen. Letzteres hatte natürlich zum Teil damit zu tun, dass überhaupt wenig Menschen lesen konnten und dass die handgeschriebenen Manuskripte, die es gab, bevor im 15. Jahrhundert der Buchdruck erfunden wurde, unglaublich teuer waren. Niemand hätte solche Manuskripte extra für Kinder angefertigt.

Auf der anderen Seite hörten auch die Menschen im Mittelalter gern Geschichten, und einige mögen für Kinder spannend gewesen sein, die Erlebnisse von König Artus und Robin Hood

Der »Struwwelpeter« von Heinrich Hoffmann erschien 1845. Ziel dieses Buches war es vor allem, Kindern gutes Benehmen einzutrichtern

zum Beispiel oder die lehrreichen Tierfabeln des antiken griechischen Dichters Äsop.

Mit der Zeit änderte sich die Art und Weise, wie Erwachsene Kinder betrachteten: Sie fingen an zu verstehen, dass Kinder eigene Bedürfnisse haben, dass sie gern spielen und für ihre Entwicklung auch die Möglichkeit dazu brauchen. Oder dass es unterschiedlich gute Methoden gibt, ihnen etwas beizubringen.

»Beibringen« war immer ein Hauptanliegen der Erwachsenen. Und als sie begannen, die ersten Bücher für Kinder zu drucken, da ging es ihnen keineswegs um Unterhaltung und nicht um eine Welt, die den Leser sein Sofa vergessen lässt, sondern um: Benimm. Manieren. Regeln für gottgefälliges Betragen. Diese Bücher hatten einen sehr strengen Ton – und es war keine reine Freude, sie zu lesen.

Joanne K. Rowling erfand den Zaubererjungen Harry Potter und stürzte die ganze Welt in ein bisher ungekanntes Lesefieber

Im 18. Jahrhundert, also vor knapp dreihundert Jahren, entstanden dann die ersten Romane, eigentlich für Erwachsene – heute aber zählt man sie oft zu den Kinderbuch-Klassikern, so etwa *Robinson Crusoe* von Daniel Defoe (1719) oder *Gullivers Reisen* von Jonathan Swift (1726). Und weil das erwachsene Publikum von diesen Geschichten erzählenden Unterhaltungsromanen so begeistert war, besserten sich langsam auch die Zeiten für Kinder: Auch ihnen gestand man nun häufiger zu, zum Vergnügen zu lesen und nicht nur zur Belehrung.

Niemals erwachsen werden

Im 19. und zu Beginn des 20. Jahrhunderts entstanden vor allem in England weltberühmte Kinderbücher, die auch heute noch sehr viele Menschen kennen: *Alice im Wunderland* (1865) zum Beispiel oder die Geschichte von Peter Pan (1904), dem Jungen, der nicht erwachsen werden will.

In Deutschland hielt sich die Mode, Kindern mit Büchern gutes Benehmen einzutrichtern, etwas hartnäckiger als in Großbritannien: Das berühmteste Beispiel ist Heinrich Hoffmanns *Struwwelpeter* (1845), eine Sammlung von Erzählungen mit sehr viel Moral: Kinder, die nicht gehorchen, sich nicht gut benehmen oder widersprechen, kommen auf schreckliche Weise zu Tode oder werden grausam bestraft. Bis heute gibt es bei den deutschen Kinderbuchautoren bisweilen die Neigung, ihren Lesern heimlich etwas beibringen zu wollen: dass Umweltschutz eine wichtige Sache ist etwa oder dass man freund-

In Deutschland gibt es kaum Autoren, die so beliebt sind wie die Schwedin Astrid Lindgren. Pippi Langstrumpf ist ihre wohl berühmteste Figur

lich zum Außenseiter in der Klasse sein soll. Alles richtig – aber Kinder scheinen einen guten Instinkt dafür zu haben, wenn man ihnen hintenherum eine Lektion verpassen will.

Mit Detektiven durch die Nacht

Darum sind moderne deutsche Autorinnen wie Cornelia Funke *(Die wilden Hühner, Drachenreiter)* vielleicht auch erfolgreicher als manche ihrer Vorgängerinnen – weil sie einfach fesselnde Geschichten erzählen, ohne großes Lernprogramm. Und darum sind vermutlich bis heute Bücher ausländischer Autoren in unserem Land besonders beliebt.

Dazu gehört *Pu, der Bär* von A. A. Milne – die Geschichte über den »Bären von kleinem Verstand«, der im Hundert-Morgen-Wald lebt, stets nach einem »kleinen Mundvoll« auf der Suche ist (am liebsten Honig und Sahne) und seine Freunde mit ebenso naiven wie treffenden Bemerkungen überrascht, hat ganze Generationen von deutschen Kindern unterhalten. Noch weit höher in der Lesergunst – trotz aller Harry-Potter-Begeisterung – stehen die Bücher der Schwedin Astrid Lindgren. Und zwar, weil auch für viele Bücher kaufende Erwachsene Lindgrens Welt schlicht ein anderes Wort für Kindheit ist: eine Kindheit, die sie auch ihren eigenen Kindern wünschen.

Wie Pippi Langstrumpf, Tommi und Annika, Lillebror, Madita, Ronja Räubertochter oder die Kinder aus Bullerbü würden die meisten von uns gern leben, wenn wir könnten. Mit Kalle Blomquist würden wir gern durch die warme schwedische Sommernacht streifen. Oder mit einem Flaschengeist ins Land der Ferne fliegen, wo unser Vater König ist. Und weil Astrid Lindgren eine so großartige Autorin war, können wir das auch, fast, vom Sofa aus.

Kingston, Hauptstadt und Hafen von Jamaika, 578 000 Einwohner.

Kino [das], ein Lichtspieltheater, das speziell für die Vorführung von Filmen errichtet wurde. In Deutschland gibt es Kinos seit etwa 1910. Vorher wurden Filme in Jahrmarktsbuden oder abends im Freien vorgeführt. Siehe auch ZEIT-Beitrag → »Kino: Bewegende Bilder«, Seite 156–159.

Kinshasa, Hauptstadt der Demokratischen Republik Kongo, am linken Ufer des unteren Kongo, 4,7 Mio. Einwohner.

Kirchenjahr [das], die Einteilung des Jahres nach den großen christlichen Festen. Das Kirchenjahr beginnt am 1. Advent.

Kirchenstaat [der], das Staatsgebiet des Papsttums. Es wurde durch Schenkungen begründet und hatte seine größte Ausdehnung im 16. Jh. Heute umfasst es die → Vatikanstadt.

Ländersteckbrief Kirgisistan

Fläche:	199 900 km²
Einwohner:	5,3 Millionen = 27 je km²
Hauptstadt:	Bischkek
Religion:	Islam
Amtssprache:	Kirgisisch, Russisch
Währung:	1 Kirgisistan-Som = 100 Tyin

Kirgisistan: Eine Schafherde weidet in der Nähe des Issykkul-Sees.

Kirgisistan, Staat in Mittelasien.

Landesnatur: Kirgisistan umfasst die bis zu 7439 m hohen, z. T. vergletscherten Gebirgsketten des Tian Shan und des östlichen Alai; streng kontinentales Trockenklima mit Steppen, Halbwüsten und Wüsten.

Bevölkerung: Die Bevölkerung setzt sich aus 65% Kirgisen, 14% Usbeken, 13% Russen ferner Ukrainern, Tataren und Deutschen zusammen. Drei Viertel der Bevölkerung sind sunnitische Muslime, 20% russisch-orthodox.

Wirtschaft: Die Wirtschaft basiert auf den reichen Bodenschätzen (Quecksilber, Antimon, Uran, Kohle, Blei, Zink und Gold). Landwirtschaft ist nur mit Hilfe künstlicher Bewässerung möglich, teilweise nomadische Viehwirtschaft. Die wichtigsten Industriezweige sind Nahrungsmittel- und Textilindustrie.

Geschichte: Seit dem 19. Jh. gehörte das Gebiet der Kirgisen zum *Khanat von Kokand,* das 1876 von Russland besetzt wurde. Nach mehrfachen Änderungen der administrativen Einteilung erhielt Kirgisistan 1935 den Status einer sowjetischen Unionsrepublik. 1991 erlangte es die Unabhängigkeit. 1993 wurde eine Verfassung verabschiedet, die ein Präsidialsystem institutionalisierte (zuletzt 2003 revidiert). Auseinandersetzungen mit islamistischen Rebellen aus Tadschikistan bedrohten seit 1999 die Sicherheit des Landes. Staatspräsident A. *Akajew* wurde 2005 gestürzt. Die Bevölkerung wählte K. *Bakijew* zum Nachfolger.

Ländersteckbrief Kiribati

Fläche:	717 km²
Einwohner:	101 000 = 143 je km²
Hauptstadt:	Bairiki
Religion:	Christentum
Amtssprache:	Kiribati, Englisch
Währung:	1 Australischer Dollar/ Kiribati = 100 Cents

Kiribati, Staat in Ozeanien.

Der Inselstaat besteht aus den *Gilbert-* und *Phönixinseln*, *Ocean Island (Banaba)*, *Christmas Island* u. a. kleinen Inseln; die Inseln sind feuchttropische Koralleninseln. Die Bevölkerung (Mikronesier; meist Christen) lebt von der Ausfuhr von Kopra und vom Fischfang.

Geschichte: 1892 kamen die Inseln unter britisches Protektorat. 1916 fasste Großbritannien die Gilbert- und die Ellice-Inseln zu einer Kolonie zusammen. Nach Abtrennung der Ellice-Inseln 1976 erhielten die Gilbertinseln unter dem Namen Kiribati 1979 die Unabhängigkeit. Kiribati ist seit 1999 Mitglied der UNO.

Kirsche [die], ein Baum, dessen rote, runde Früchte zum Steinobst gehören. Kirschen können süß (Süßkirschen) oder sauer (Sauerkirschen, z. B. Schattenmorellen) schmecken.

Kismet [das], im Islam das Schicksal des einzelnen Menschen, das gläubig ertragen werden muss, weil es von Allah selbst bestimmt wird.

Kitesurfing ['kaitsə:fiŋ], eine Trendsportart, bei der sich Surfer auf einem ca. 2 m langen Board von einem Drachen ziehen lassen.

Kitzler [der], *Klitoris,* ein Teil der weiblichen → Geschlechtsorgane.

Kiwi [die], eine außen braune, haarige Frucht mit grünem, säuerlichem Fruchtfleisch. Kiwis sind reich an Vitamin C.

Kiwis [Pl.], hühnergroße, flugunfähige, nachtaktive Vögel, die in den Wäldern von Neuseeland leben. Sie sind das Wappentier Neuseelands und stehen unter strengem Schutz.

Klagenfurt, Hauptstadt des österreichischen Bundesstaates Kärnten, östlich des Wörthersees gelegen, 91 000 Einwohner.

Klapperschlangen [Pl.], in Nord- und Südamerika lebende, giftige, meist sehr gefährliche Schlangen. Am Schwanzende haben Klapperschlangen eine Ras-

Kitesurfing: Durch den Auftrieb des Drachens sind auch weite, hohe Sprünge möglich.

Fortsetzung → Seite 160

Mit rund 250 Millionen Dollar eine der bislang teuersten Produktionen der Filmgeschichte: »Spiderman 3«

Kino

Bewegende Bilder

Von Christian Staas

Paris, 28. Dezember 1895: Im Grand Café am Boulevard des Capucines rutschen die Besucher unruhig auf ihren Sitzen hin und her. Sie sind gekommen, um ein Wunder zu sehen: die bewegten Bilder der Brüder Lumière – in einer der ersten öffentlichen Kinoaufführungen der Welt.

Auf dem Programm stehen mehrere Kurzfilme. Menschen verlassen eine Fabrik; eine Mauer stürzt ein; ein Mann wird mit einem Gartenschlauch nassgespritzt. Die Zuschauer johlen, doch dann bricht Panik aus. An der Wand erscheint das Schwarz-Weiß-Bild eines Zuges, der auf die Kinobesucher zufährt! Erschrocken sollen nicht wenige von ihnen aufgesprungen und aus dem Saal gestürmt sein. Sie glaubten, das Stahlungetüm würde jeden Moment über sie hinwegrollen. Nur knapp eine Minute dauerte der Film, *Die Ankunft eines Zuges in La Ciotat.*

Heute sind wir ganz anderes gewohnt: In den *Spiderman*-Filmen etwa rasen wir mit irrwitzigem Tempo durch die Straßen von New York. Sich überschlagende Autos stürzen auf uns zu, ohne dass wir Angst hätten, unter ihnen begraben zu werden. Sowohl unsere Sehgewohnheiten als auch die Filme selbst haben sich in einem Ausmaß verändert, das zu Zeiten der Lumières niemand für möglich gehalten hätte.

Gleich mehrere Forscher arbeiteten damals, im letzten Drittel des 19. Jahrhunderts, an Apparaten, mit denen sich bewegte Bilder einfangen und vorführen ließen. In Amerika etwa entwickelte Thomas Alva Edison, der Erfinder des Phonographen, einen Cinematographen; in Berlin tüftelten Max und Emil Skladanowky an Filmkameras und Projektoren.

24 Aufnahmen in der Sekunde

Sie alle machten sich das Prinzip jener optischen Täuschung zunutze, die man am Daumenkino beobachten kann: Ziehen am menschlichen Auge in schneller Abfolge Bilder vorbei, die einen Vorgang in kleine Schritte unterteilen, entsteht die Illusion einer Bewegung. Um Fotos zu bewegen, benötigt man daher eine Kamera, die sehr schnell sehr viele Bilder »schießt«.

Filmkameras nehmen in der Regel 24 Bilder in der Sekunde auf, wobei man den Filmstreifen anfangs noch von Hand mit einer Kurbel auf eine Spule wickelte – daher der Ausdruck »einen Film drehen«. Bei großen Kinoproduktionen ist dieser Streifen meist 35 Millimeter breit und drei bis vier Kilometer lang! Im Kino saust die Filmrolle dann mit der gleichen Geschwindigkeit durch den Projektor, in der gedreht wurde. 24 Bilder pro Sekunde: Das menschliche Auge ist zu langsam, um da noch Einzelaufnahmen zu unterscheiden.

In den Anfängen galt der Film dabei als bloße Spielerei. Kritiker sagten ihm keine große Zukunft voraus: Sie hielten ihn für eine billige Jahrmarktsattraktion, und tatsächlich zeigten die ersten Filme nichts als Alltagsszenen und alberne Sketche. Doch das änderte sich rasch. Schon nach wenigen Jahren entstanden große Filmkunstwerke. Der deutsche Gruselkrimi *Das Cabinet des Dr. Caligari* (1919) etwa oder der Film *Metropolis,* den der Regisseur Fritz Lang 1927 mit bis dahin einzigartigem Aufwand in Berlin drehte.

Diese Filme trumpften mit komplizierten Geschichten, beeindruckenden Kulissen und technischen Tricks auf. Noch aber wurde in Schwarz-Weiß gedreht – und ohne Ton. Unterhielten sich die Schauspieler, wurden Texttafeln eingeblendet. Ein Pianist spielte live die Filmmusik. Die Schauspieler bewegen sich in diesen alten Stummfilmen oft seltsam übertrieben, fast wie Pantomimekünstler. Das änderte sich erst in den ersten Tonfilmen, die von 1926 an zu sehen waren. 1935 kam dann der erste abendfüllende Farbfilm in die Kinos.

Das Filmedrehen ist heute eine der wichtigsten Künste, wenn nicht die einflussreichste überhaupt. Auf den Festivals in Cannes oder Berlin und bei der jährlichen Verleihung der Oscars

Kamera läuft: Der Regisseur Alfred Hitchcock (Mitte) bei den Dreharbeiten zu einem seiner Filme

zeigen sich Schauspielstars und Regisseure im Blitzlichtgewitter. Und obwohl inzwischen in fast allen Ländern der Erde Filme produziert werden, steht dabei noch immer ein Ort im Mittelpunkt: Hollywood, ein Stadtteil von Los Angeles.

Schuss und Gegenschuss

Dort nahmen von 1911 an mehrere große Filmstudios ihre Arbeit auf: Die Universal Studios, Paramount Pictures, Warner Brothers und andere. »Traumfabriken« werden sie auch genannt, denn wie in Träumen begegnen wir im Kino unseren Sehnsüchten und Ängsten. Aber Filme sind eben auch etwas Fabriziertes. Oft sind Hunderte von Menschen an ihrer Entstehung beteiligt. Man sieht sie im Abspann aufgelistet – vom Drehbuchautor, der die Vorlage geschrieben hat, über den Produzenten, der das Geld organisiert, bis zum Komponisten der Filmmusik.

Wie in einer Fabrik ist auch an einem Filmset (dem Ort, an dem gedreht wird) jeder auf eine Aufgabe spezialisiert: Da sind die Kameraleute, die Kulissenbauer, die Beleuchter, die Schauspielerinnen und Schauspieler mit ihren Betreuern. Der Regisseur überblickt das Geschehen und gibt allen Beteiligten Anweisungen – damit der Film nachher so aussieht, wie er ihn sich vorstellt.

Zahlreiche Helfer gehen ihm zur Hand, darunter Frauen und Männer, die darauf achten, dass die Schauspieler das Richtige anhaben oder nach einer Unterbrechung wieder an der richtigen Stelle stehen – damit später der Anschluss stimmt. Denn die Szenen eines Filmes werden fast nie in der Reihenfolge gedreht, in der sie im Kino zu sehen sind. Immer wieder müssen sich die Schauspieler für oft nur wenige Sekunden in ihre Rolle hineinbegeben. Und oft nehmen die Kameraleute eine Szene mehrmals auf – bis sie gut genug ist und alle wichtigen Einstellungen »im Kasten« sind.

So werden sie etwa ein Duell in einem Western nicht einfach nur aus der Ferne abfilmen – das wäre im Kino ziemlich langweilig. Stattdessen lösen sie die Szene in verschiedene Einstellungen auf: Sie inszenieren das Geschehen, oft mit mehreren Kameras gleichzeitig.

Am Anfang steht meist eine Totale, auf der die ganze Szenerie zu überblicken ist: Der Schurke und der Held des Films schreiten auf einem staubigen Dorfplatz aufeinander zu. Als Nächstes werden Aufnahmen gemacht, die den Zuschauer ins Geschehen hineinziehen. Die Kamera blickt zum Beispiel dem Bösewicht über die Schulter und nimmt das entschlossene Gesicht des Helden ins Visier. Dann umgekehrt. Schuss und Gegenschuss nennen das die Filmexperten. Im weiteren Verlauf wird die Szene aus jedem nur erdenklichen Blinkwinkel gedreht. Vielleicht guckt eine Kamera von hinten zwischen den breit aufgestellten Beinen des einen Revolverhelden hindurch. Vielleicht nimmt sie auch ein Detail auf: einen Schweißtropfen etwa, der einem der Männer über die Stirn rinnt.

Erst im Schneideraum wird ein Film daraus. Früher wurde dort tatsächlich mit der Schere gearbeitet: Die Cutter (von Englisch *to cut* = schneiden) trennten den Filmstreifen durch, wo eine neue Szene beginnen sollte – und klebten einen anderen Bildstreifen daran. Heute geschieht dies am Computer. Der Vorgang ist derselbe: Nachdem die Kamera das Geschehen in unzählige Einstellungen zerlegt hat, setzen es die Cutter neu wieder zusammen. Der Film wird montiert.

Kino bildet daher die Wirklichkeit niemals eins zu eins ab. Es entsteht etwas Neues. Der Film lenkt uns dabei, er manipuliert uns. Wie

Vorläufer der Filmtechnik: Der Wissenschaftler Eadweard Muybridge schaltete 1872 mehrere Kameras hintereinander, um die Bewegungen eines Pferdes festzuhalten

aber funktioniert das? Und wodurch wird ein Film spannend?

Keiner hat das so gut erklärt wie der Regisseur Alfred Hitchcock. Sein Ziel, hat er einmal gesagt, sei es, die Leute im Kino zum Schreien zu bringen. Das ist ihm mehr als einmal gelungen. Allerdings nicht, indem er schockartig grässliche Bilder zeigte. Er arbeitete mit einem Verfahren, das er Suspense nannte.

Die Macht der Filmbilder

Stellen Sie sich vor, sagte er einmal sinngemäß, Sie sehen in einem Film zwei Menschen in einem Café sitzen. Dann, plötzlich, explodiert unter dem Tisch eine Bombe. Sie werden einen Riesenschreck bekommen. Allerdings nur kurz, während die Szene bis dahin vielleicht sehr langweilig war. Aber es geht auch anders: nämlich indem ich Ihnen gleich am Anfang die versteckte Bombe zeige! Nun wissen Sie als Zuschauer etwas, das die Helden des Films nicht wissen. Und Sie bangen: Werden die beiden die Bombe rechtzeitig entdecken? – Das ist Suspense.

Filme, zumal wenn sie auch noch mit Musik unterlegt sind, können durch solche Verfahren heftige Gefühle in uns auslösen. Wir lachen und weinen im Kino, wir erschrecken uns und sind ergriffen – was auch zahlreiche Despoten und Diktatoren schon für sich ausgenutzt haben: um die Menschen nach ihrem Willen zu lenken und zu beeinflussen, mit Propagandafilmen.

Wer sich Filme ansieht, tut deshalb gut daran, sich hin und wieder zu fragen: Was für ein Bild vom Menschen, was für ein Weltbild vermittelt mir ein Film? Denn die Macht der Filmbilder ist ungebrochen; auch wenn wir nicht mehr fürchten – wie die Menschen vor mehr als 100 Jahren –, von einer Lokomotive überfahren zu werden, die auf der Leinwand auf uns zurauscht.

Klapperschlangen: Mit Hilfe des Grubenorgans, eines hochempfindlichen Temperatursinnesorgans in Augenhöhe, können die Schlangen ihre Beute anhand deren Wärmeausstrahlung orten.

sel, die aus nicht abgestreifter Hornhaut entsteht. Sie wird zur Drohung und Abschreckung zitternd bewegt, wodurch ein charakteristisches rasselndes Geräusch entsteht.

Kläranlage [die], eine Anlage zur Reinigung von Abwässern. Je nach der Verschmutzung der Abwässer werden mechanische (Siebe, Filter), biologische (Fäulnisbakterien) oder chemische Verfahren angewandt.

Klarinette [die], ein Holzblasinstrument mit einem schnabelförmigen Mundstück mit schwingendem Blättchen und einem Klappenmechanismus. Die Klarinette ist seit Mozart in der klassischen Musik gebräuchlich.

Klasse [die], eine Ordnungskategorie in der Biologie; ein Tier*stamm* oder ein Pflanzen*stamm* wird in verschiedene *Klassen* unterteilt, die wiederum jeweils mehrere *Ordnungen* umfassen.

Klarinette: Das Instrument hat einen ausdrucksvollen Ton, der in den tiefen Lagen weich, in den hohen Lagen hell und scharf klingt.

Was ist … Klassik

Klassik ist ein Stilbegriff der Kunst, Literatur und Musik, der einen kulturellen Abschnitt bezeichnet, der einen Höhepunkt einer Entwicklung darstellt. Ursprünglich wurde mit dem Begriff der Höhepunkt der griechischen und römischen Kultur bezeichnet, die auch als *klassische Antike* zusammengefasst wird. Im deutschsprachigen Raum von Bedeutung ist die literarische Epoche der *Weimarer Klassik* (auch *Deutsche Klassik*), die von Goethe und Schiller geprägt wurde, sowie die musikalische Epoche der *Wiener Klassik*, in der Haydn, Mozart und Beethoven bestimmend waren (beide Epochen um 1800).

Klassische Literaturepochen: Die frühen klassischen Epochen sind meist mit dem Namen eines einflussreichen Herrschers oder Politikers verbunden, in dessen Umgebung sich Kunst und Literatur entfalteten. Die griechische Klassik fällt in das Zeitalter des *Perikles* (5. Jh. v. Chr.), u. a. mit den Dramatikern *Äschylus, Sophokles* und *Euripides*. Als römische Klassik gilt die Zeit des Kaisers *Augustus* (um Christi Geburt), in der die Schriftsteller *Vergil, Ovid, Horaz* und *Catull* wirkten. Die französische Klassik in der Regierungszeit König *Ludwigs XIV.* (1661–1715) wird u. a. von J. B. *Racine*, P. *Corneille* und *Molière* verkörpert. In enger Verbindung mit der höfischen Gesellschaft stand auch die mittelhochdeutsche oder staufische Klassik (ca. 1190–1210): Im Minnesang und im Ritterepos wurde das Ideal des christlichen Ritters ausgestaltet. Die großen Lyriker dieser Zeit waren *Reinmar von Hagenau, Heinrich von Morungen* und *Walther von der Vogelweide*, zu den bedeutenden Epikern zählen *Hartmann von Aue* (»Erec«, »Der arme Heinrich«), *Gottfried von Straßburg* (»Tristan«) und *Wolfram von Eschenbach*

(»Parzival«) sowie der unbekannte Verfasser des »Nibelungenlieds«.

Weimarer Klassik: Die Weimarer Klassik umfasst die rund 20 Jahre von *Goethes* Italienreise (1786) bis zu *Schillers* Tod (1805) und ist im Grunde auf das Schaffen dieser beiden Dichter beschränkt. In ihrem Zusammenwirken vereinte die Epoche die gegensätzlichen Tendenzen von *Sturm und Drang* und *Aufklärung* und orientierte sich am antiken Kunstideal. Geprägt vom philosophischen Einfluss des *Deutschen Idealismus* betonte die Weimarer Klassik den Humanitätsgedanken und strebte durch Formstrenge, Sittlichkeit und Bildung eine Harmonie zwischen Mensch und Natur, Individuum und Gesellschaft an. Die wichtigste literarische Gattung war das Drama. Zu den bedeutendsten Werken der Weimarer Klassik gehören Goethes Dramen »Iphigenie«, »Egmont«, »Tasso« und »Faust«, das Epos »Hermann und Dorothea«, der Roman »Wilhelm Meister« sowie seine Balladen und Lyrik. Zu Schillers klassischen Werken zählen die Dramen »Wallenstein«, »Maria Stuart«, »Die Jungfrau von Orléans«, »Die Braut von Messina« und »Wilhelm Tell« sowie die Balladen und Gedankenlyrik.

Wiener Klassik: Nach dem Tod J. S. *Bachs* im Jahre 1750 hatte sich das Musikschaffen von Italien nach Mitteleuropa verlagert, besonders Wien entwickelte sich zu einem bedeutenden musikalischen Zentrum. Die Jahrzehnte von 1770 bis 1830, in denen die Komponisten J. *Haydn*, W. A. *Mozart* und L. van *Beethoven* in dieser Stadt wirkten, gelten als besonders schöpferische Epoche der europäischen Musik. Sonate, Sinfonie, Kammermusik und Oper erhielten in dieser Zeit ihre ausgeprägte Form. So bekam z. B. die Oper eine dramatischere Handlung, in der Instrumentalmusik spielte die Virtuosität des Vortrags eine große Rolle. Die geistliche Musik trat hinter der weltlichen zurück.

Klassizismus [der], eine Kunstrichtung in der Zeit des 18. und 19. Jh., die sich am Vorbild der *Klassik* orientiert, ohne jedoch die Ausdrucksstärke der echten Klassik zu erreichen.

Klavier [das], *Piano,* Tasteninstrument, dessen Saiten durch kleine Hämmer zum Klingen gebracht werden, die sich durch Tastendruck in Bewegung setzen.

Klee [der], eine Gattung von Kräutern mit gefingerten Blättern und in Trauben oder Dolden stehenden Schmetterlingsblüten. Bei uns ist der Wiesenklee am häufigsten. Angebaut wird Klee als Futter- oder als Düngepflanze.

Klee, Paul, *1879, †1940; schweizerischer Maler und Grafiker. Klee war einer der bedeutendsten Vertreter der modernen Kunst, in der sich abstrakte und gegenständliche Tendenzen verbinden. Er gehörte zur Künstlergruppe des »Blauen Reiters« und war Lehrer am *Bauhaus.*

Kleinasien, *Anatolien,* eine Bezeichnung für die vorderasiatische Halbinsel zwischen Schwarzem Meer und Mittelmeer. Kleinasien deckt sich heute weitgehend mit der *Türkei.*

Kleist, Heinrich von, *1777, †1811 (Selbstmord); deutscher Dichter, der zwischen Romantik und Klassik steht. Kleist wird heute zu den größten deutschen Dramatikern gezählt. Zu seinen bedeutendsten Werken zählen »Penthesilea«, »Käthchen von Heilbronn« und das Lustspiel »Der zerbrochene Krug«. Er schrieb auch Novellen wie »Michael Kohlhaas«, »Die Marquise von O.«

Kleopatra, *um 68 v. Chr., †30 v. Chr.; ägyptische Königin. Kleopatra war die letzte Herrscherin des Geschlechts der Ptolemäer. Während ihrer Herrschaft eroberten die Römer unter *Cäsar* Ägypten. Sie wurde Cäsars Geliebte. Nach Cäsars Tod heiratete sie einen seiner Nachfolger, Marcus Antonius. Nachdem Ägypten in einer späteren Entscheidungsschlacht Rom endgültig unterlegen war, beging sie Selbstmord.

Klerus [der], Stand der katholischen Geistlichen gegenüber den *Laien.*

Klima [das], Bezeichnung für die charakteristischen Witterungserscheinungen während eines längeren Zeitraums in einem bestimmten Gebiet. Das Klima wird bestimmt durch die Berechnung statistischer Mittel- und Extremwerte in ihrem jahreszeitlichen Verlauf. Es wird nach verschiedenen Gesichtspunkten in Klimazonen untergliedert: Nach den Temperaturverhältnissen unterscheidet man *kalte Zonen* (durchschnittliche Temperatur um und unter 0 °C), *gemäßigte Zonen* (um 8°C), *Subtropen* (um 18 °C) und *Tropen* (um 25 °C). Eine andere Gliederung beruht auf der Betrachtung der Niederschlagsverhältnisse: Man spricht von *humidem* (= feuchtem) *Klima*, wenn die Niederschläge höher sind als die Verdunstung, von *aridem* (= trockenem) *Klima*, wenn die Verdunstung die Niederschläge übersteigt, und von Schnee- oder *nivalem Klima*, wenn die Niederschläge vorwiegend als Schnee fallen. Den Einfluss der Land-Meer-Verteilung auf das Klima berücksichtigt man durch die Unterscheidung von *maritimem* (See-)*Klima* mit ausgeglicheneren Temperaturen und einer höheren Luftfeuchtigkeit und *kontinentalem* (Land-)*Klima* mit größeren täglichen und jahreszeitlichen Temperaturschwankungen und einer geringen Luftfeuchtigkeit. Komplexere Klimaklassifikationen berücksichtigen gleich mehrere Klimamerkmale (vor allem Temperatur und Niederschlagsverhältnisse). Eine solche Klimaklassifikation weist dann große Parallelen zur Untergliederung der Erde in Vegetationszonen auf.

Das Klima unterliegt unregelmäßigen, lang- oder kurzfristigen Veränderungen. Diese *Klimaschwankungen* werden meist auf natürliche Ursachen zurückgeführt, wie Änderungen des Staubgehalts in der Stratosphäre (z. B. durch große Vulkanausbrüche, deren Aschemassen einen abkühlenden Effekt haben, indem sie einen Teil der Sonnenstrahlung zurückstreuen), des Weiteren Änderungen der Meeresströmungen oder Eisausbrüche in Arktis und Antarktis. Heutzutage werden aber vor allem auch die von Menschen verursachten Faktoren und deren Auswirkung auf die Zusammensetzung der Atmosphäre diskutiert. Auch → Wetter, ZEIT-Beitrag → »Klimawandel: Hat die Erde Fieber?«, Seite 164–167.

Klimt, Gustav, * 1862, † 1918; österreichischer Maler. Er war der Hauptvertreter der Wiener Jugendstilmalerei. Seine Bilder (oft Damenporträts und Frauenfiguren) zeichnen sich durch Farbenpracht und schmuckreich gestaltete Flächen aus.

Klinsmann, Jürgen, * 1964; deutscher Fußballspieler und -trainer. Ab 1987 spielte er in der deutschen Nationalmannschaft und gewann 1990 mit ihr den Weltmeistertitel und 1996 den Europameistertitel. »Weltfußballer des Jahres« 1995. 1999 beendete er seine Karriere als aktiver Sportler. 2004–2006 war er Bundestrainer der deutschen Nationalmannschaft.

Klitoris [die], ein Teil der weiblichen → Geschlechtsorgane.

Kloakentiere [Pl.], urtümliche Gruppe eierlegender → Säugetiere Australiens sowie der nahen Inseln; davon leben heute nur noch die Familien der *Ameisenigel* und der *Schnabeltiere.*

Klonen [das], gentechnische Methode, um Gene in andere Zellen zu verpflanzen, dort zu vermehren und die Genprodukte (z. B. Insulin) später zu gewinnen. Die Methode ist außerdem dazu geeignet, genetisch identische Nachkommen *(Klone)* von Pflanzen, Tieren oder Menschen zu erzeugen.

Kloster [das, lat., »abgeschlossener Raum«], von der Außenwelt abgeschlossener Lebensbereich von Mönchen oder Nonnen. Die europäischen Klöster entstanden aus den Einsiedeleien, ihre älteste Form wurde von den *Benediktinern* entwickelt. Den Mittelpunkt eines Klosters bildete die Kirche mit dem anschließenden Kreuzgang. Darum gruppierten sich

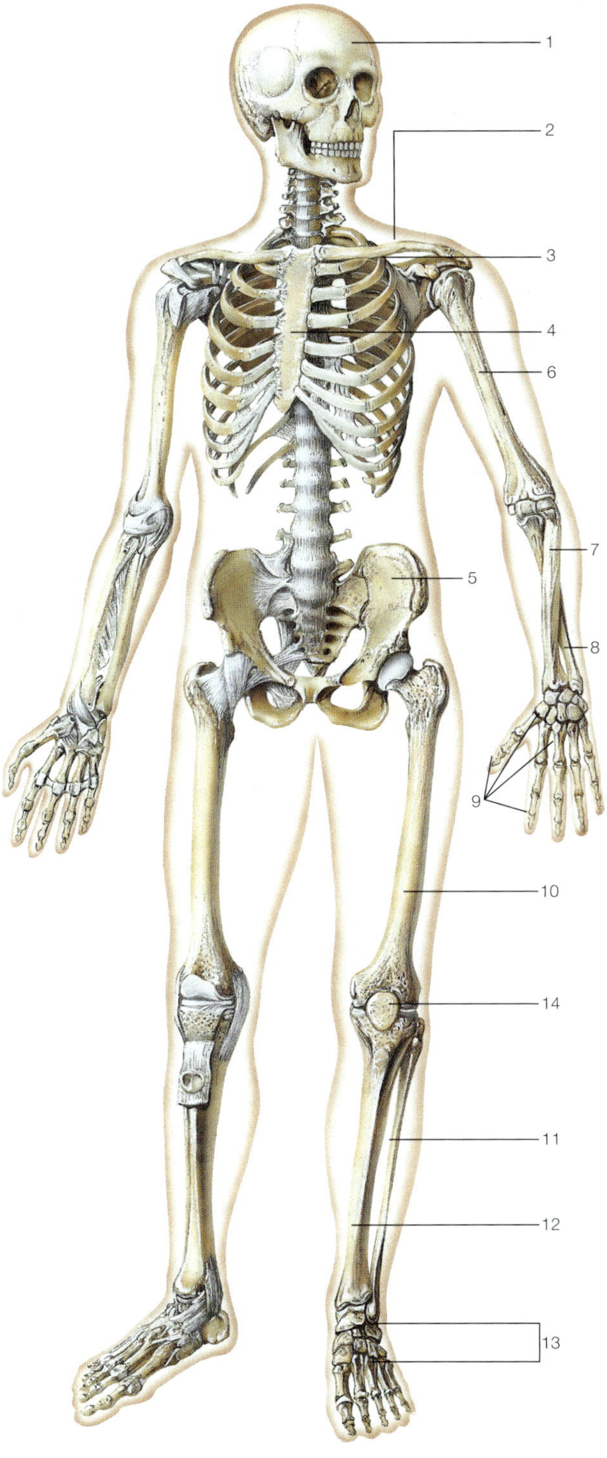

Knochen: Das menschliche Skelett besteht aus über 200 Knochen. Der Schädel (1) setzt sich aus 22 Schädelknochen zusammen. Der Rumpf besteht aus dem Schultergürtel mit den Schlüsselbeinen (2) und den Schulterblättern (3), aus dem Brustkorb mit Rippen und Brustbein (4) sowie aus dem Beckengürtel (5). Die Arme setzen sich aus einem Oberarm- (6), zwei Unterarm- (7, 8) und den Handknochen (9) zusammen. Die Beine bestehen aus Oberschenkelknochen (10), der Kniescheibe (14), Waden- (11) und Schienbeinknochen (12) sowie den Fußknochen (13). Das verbindende Element zwischen den Skeletteilen ist die Wirbelsäule.

die Räume der Patres (Mönche mit Priesterweihe) mit Speisesaal (Refektorium), Schlafsaal (Dormitorium) und Versammlungssaal (Kapitelsaal). Die Fratres (Mönche ohne Priesterweihe) hatten besondere Räume. Im Mittelalter waren Klöster zugleich Schulen, Krankenhäuser und Zufluchtsstätten für Schutzlose. Sie entwickelten eine mustergültige landwirtschaftliche Arbeit und waren Zentren von Kunst und Wissenschaft. Wertvolle Klosterbüchereien entstanden.

km, Kurzzeichen für *Kilometer;* 1 km = 1000 m.

Knallgas [das], Mischung von Wasserstoff mit Sauerstoff (oder Luft), die bei Entzündung explosionsartig verbrennt.

Knoblauch [der], eine zu den Liliengewächsen gehörende, 30–100 cm hohe Pflanze mit einer Zwiebel, die aus zahlreichen »Zehen« aufgebaut ist und als scharfes Gewürz verwendet wird. Der scharfe Geruch rührt vom Knoblauchöl her.

Knochen [der], die feste Stützsubstanz des → Skeletts der Wirbeltiere. Dieses besteht beim Menschen aus über 200 einzelnen Knochen. Sie geben den Weichteilen des Körpers Halt und schützen die Organe (z. B. das Gehirn). Untereinander sind die Knochen durch Bänder und Gelenke beweglich miteinander verbunden. Knochen sind von der *Knochenhaut* umgeben, an der Sehnen und Muskeln ansetzen. Das Knochengewebe besteht aus Wasser, Eiweiß (Kollagen) für die Elastizität und Calciumverbindungen, die das Gewebe härten. Die Knochensubstanz ist von Kanälen

Fortsetzung → Seite 168

Wetterdaten, über Jahre gesammelt wie in dieser Station auf der Zugspitze, ergeben ein Bild vom Klima

Klimawandel

Hat die Erde Fieber?

Von Max Rauner

Anfang der siebziger Jahre dachten die meisten Wissenschaftler, die Erde werde sich abkühlen. Die Forscher waren alarmiert: In aller Welt schienen die Gletscher zu wachsen, Nordpol und Südpol kühlten stärker ab als in den Jahren zuvor! Stand die Welt vor einer neuen Eiszeit? Die Angst vor einer globalen Abkühlung ging um. Die Menschheit war offensichtlich mit schuld: Sie verschmutzte die Luft mit Auto- und Industrieabgasen. Der Smog trübte die Luft und hielt das Sonnenlicht fern. Nun kam es darauf an, das schlimmste zu verhindern. Einige Experten wollten Nord- und Südpol mit schwarzen Folien abdecken, um mehr Sonnenlicht aufzufangen und die Erde aufzuheizen. Militärs schlugen vor, mit Atombomben ein paar unterseeische Berge wegzusprengen, um wärmeres Wasser in die Arktis zu leiten. Andere wollten mehr Abgase in die Luft blasen, um die Atmosphäre in ein Treibhaus zu verwandeln. Weitere Maßnahmen wurden sogar auf einem amerikanisch-russischen Gipfeltreffen diskutiert.

Angst vor der Erderwärmung

Aus heutiger Sicht erscheint uns diese Angst vor der globalen Abkühlung geradezu verrückt – aber auch merkwürdig vertraut: Verrückt, weil Wissenschaftler heute dauernd vor dem Gegenteil warnen, einer globalen Erwärmung. Vertraut, weil es auch heute wieder eine große Angst vor dem Klimawandel gibt. Diesmal warnen die Wissenschaftler vor steigenden Meeresspiegeln, Missernten und extremen Wetterereignissen. Und wieder wollen Politiker etwas dagegen tun, mit Sonnen- und Windenergie, sparsamen Autos und besser isolierten Häusern.

Ist das nur »Panikmache«, wie der Historiker Wolfgang Behringer schimpft? Oder müssen wir die Forscher diesmal beim Wort nehmen und schleunigst Energiesparlampen kaufen, um die Welt zu retten?

Das Klima simulieren

Ganz so beliebig, wie es scheint, sind die Prognosen der Wissenschaftler nicht. Seit den siebziger Jahren hat sich einiges getan, und es gibt gute Gründe anzunehmen, dass auf die Vorhersagen der Klimaforscher heute mehr Verlass ist als damals. Es gibt inzwischen viel mehr Daten über die Klimavergangenheit der Erde. Es gibt Wettersatelliten, die Temperaturen, Regenfälle, Meeresströmungen und Eisbedeckung sehr genau bestimmen können. Und es gibt Supercomputer, mit denen sich das Klima simulieren lässt.

Klima ist nicht das Gleiche wie Wetter. Ein verregneter Sommer an der Ostseeküste oder ein warmer Winter in den Alpen ist für sich allein noch kein Beweis für eine Veränderung des Klimas. Erst wenn aus vielen Sommern und Wintern Durchschnittswerte für Regen, Wind und Temperaturen vorliegen, reden Wissenschaftler vom Klima. Klima, sagen sie, ist die Statistik des Wetters. Klima ist also eine Art Durchschnittswetter. Daher lässt sich das Klima auch über viele Jahrzehnte vorhersagen, während der Wetterbericht nicht einmal vier Tage in die Zukunft schauen kann. Die Potsdamer Klimaforscher Stefan Rahmstorf und Hans Joachim Schellnhuber vergleichen das mit einem Topf kochenden Wassers: »Wettervorhersage gleicht dem Versuch, zu berechnen, wo die nächste Blase aufsteigen wird.« Das ist fast unmöglich. Eine »Klimaaussage« sei dagegen, dass die Temperatur des kochenden Wassers 100 Grad betrage. Das lässt sich leicht messen.

Die globale Temperatur an der Erdoberfläche ist so ein Durchschnittswert, eine Zahl mit hohem Symbolwert, denn die globale Temperatur ist so etwas wie die Körpertemperatur des Menschen. Für die Erde lautet die Diagnose seit Jahren: globale Erwärmung, leichtes Fieber. Von 1900 bis heute ist die globale Durchschnittstemperatur um

Ausgetrockneter See in Andalusien (Spanien): Höhere Temperaturen führen an vielen Orten zu Dürre

0,7 Grad angestiegen. Sie liegt heute bei 14,5 Grad Celsius. Die elf vergangenen Jahre gehören sogar zu den zwölf wärmsten Jahren, seit es regelmäßige Wetteraufzeichnungen gibt, also seit ungefähr 1850. Wissenschaftler sagen vorher, dass die globale Temperatur bis zum Jahr 2100 weiter steigen wird: um zwei bis vier Grad.

Über die Ursache der Erwärmung wurde lange gerätselt. Strahlt die Sonne intensiver? Gibt es mehr Wolken, die die Erde gleichsam wie eine Bettdecke wärmen? Oder sind Abgase wie Kohlendioxid schuld, die die Atmosphäre in ein Treibhaus verwandeln? Heute sind sich die meisten Wissenschaftler einig, dass Letzteres stimmt: Die globale Erwärmung wird zum Großteil von den Abgasen der Menschen verursacht, vor allem durch Kohlendioxid. Das Gas entsteht bei der Verbrennung von Kohle, Gas, Benzin, Diesel und Holz. Kohlendioxid in der Atmosphäre wird von der Wärmestrahlung der Erde aufgeheizt und reflektiert einen Teil der Wärme wieder zurück zur Erde. Das funktioniert ähnlich wie in einem Gewächshaus oder Treibhaus, wo die Sonne durch das Glasdach scheint und die Wärme dann im Innern zurückgehalten wird. Darum sprechen Wissenschaftler auch vom Treibhauseffekt und nennen Kohlendioxid ein Treibhausgas.

Wenn die Gletscher schmelzen

Warum ist die globale Erwärmung ein Problem? Es gibt eine Reihe von Gründen: Im Norden Russlands tauen die Dauerfrostböden auf und verwandeln sich in Sumpflandschaften. Häuser und Straßen, die einst auf hartem, frostigem Untergrund gebaut wurden, stürzen ein. In Deutschland sagen Klimaforscher eine Zunahme von Wetterextremen voraus. Ereignisse wie das Elbehochwasser 2002 und die Hitzewelle ein Jahr später wären dann keine Seltenheit mehr. Ob auch die vielen Hurrikans in den USA bereits eine Folge des Klimawandels sind, ist noch umstritten. Laut den Prognosen des Weltklimarates wird der Meeresspiegel bis 2100 um einen halben Meter steigen, vor allem deshalb, weil sich das Wasser ausdehnt, wenn es wärmer wird, aber auch durch schmelzendes Eis von Grönland und dem Südpol. Einige Forscher rechnen sogar mit einem Anstieg um bis zu zwei Meter.

Auch in der Vergangenheit war das Klima freilich keineswegs konstant. Seit Millionen von

Gefährliche Abgase: Kohlenstoffdioxid (CO_2) trägt maßgeblich zur Erwärmung der Atmosphäre bei

Verwüstungen durch den Hurrikan Katrina (2005): Eine Folge des Klimawandels?

Jahren schwankt die Temperatur immer wieder dramatisch. In Warmzeiten wie vor 100 Millionen Jahren, als die Dinosaurier die Erde bevölkerten, war der Globus eisfrei, und der Meeresspiegel lag 200 Meter höher als heute. Vom Kölner Dom hätte man damals nur die Spitzen gesehen.

Eiszeiten und Hitzeperioden

In Eiszeiten wiederum überdeckten Gletscher aus Skandinavien meist weite Teile Norddeutschlands, sie lagen über dem heutigen Berlin und reichten bis zum Harz. Noch während der letzten Eiszeit um 20000 v. Chr. war so viel Eis zu Gletschern gefroren, dass der Meeresspiegel um mehr als 100 Meter tiefer lag als heute. Man hätte trockenen Fußes von England nach Frankreich gehen können, weite Teile der heutigen Nordsee waren Festland, und auch zwischen Alaska und Russland gab es eine Landbrücke.

Der Klimawandel beschleunigte die Besiedelung der Kontinente und die Evolution des Menschen. Er setzte Tierarten und Vorfahren des Menschen zwar unter extremen Stress, viele Arten starben sogar aus. Andere hatten aber plötzlich einen Überlebensvorteil in der veränderten Landschaft, etwa weil sie aufrecht gingen und das Grasland besser überblicken konnten.

Ohne Klimawandel wäre die Geschichte anders verlaufen, sehr wahrscheinlich gäbe es heute keine Menschen. Drastische Klimaveränderungen mitzuerleben ist allerdings kein Spaß. Klimawandel bedeutet Veränderung, Anpassungsdruck, Völkerwanderungen, und die führen oft zu Kriegen und Verteilungskämpfen. Zum ersten Mal in der Erdgeschichte beeinflusst dabei heute eine Spezies – der Mensch – das Klima im globalen Maßstab selbst mit. Der Mensch hat es daher auch in der Hand, die globale Erwärmung wieder zu verlangsamen.

durchzogen, in denen Nervenbahnen und Blutgefäße verlaufen. Nach ihrer Form unterscheidet man *lange* oder *Röhrenknochen* (beim Menschen Oberarm- oder Oberschenkelknochen) und *platte* oder *breite* Knochen (beim Menschen Schulterblätter, Schädelknochen). Im Innern der Röhrenknochen findet sich ein weiches Gewebe, das *Knochenmark*. In ihm werden die roten Blutkörperchen gebildet.

Knochenfische [Pl.], eine Klasse der Wirbeltiere, der die meisten der heutigen → Fische angehören. Im Gegensatz zu den *Knorpelfischen* ist bei ihnen das Skelett mehr oder weniger verknöchert.

Knorpel [der], ein sehr festes, aber elastisches Stützgewebe, das bei Wirbeltieren neben dem Knochen vorkommt. Es besteht aus rundlichen Knorpelzellen und einer gallertartigen Grundsubstanz. Es befindet sich vor allem zwischen den Gelenken, in der Nase und im äußeren Ohr.

Knorpelfische [Pl.], eine Klasse der Wirbeltiere, die ihre Blütezeit im Karbon hatte. Knorpelfische haben ein knorpeliges Skelett und eine knorpelige Schädelkapsel. Ihre zahlreichen Zähne stehen in Reihen hintereinander und werden fortlaufend erneuert. Viele Knorpelfische bringen lebende Junge zur Welt. Zu den Knorpelfischen zählen *Haie, Rochen* und *Seedrachen*. Auch → Fische.

Knossos: Die gesamte Anlage des minoischen Palastes umfasste eine Fläche von ca. 10 000 m².

Koalas bewegen sich recht behäbig fort, deshalb nennt man sie auch die »Faultiere Australiens«.

Knossos, der Hauptort des alten Kreta mit dem Herrschersitz des sagenhaften Königs *Minos*. In Knossos lebte und wirkte auch *Daidalos*, der das berühmte Labyrinth gebaut haben soll.

Knoten [der], **1.** die Verknüpfung von Fäden. **2.** Kurzzeichen kn, die Maßeinheit für die Geschwindigkeit von Schiffen. 1 kn = 1 Seemeile (1,852 km) je Stunde.

Know-how ['nəu 'hau, das, engl., »wissen wie«], das theoretische Wissen, wie man praktisch etwas macht, z. B. in der Wirtschaft.

K.o., Abkürzung für *Knock-out*, Niederschlag beim Boxen, nach dem der betroffene Boxer mindestens 10 Sekunden kampfunfähig ist.

Koala [der], *Beutelbär*, ein bis 75 cm großes Beuteltier mit kurzem Stummelschwanz und dichtem, wolligem Fell. Es lebt in Australien und ernährt sich ausschließlich von Eukalyptusblättern. Die Jungen der Koalas bleiben noch 6 Monate nach der Geburt im Beutel der Mutter. Die Koalas sind das Urbild des »Teddybären«. Durch die Vernichtung der Eukalyptuswälder sind sie heute vom Aussterben bedroht.

Koalition [die, franz., »Bündnis«], eine Vereinigung, ein Zusammenschluss von Staaten oder Parteien mit einem bestimmten Ziel.

Kobalt [das], ein chemisches Element mit dem Zeichen Co. Das stahlgraue, glänzende, magnetische Metall wird vorwiegend aus kobalthaltigen Kupfererzen gewonnen. Es wird vor allem als Bestandteil von Legierungen in Dauermagneten und Hartmetallen verwendet. Ein radioaktives *Kobalt-Isotop* wird in der Medizin zur Strahlentherapie eingesetzt.

Koblenz, eine Stadt in Rheinland-Pfalz, an der Mündung der Mosel in den Rhein, 108 000 Einwohner. Die Stadt ist das Zentrum des Weinbaus und Weinhandels.

Kobra [die], *Brillenschlange,* eine besonders in Indien vorkommende Giftnatter. Die Kobra kann beim Aufrichten des Vorderkörpers mit Hilfe ihrer verlängerten Halsrippen die Nackenhaut spreizen. Auf der Rückseite des Nackenschildes wird dabei die typische schwarzweiße Brillenzeichnung sichtbar. Brillenschlangen werden in Indien zur Schlangenbeschwörung verwendet. Dabei bewegen sie sich nicht zur Musik – sie können nämlich gar nicht hören –, sondern folgen den Bewegungen der Flöte. Verwandte der Brillenschlange gibt es in Afrika, z. B. die *Speikobra,* die ihren giftigen Speichel einem Angreifer 2–3 m weit entgegenschleudern kann.

Koch, Robert, *1843, †1910; deutscher Arzt und Bakteriologe. Koch gilt als Begründer der modernen Bakteriologie. Er entdeckte die Erreger von Milzbrand, Tuberkulose und Cholera und erhielt 1905 den Nobelpreis für Medizin.

Koexistenz [die], das Existieren (Bestehen) unterschiedlicher politischer Auffassungen und Systeme nebeneinander.

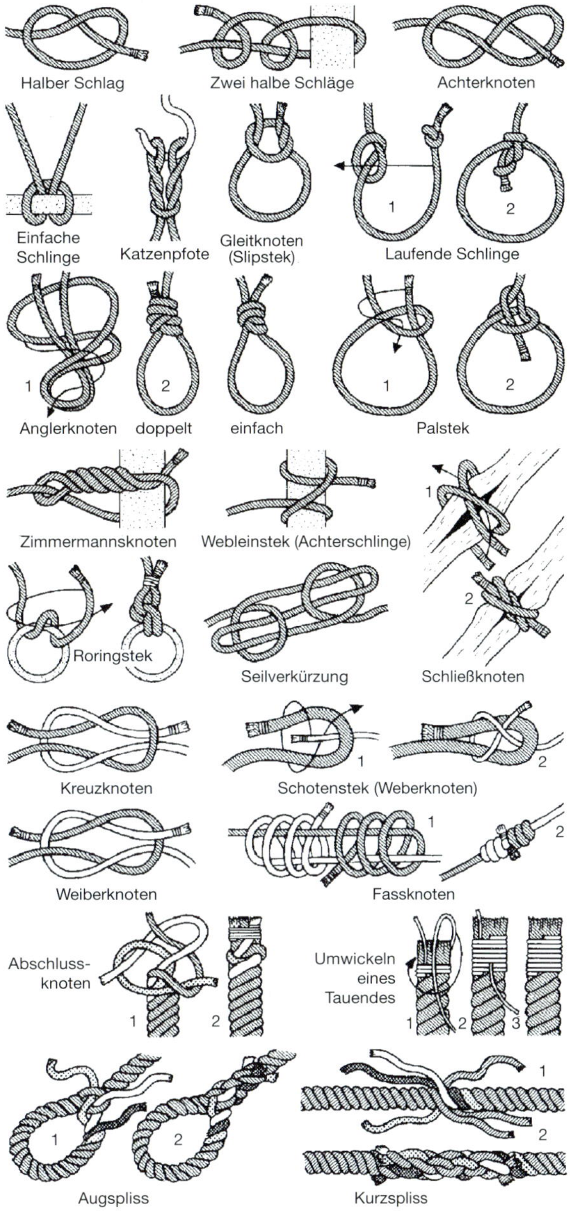

Knoten: In der Schifffahrt ist ein Knoten u.a. die Verknüpfung zweier Tampen (Leinenenden) oder die haltbare Verschlingung eines Tampens. Grundsätzlich werden Schlag, Stek und Knoten voneinander unterschieden.

Koffein [das] → Coffein.

Kohäsion, Zusammenhaften von Atomen und Molekülen gleicher Art.

Helmut Kohl

Kohl, Helmut, * 1930; deutscher Politiker, erster gesamtdeutscher Kanzler. Er war 1969–1976 der Ministerpräsident von Rheinland-Pfalz, 1973 bis 1998 der Vorsitzende der CDU und 1982 bis 1998 Bundeskanzler. Nach dem Umsturz in der DDR 1989 realisierte die Regierung Kohl 1990 die deutsche Einheit. In den 1990er Jahren widmete sich Kohl dem Aufbau einer europäischen Union. 2000 legte er sein Amt als Ehrenvorsitzender der CDU, das er seit 1998 bekleidete, im Zusammenhang mit einer Parteispendenaffäre nieder.

Kohle [die], ein Gestein. Kohle ist aus Bäumen und anderen Pflanzen entstanden, die vor etwa 300 Mio. Jahren auf der Erde wuchsen. Dabei entwickelten sich aus den Sumpfwäldern und waldreichen Mooren zunächst Torfmoore, die nach und nach von Sand und Gestein zugeschüttet wurden. Unter dem Druck und unter Luftabschluss verwandelte sich der Torf allmählich in Braunkohle. In noch längeren Zeiträumen und bei noch höherem Druck und höherer Temperatur entstand schließlich Steinkohle mit einem größeren Gehalt an Kohlenstoff. Torf, der sich in Mooren bildet, hat einen sehr hohen Wassergehalt und enthält 40–60% Kohlenstoff. *Braunkohle* ist vor etwa 40 bis 50 Mio. Jahren im Tertiär entstanden. Sie hat ein bröckeliges, mitunter auch holziges Gefüge von brauner bis schwarzer Farbe und enthält 60–70% Kohlenstoff. Sie wird meist im Tagebau abgebaut. Da Braunkohle einen geringeren Heizwert hat als Steinkohle, wird sie häufig gleich an Ort und Stelle zu Briketts verarbeitet oder zur Erzeugung von Elektrizität verwendet. Durch Erhitzen unter Ausschluss von Sauerstoff werden Teere, Öle, Benzin, Gas, Paraffin u. a. aus Braunkohle gewonnen. *Steinkohle* ist vor allem aus Farnen, Schachtelhalmen und Bärlappgewächsen des Karbons (vor etwa 250–280 Mio. Jahren) entstanden. Sie ist dicht, hart, hat einen fetten Glanz und ist schwarz. Ihr Gehalt an Kohlenstoff beträgt 70–90%. Die Ge-

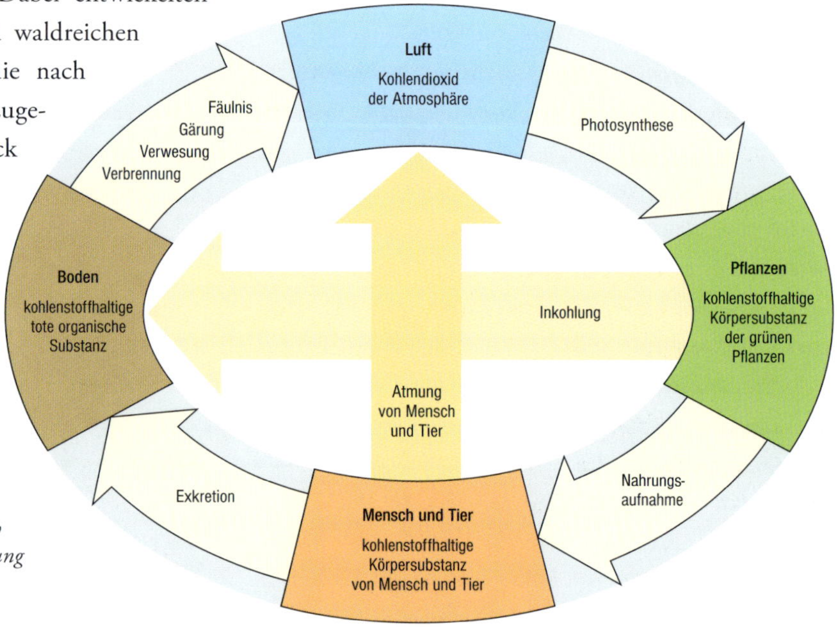

Kohlenstoff: Der Kohlenstoffkreislauf ist Grundlage des Lebens auf der Erde. Die Pflanzen entnehmen das Kohlendioxid der Atmosphäre oder dem Wasser und verarbeiten es in der Photosynthese zu organischen Stoffen. Davon ernähren sich die Pflanzenfresser, die wiederum den Fleischfressern als Nahrungsgrundlage dienen. Bei der Zersetzung der Tierkörper und beim Abbau der Pflanzen wird das Kohlendioxid wieder frei. Die Verbrennung von Kohle und Erdöl durch den Menschen führt ebenso wie die Atmung den Kohlenstoff in den Kreislauf zurück.

winnung von Steinkohle erfolgt meist im Untertagebau (d. h. in Deutschland bis in 1500 m Tiefe). Durch Verkohlung von Steinkohle werden Koks, Teer und Gas gewonnen, durch Verflüssigung wird Kohle in Treibstoffe und Schmierstoffe umgewandelt. *Anthrazit* ist eine besonders harte, hochwertige Steinkohle. *Holzkohle* wird aus Holz hergestellt, das unter Luftabschluss erhitzt wird. Kohle enthält außer Kohlenstoff noch Wasserstoff, Sauerstoff, Stickstoff und Schwefel. Bei der Verbrennung entstehen Stickoxide und Schwefeloxide, die wesentlich zur Umweltverschmutzung beitragen, außerdem Kohlendioxid, das im Verdacht steht, den → Treibhauseffekt auszulösen.

Kohlendioxid [das], ein farbloses, geruchloses und unbrennbares Gas (CO_2), das zu 0,03% in der Luft enthalten ist. Kohlendioxid entsteht bei allen Verbrennungsprozessen, bei der Atmung, der Gärung und der Zersetzung organischer Stoffe. Unter dem Einfluss des Sonnenlichts bilden die Pflanzen aus Kohlendioxid Kohlenhydrate und geben den im Kohlendioxid enthaltenen Sauerstoff an die Luft ab (→ Photosynthese). In Wasser gelöst bildet Kohlendioxid *Kohlensäure*, die vielen Mineralwässern zugesetzt wird.

Kohlenhydrate [Pl.], organische Verbindungen, die sich aus Kohlenstoff, Wasserstoff und Sauerstoff zusammensetzen. Sie werden von den Pflanzen in der → Photosynthese aufgebaut. Kohlenhydrate dienen als Energielieferanten *(Zucker),* Reservestoffe *(Stärke, Glykogen)* und als Stützsubstanzen *(Cellulose, Chitin).* Sie sind neben Fett und Eiweiß Grundbestandteile unserer Ernährung.

Kohlenmonoxid [das], CO, ein farbloses und geruchloses, sehr giftiges Gas, das bei der unvollständigen Verbrennung von kohlenstoffhaltigen Substanzen (wie Benzin, Kohle, Holz) entsteht. Bereits geringe Mengen Kohlenmonoxid in der Atemluft führen zum Tode, da Kohlenmonoxid das zum Sauerstofftransport im Körper notwendige Hämoglobin im Blut blockiert.

Kohlensäure [die], eine schwache Säure, die durch das Lösen von Kohlendioxid in Wasser entsteht.

Kohlenstoff [der], ein chemisches Element mit dem Zeichen C. Kohlenstoff kommt in elementarer Form als Graphit oder Diamant vor. Gebunden ist er Bestandteil von Gesteinen, Tieren, Pflanzen, der Luft und des Wassers. Die Vielzahl der Kohlenstoffverbindungen beruht auf der Fähigkeit des Kohlenstoffs, sich in fast unbegrenztem Umfang mit sich selbst und anderen Elementen zu verbinden.

Kohlenwasserstoffe [Pl.], alle chemischen Verbindungen, die nur aus *Kohlenstoff* und *Wasserstoff* bestehen. Kohlenwasserstoffe sind u. a. Bestandteile von Erdöl, Kohle und Teer.

Horst Köhler

Köhler, Horst, * 1943; ein deutscher Politiker (CDU) und Finanzfachmann. Seit 2004 ist Köhler Bundespräsident.

Kohorte [die], Truppeneinheit des römischen Heers in Stärke von 600 Mann.

Koitus [der], *Coitus,* der Geschlechtsverkehr. Auch → Sexualität.

Kokain [das], eine Substanz, die in den Blättern des Kokastrauches vorkommt. Kokain kann örtlich schmerzlindernd wirken und steigert zentral die Gehirnfunktionen. Es wird als Rauschmittel geschluckt, geschnupft oder gespritzt und kann zur Sucht führen. Abhängige leiden an körperlichen und geistigen Verfallserscheinungen. Auch → Drogen.

Kokon [ko'kõ, der], von den Larven mancher Insekten gesponnene Schutzhülle, in der sie die Verwandlung zum erwachsenen Tier durchmachen, z. B. die Puppenhülle der Schmetterlingsraupen.

Kokoschka, Oskar, * 1886, † 1980; österreichischer Maler, Grafiker und Schriftsteller. Er schuf ausdrucks-

Kokospalme: Die tropische Küstenpalme ist über die ganze Erde verbreitet. Von wirtschaftlicher Bedeutung sind ihre Früchte, die kopfgroßen Kokosnüsse.

volle Porträts, Landschafts- und Städtebilder im Stil des *Expressionismus.* Seine Werke leben aus dem Zusammenspiel kräftiger Farben.

Kokospalme [die], ein tropisches Palmengewächs, dessen Stamm bis zu 30 m hoch wird, mit bis zu 6 m langen Wedeln. Als Lieferant von Fasern und Fett ist sie eine wichtige Nutzpflanze. Die kopfgroße Steinfrucht *(Kokosnuss)* hat unter der äußeren ledrigen Fruchtschicht eine dicke Faserschicht, die die steinharte innere Fruchtschicht einhüllt. Das ölreiche Samenfleisch, getrocknet als *Kopra* bezeichnet, wird zu Speisefett, Seife und Kerzen verarbeitet. Die weiße *Kokosmilch* ist trinkbar.

Koks [der], ein wertvoller Brennstoff, der als fester Rückstand nach starkem Erhitzen von Steinkohle unter Luftabschluss zurückbleibt. Große Stücke werden für Hochöfen und Gießereien, kleine Sorten für Heizzwecke verwendet.

Kolibris [Pl.], eine Familie hummel- bis schwalbengroßer Vögel, die in Amerika von Alaska bis Feuerland vorkommen, die meisten im subtropischen und tropischen Mittel- und Südamerika. Kolibris können im Schwirrflug vor einer Blüte verharren und mit ihren langen, spitzen Schnäbeln und der weit vorstreckbaren, pinselartigen Zunge den Nektar aus Blütenkelchen aufnehmen. Dabei übertragen sie Pollen von einer Blüte auf die andere. Daneben ernähren sie sich auch von Insekten. Sie haben oft ein sehr farbenprächtiges, schillerndes Gefieder. Die im nördlichen Amerika lebenden Kolibris sind Zugvögel, die auf ihren Wanderungen erhebliche Strecken zurücklegen.

Kolik [die], krampfartige, heftige Leibschmerzen, die meist vom Magen oder Darm, von Gallen- oder Nierensteinen ausgehen.

Kollaboration [die, franz., »Zusammenarbeit«], die freiwillige Zusammenarbeit mit dem Feind, der sich im Land befindet; sie wird von den Mitbürgern als ehrenrührig und verbrecherisch empfunden.

Kollaps [der], plötzlicher Schwächeanfall durch Versagen des Kreislaufs oder zu geringer Hirndurchblutung. Ein Kollaps ist häufig mit einer Ohnmacht verbunden.

Kolibris: Im Flug ähneln gerade die kleinen Kolibris mit ihren blitzschnellen Flügelschlägen eher großen Insekten als Vögeln. Sie können in jede Richtung fliegen, auch rückwärts.

Kolibris: Bewegungsablauf beim Schwirrflug des Vogels; die Flügelschläge erfolgen so schnell, dass sie mit dem menschlichen Auge nicht aufzulösen sind (35–80 Schläge/Sekunde).

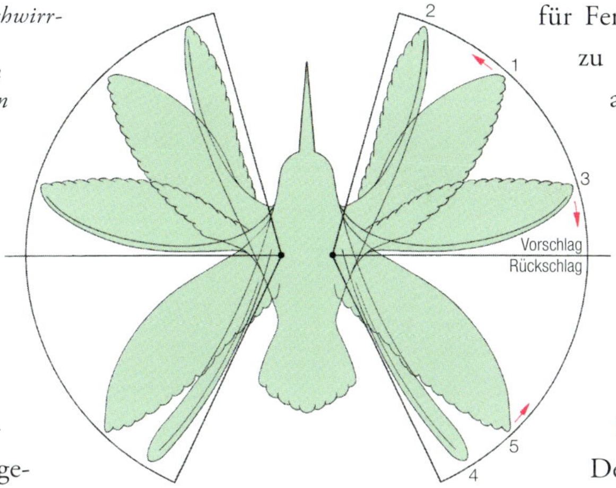

Kolleg [das], eine schulische Einrichtung des zweiten Bildungsweges, z. B. als Funkkolleg.

Kollektiv [das], eine Gemeinschaft (z. B. Arbeitsgemeinschaft, Produktionsgemeinschaft), deren Mitglieder auf genossenschaftlicher Basis ein gemeinsames Ziel verfolgen.

Kollision [die], Zusammenstoß, Zusammenprall.

Kolloquium [das], ein wissenschaftliches Gespräch zwischen Hochschullehrern und Studierenden; auch die mündliche Prüfung bei der *Habilitation*.

Kollwitz, Käthe, * 1867, † 1945; deutsche Grafikerin, Malerin und Bildhauerin. Sie klagte in ihren Werken die Erniedrigung von Menschen an und stellte das Elend der Armen und Unterdrückten ergreifend dar.

Köln, größte Stadt in Nordrhein-Westfalen, am Rhein, 966 000 Einwohner. Zu den Sehenswürdigkeiten der Stadt gehören zahlreiche Museen und der Kölner Dom, eines der bedeutendsten Bauwerke der Gotik (Baubeginn 1248, Fertigstellung 1880). Köln war zunächst ein römisches Lager, aus dem 50 n. Chr. eine befestigte Stadt wurde. 795 wurde sie Erzbistum und entwickelte sich zur größten deutschen Stadt des Mittelalters.

Kolonie [die, lat. colonia, »Niederlassung«], ein nichtselbstständiges Gebiet, meist in Übersee, in dem die einheimische Bevölkerung unter der Herrschaft einer fremden Kolonialmacht steht. Die Kolonien wurden besiedelt und als Lieferanten für Rohstoffe und billige Arbeitskräfte ausgebeutet, als Absatzgebiet für Fertigfabrikate genutzt und oft zu militärischen Stützpunkten ausgebaut. Die Politik dieser Aneignung und Besiedelung nennt man schlagwortartig *Kolonialismus*. Spanier und Portugiesen begannen zu Beginn des 16. Jh. mit dem Erwerb von Kolonien, Niederländer, Engländer und Franzosen folgten. Deutschland wurde erst Ende des 19. Jh. Kolonialmacht und verlor seine Kolonien nach dem Ersten Weltkrieg. Heute sind die meisten ehemaligen Kolonien selbstständige Staaten, gehören aber zu den Entwicklungsländern.

Kolosseum [das], das größte Amphitheater des Altertums, in Rom erbaut. Es wurde 80 n. Chr. eingeweiht und war 187,75 m lang, 155,60 m breit und 57 m hoch. Hier wurden vor über 50 000 Zuschauern viele Gladiatorenkämpfe ausgetragen. Das Kolosseum ist als Ruine erhalten, aufgrund der Umweltbelastung jedoch vom Einsturz bedroht. Seit dem 19. Jh. steht es unter Denkmalschutz.

Köln: Blick über den Rhein auf den Kölner Dom

Ländersteckbrief Kolumbien

Fläche:	1 138 914 km²
Einwohner:	46,3 Millionen = 41 je km²
Hauptstadt:	Bogotá
Religion:	römisch-katholische Kirche
Amtssprache:	Spanisch
Währung:	1 Kolumbianischer Peso = 100 Centavos

Kolumbien, Staat in Südamerika.

Landesnatur: In Kolumbien spalten sich die Anden in drei Gebirgsketten (bis 5750 m) auf, die dicht besiedelte Hochtäler einschließen. Im Westen und Norden werden sie von feuchtheißen Küstentiefländern begrenzt, im Osten schließt sich ein niedriges Flachland an, das im Norden von Savannen (Llanos) und im Süden von Regenwäldern (Amazonien) bestanden ist.

Bevölkerung: Die vorwiegend katholische Bevölkerung besteht zu 58% aus Mestizen, 20% Weißen, 14% Mulatten, 4% Schwarzen und 2% Indianern.

Wirtschaft: Für den Export werden v. a. Kaffee, daneben auch Bananen, Schnittblumen, Zucker, Tabak, Kakao und Baumwolle angebaut. Die Viehzucht (vorwiegend Rinder) hat große Bedeutung. An Bodenschätzen gibt es v. a. Erdgas und Erdöl, Steinkohle, Edelsteine (Smaragde), Platin, Gold und Silber. Wichtige Industriebranchen sind die Textil-, elektrotechnische, Maschinenbau-, Fahrzeug- und chemische Industrie. – Haupthäfen sind Barranquilla, Cartagena, Santa Marta und Buenaventura.

Geschichte: Das Gebiet des heutigen Kolumbien wurde 1536–1539 von Spanien erobert. Die Spanier wurden von S. *Bolívar* aus dem Land vertrieben, und 1819 wurde die *Republik Großkolumbien* (Kolumbien und Venezuela) proklamiert, der sich 1821 Panama und 1822 auch Ecuador anschlossen. 1830 fielen Venezuela und Ecuador ab. Der Rest nannte sich seit 1861 *Vereinigte Staaten von Kolumbien* und seit 1886 *Republik Kolumbien.* Durch den Bürgerkrieg zwischen Konservativen und Liberalen wurde das Land weiter geschwächt. Unter dem Druck der USA trennte sich Panama 1903 von Kolumbien. Nach vorübergehender Stabilisierung flammte der Bürgerkrieg 1948 wieder auf (200 000 Tote). Seit dem Ende der 1980er Jahre bestimmte zunehmend die Drogenmafia das politische Leben Kolumbiens. Es kam zu blutigen Auseinandersetzungen mit dem Militär (»Drogenkrieg«). Am 5. 7. 1991 trat eine neue Verfassung in Kraft. 2002 wurde A. *Uribe Vélez* zum neuen Präsidenten gewählt.

Kolumbien: Mädchen spielen Fußball in den Slums von Aguablanca, am Rande der Millionenstadt Cali.

Wer war …
Christoph(er) Kolumbus

Christoph(er) Kolumbus (* 1451, † 1506) war ein genuesischer Seefahrer in spanischen Diensten. Als »Entdecker Amerikas« (1492; nach den Wikingern um 1000 n. Chr.) legte er nicht nur den Grundstein für die spanische Kolonisation Mittel- und Südamerikas, sondern schuf auch die Voraussetzung für die Europäisierung der Welt und die Ausweitung der internationalen Handelsbeziehungen. Für die Bewohner Amerikas bedeutete die Entdeckung durch die Europäer hingegen die Vernichtung ihrer Kulturen.

Christoph(er) Kolumbus wurde zum Admiral und zum Vizekönig aller neu entdeckten Länder ernannt.

Während des Mittelalters war Indien für Europa ein wichtiger Rohstofflieferant (vor allem von Gewürzen, Seide und Edelmetallen). Doch der Landweg nach Süd- und Ostasien war äußerst gefährlich. Während *Vasco da Gama* den Seeweg nach Indien durch die Umfahrung der Südspitze Afrikas zu finden hoffte, glaubte Kolumbus über den Atlantik Indien erreichen zu können. Nachdem er den portugiesischen König *Johann II.* nicht für seinen Plan gewinnen konnte, siedelte er 1485 nach Spanien über und fand dort die Unterstützung *Isabellas von Kastilien.*

Am 3. 8. 1492 konnte Kolumbus vom Hafen Palos aus in See stechen. Zu dem Unternehmen gehörten drei kleine Segelschiffe mit 90 Mann Besatzung. Das größte Schiff war die Santa Maria. Zehn Wochen lang sahen die Seeleute nur das Wasser und den Himmel, als endlich am 12. 10. 1492 Land in Sicht kam. Es war die Bahama-Insel *Guanahani.* Im weiteren Verlauf der Reise erreichten sie auch Kuba und Hispaniola. Nach sieben Monaten kehrten die Schiffe im März 1493 wieder nach Spanien zurück. Kolumbus war am Ende der Reise überzeugt, den westlichen Weg nach Indien gefunden zu haben. Darum gab er den Einwohnern Amerikas den Namen Indianer. Auf der zweiten Reise (1493–1496; mit 17 Schiffen) entdeckte Kolumbus die Kleinen Antillen, Puerto Rico und Jamaika, auf der dritten Reise (1498–1500) die Orinoco-Mündung (damit Südamerika) und die Insel Trinidad, auf der vierten Reise (1502–1504) die mittelamerikanische Küste. Kurz nach der Rückkehr von seiner letzten Reise starb Isabella. Noch immer fest davon überzeugt, den westlichen Seeweg nach Indien gefunden zu haben, verbrachte Kolumbus seinen Lebensabend völlig zurückgezogen in der spanischen Stadt Valladolid.

Komet: Der Halley'sche Komet ist – wie auch alle anderen Kometen – nach seinem Entdecker benannt.

Koma [das], eine tiefe Bewusstlosigkeit, aus der der Patient nicht geweckt werden kann. Ursachen eines Komas können z. B. Hirnverletzungen oder schwere Vergiftungen sein.

Komet [der], *Schweifstern,* Himmelskörper in unserem Sonnensystem. Kometen bestehen aus einem Kopf (einer Ansammlung von Staubteilchen und Eispartikeln) und entwickeln in der Nähe der Sonne einen Schweif aus Gasen. Kometen bewegen sich auf sehr lang gestreckten Bahnen, so dass ein Umlauf um die Sonne Jahrzehnte dauern kann.

Komik [die], eine Darstellung, die in Bild und Wort überraschend das Illusionäre einer Erscheinung zeigt und sie dadurch dem Lachen des Zuschauers oder Zuhörers preisgibt.

Komitee [das], ein Ausschuss mit einem besonderen Auftrag, z. B. zur Vorbereitung einer Veranstaltung.

Kommission [die], ein Ausschuss von Sachverständigen mit besonderen Aufgaben, z. B. Prüfungskommission.

kommunal, eine Gemeinde *(Kommune)* betreffend, z. B. Kommunalpolitik, kommunale Verwaltung.

Kommune [die], heute allgemein die Gemeinde. Im engeren Sinne eine Form des Zusammenlebens, die in den späten 1960er Jahren entstand. Bei der Kommune sind gemeinsame, oft politische Ziele wichtig im Zusammenleben, wogegen bei den Wohngemeinschaften das gemeinsame Wohnen im Vordergrund steht.

Kommunikation [die, lat., »Mitteilung«], allgemein Verständigung, Übermittlung von Nachrichten (Informationen) durch Zeichen, Gesten, Sprache oder technische Systeme. Kommunikation findet zwischen Menschen, aber auch zwischen Tieren statt.

Kommunion [die], in der katholischen Kirche der Empfang des heiligen Abendmahls. Der Laie empfängt in der Kommunion den Leib des Herrn nur in der Gestalt des Brotes (Hostie), der Priester außerdem noch im Wein. Die *Erstkommunion* der Kinder findet meist zwischen dem 8. und 10. Lebensjahr statt.

Was ist … Kommunismus

Kommunismus ist die Idee einer Gesellschaftsordnung ohne Privateigentum an den Produktionsmitteln, in der es keine Klassenunterschiede und keine Herrschaft von Menschen über Menschen geben soll. Die politischen Lehren von K. *Marx* und F. *Engels* entstanden mit der Zielsetzung, diese Gesellschaftsordnung zu verwirklichen.

Geschichtliche Entwicklung: Kommunistische Ideen sind seit der Antike bekannt. Eine Vorform des Kommunismus bestand in den Urgemeinden des Christentums. Kommunistische Bestrebungen lebten auch während und nach der Zeit der *Französischen Revolution* für kurze Zeit auf. Die Industrialisierung im 19. Jh. bildete die Voraussetzung für die Entstehung des modernen Kommunismus. Die weitreichenden gedanklichen und politischen Grundlagen lieferten K. Marx und F. Engels mit der Gründung des »Bundes der Kommunisten« (1847), der Formulierung des »Kommunistischen Manifestes« (1848) und der Entwicklung der marxistischen Lehre.

Entstehung des Sowjetkommunismus: W. I. *Lenin* entwickelte den Plan einer Partei von Berufsrevolutionären (die spätere *Kommunistische Partei der Sowjetunion, die KPdSU*), die mit der Oktoberrevolution 1917 in Russland die Macht ergriff. Unter Führung Lenins wurde die Sowjetunion als Staat mit kommunistischer Gesellschaftsordnung gegründet. Die nach dem Ersten Weltkrieg in zahlreichen Ländern gegründeten kommunistischen Parteien (u. a. die *KPD* in Deutschland) mussten bedingungslos die sowjetische Politik unterstützen. 1919 wurde die Kommunistische Internationale *(Komintern)* als Weltorganisation der kommunistischen Parteien gegründet. Mit großer Härte wurde in der Sowjetunion die Verstaatlichung von Handel und Industrie sowie die Enteignung der Bauern vorangetrieben. Die blutige Diktatur *Stalins,* der *Stalinismus,* prägte das Gesicht des Weltkommunismus für ein Vierteljahrhundert.

Entwicklung nach dem Zweiten Weltkrieg: Im Gefolge des Zweiten Weltkriegs kamen mehrere Länder Ost- und Mitteleuropas unter kommunistische Herrschaft, meist durch direkte sowjetische Einwirkung. Aufstände gegen die sowjetische Vorherrschaft (1953 DDR, 1956 Polen und Ungarn), wurden niedergeschlagen oder eingedämmt. In China kam die Kommunistische Partei 1949 durch einen Sieg im Bürgerkrieg an die Macht. Auch andere Staaten fielen unter kommunistische Herrschaft, so Kuba, Nordkorea und Vietnam. Der Zerfall der einheitlichen kommunistischen Weltbewegung setzte schon 1960 mit dem Bruch zwischen der KPdSU und der Kommunistischen Partei Chinas ein, die einen eigenen Weg verfolgte. Seit den 1960er Jahren lösten sich die kommunistischen Parteien mehrerer westlicher Länder von der Bindung an die KPdSU und entwickelten den sogenannten *Eurokommunismus.* Die Demokratiebestrebungen in der Tschechoslowakei 1968 wurden mit Waffengewalt unterdrückt. In Polen wurde 1981 auf sowjetische Veranlassung hin der Aufbau freier Gewerkschaften unterbunden.

Niedergang der kommunistischen Herrschaft: Die Reformpolitik des sowjetischen Parteichefs M.S. *Gorbatschow* leitete in den 1980er Jahren eine Wende ein. 1989–1991 brachen die kommunistischen Regimes in Polen, Ungarn, der DDR, der Tschechoslowakei, Bulgarien, Rumänien, Albanien und schließlich auch der UdSSR zusammen; die UdSSR löste sich auf. Mitte 2007 bestanden kommunistische Regime noch in der Volksrepublik China, Kuba, Laos, Nordkorea und Vietnam. Das Scheitern der mangelhaften Planwirtschaft und die diktatorische Herrschaftspraxis mit Millionen von Todesopfern haben den Kommunismus als Idee einer besseren Gesellschaftsordnung nachhaltig in Verruf gebracht.

Maiparade 1988 auf dem Roten Platz in Moskau mit einem Banner mit Marx, Engels und Lenin

kommunizierende Röhren [Pl.], miteinander verbundene, oben offene Röhren. Füllt man sie mit einer Flüssigkeit, so steht diese in allen Röhren (unabhängig von deren Durchmesser und Form) gleich hoch, da überall der gleiche Druck herrscht.

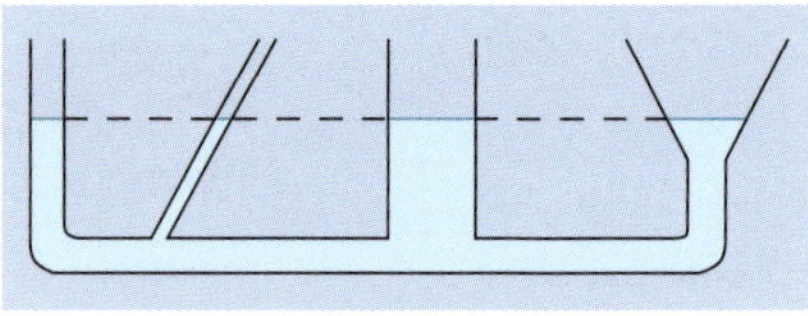

kommunizierende Röhren: Der Wasserstand befindet sich immer auf gleicher Höhe.

Komödie [die], *Lustspiel,* ein Schauspiel mit »komischen« Verwicklungen und heiterem Ausgang. Neben der *Tragödie* ist die Komödie die wichtigste Gattung des europäischen Dramas.

Ländersteckbrief
Komoren

Fläche:	1861 km²
Einwohner:	819 000 = 440 je km²
Hauptstadt:	Moroni
Religion:	Islam
Amtssprache:	Französisch, Komorisch
Währung:	Komoren-Franc

Komoren, Staat im Indischen Ozean (Ostafrika).

Landesnatur: Die vier großen (*Ngazidja, Mwali, Nzwani* sowie das politisch nicht zur Republik Komoren gehörende *Mayotte*) und einige kleinere Inseln sind vulkanischen Ursprungs (tätiger Vulkan *Kartala* auf Ngazidja, 2361 m). Die Komorer (vorwiegend Muslime) sind eine Mischbevölkerung aus Arabern, Madegassen und Bantu. Hauptausfuhrgüter sind Vanille, Sisal, Nelken, ätherische Öle (Parfümessenzen).

Geschichte: 1886 wurden die Komoren französisches Protektorat, 1909 Kolonie. 1946 erhielt die Kolonie den Status eines Überseeterritoriums. 1961 wurde Autonomie gewährt. 1975 wurden die Komoren unabhängig. 2001 trat eine neue Verfassung in Kraft *(Union der Komoren).*

Kompanie [die], die unterste militärische Einheit bei Heer, Luftwaffe und Marine; geführt von einem *Kompaniechef.*

Komparation, Steigerung des Adjektivs und Adverbs; Grundform: *Positiv* (z. B. klein), 1. Steigerungsstufe: *Komparativ* (kleiner), 2. Steigerungsstufe: *Superlativ* (am kleinsten).

Kompass [der], ein Gerät zur Bestimmung der Himmelsrichtung. Der herkömmliche *Magnetkompass* hat eine frei bewegliche Magnetnadel, die sich nach dem magnetischen Nordpol einstellt. Der *Kreiselkompass* arbeitet mit einer Scheibe, die sich sehr schnell um eine waagerechte Achse dreht. Sie stellt sich ohne Magneteinfluss in Richtung der Erdachse ein.

Komoren: Die Hauptstadt Moroni liegt auf der größten Insel Ngazidja.

Kompetenz [die], Zuständigkeit, Befugnis, z. B. einer Behörde.

Komplex [der], **1.** etwas, das aus vielen Einheiten zusammengesetzt ist, z. B. ein Gebäudekomplex. **2.** in der Psychologie die Verbindung von Vorstellungen oder Erlebnissen mit peinlichen Gefühlen, die meist ins Unbewusste verdrängt werden. Die Behandlung bzw. Auflösung von Komplexen ist die wichtigste Aufgabe der Psychotherapie.

Komponisten [Pl., lat., »Tonsetzer«], Schöpfer eines musikalischen Tonwerkes (einer Komposition).

Kompost [der], ein Produkt aus verrotteten pflanzlichen und tierischen Abfällen. Den Abfällen können verschiedene Stoffe zugesetzt werden, die die Verrottung fördern. Kompost wird im Gartenbau als Humusdünger genutzt.

Kompressor [der], eine Maschine zum Verdichten (Zusammendrücken) von Gasen und Dämpfen, z. B. zur Erzeugung von Druckluft, für Verbrennungsmotoren, Düsenantriebe und für chemische Synthesen.

Kompromiss [der], Ausgleich, Zugeständnis, Einigung auf eine gemeinsame Lösung.

Kondensation [die], **1.** eine chemische Reaktion, bei der sich zwei Moleküle unter Abspaltung eines einfacheren Moleküls, z. B. Wasser, vereinigen; z. B. ist Kondensmilch eine eingedickte Milch. **2.** der Übergang eines Stoffes aus dem gasförmigen in den flüssigen → Aggregatzustand. Der Punkt oder die Temperatur, bei der die Kondensation einsetzt, wird Kondensationspunkt oder Kondensationstemperatur genannt.

Kondensator [der], **1.** ein Bauelement zum Speichern von elektrischen Ladungen. Es besteht in der Regel aus zwei leitenden Platten, die durch einen Isolierstoff voneinander getrennt sind. Unter der Kapazität eines Kondensators versteht man seine maximale Speicherfähigkeit. Sie ist u. a. von der Größe der Platten und ihrem Abstand voneinander abhängig. **2.** ein Maschinenteil (z. B. in Dampfmaschinen), in dem sich Dampf niederschlägt (kondensiert). Dies wird durch Kühlung oder Einspritzen von Wasser erreicht.

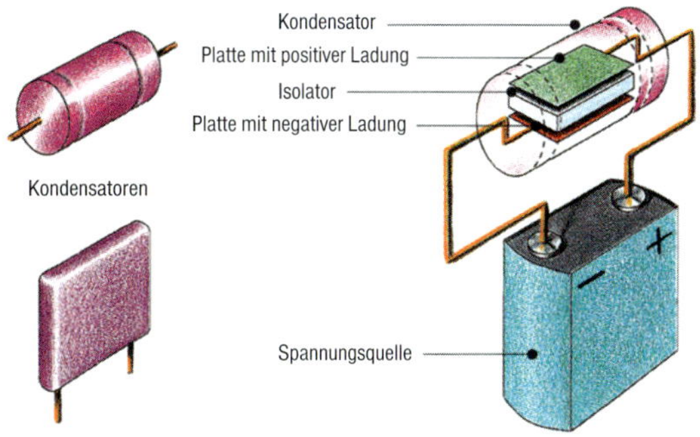

Kondensator: Auf der einen Metallplatte wird positive Ladung, auf der anderen negative Ladung gespeichert.

Kondition [die], **1.** körperliche und seelische Verfassung einer Person, ihr Gesundheitszustand. **2.** Bedingung für eine Zahlung oder Lieferung bei einem Geschäft.

Kondom [das], *Präservativ,* ein dünner Überzug aus Gummi für das männliche Glied beim Geschlechtsverkehr. Das Kondom kann zur → Empfängnisverhütung und zum Schutz vor einer Ansteckung mit Geschlechtskrankheiten und Aids benutzt werden.

Kondor [der], ein Geier, der in den Anden Südamerikas beheimatet ist. Er hat ein schwarzes Gefieder, weiß gezeichnete Schwingen und wird bis 1,60 m

Der Kondor ist ein ungeselliger Vogel, der nur am Aas die Gesellschaft anderer duldet.

lang. Seine Flügel erreichen eine Spannweite von über 3 m. Er ernährt sich überwiegend von Aas. Gebietsweise ist er bereits recht selten geworden.

Konferenz [die], Besprechung, Sitzung, Tagung.

Konfession [die], allgemein die Erklärung der Zugehörigkeit zu einer Glaubensgemeinschaft.

Konfirmation [die, lat., »Festigung«], in der evangelischen Kirche die Aufnahme der Jugendlichen in die Gemeinschaft der erwachsenen Christen (Einsegnung). Sie gibt dem Jugendlichen das Recht, Pate zu werden und am Abendmahl teilzunehmen.

Konflikt [der], Streit, Zwist, Zerwürfnis.

Konföderation [die], ein Staatenbund, bei dem die Gliedstaaten ihre Souveränität (Herrschaftsgewalt) weitgehend behalten und die Gesamtorganisation im Gegensatz zum *Bundesstaat* keinen Staat darstellt.

Wer war … Konfuzius

Konfuzius (* 551 v. Chr., † 479 v. Chr.) war ein chinesischer Philosoph; sein eigentlicher Name war *Kong Qiu* (»Meister Kong«). Als Erster fasste er die Grundvorstellungen der Chinesen in einem System ethischer Prinzipien zusammen. Sein Denken und seine Lehren prägten die chinesische Kultur über 2000 Jahre. Der Konfuzianismus ist hauptsächlich eine Moralphilosophie, denn er behandelt ausschließlich die Verhaltensnormen in den zwischenmenschlichen Beziehungen, z. B. zwischen Vater und Sohn, Herrscher und Untertan oder zwischen Freunden. Die wichtigsten Tugenden sind dabei Menschenliebe, Wohlwollen, Respekt, Anstand und besonnenes Handeln. Konfuzius' Ideal war der edle Mensch, der unabhängig von seiner sozialen Stellung vollkommene Tugend erlangt. Sein Ziel war die Erhaltung traditioneller Werte und eine auf Harmonie ausgerichtete Gesellschaftsordnung. Vom 2. Jh. v. Chr. an wurde die Philosophie des Konfuzius zu einem staatlichen Gesellschaftsmodell erhoben, das erst durch die chinesische Revolution 1912 abgeschafft werden sollte. 1995 wurde der Konfuzianismus in Südkorea zur Staatsreligion erklärt.

Konfuzius lebte im Staat Lu (in der heutigen Provinz Shandong) und war dort als Verwaltungsbeamter und Lehrer tätig. 497 v. Chr verließ er seine Heimat, 483 v. Chr. kehrte er zurück; seine Lehrtätigkeit fällt hauptsächlich in die Wanderjahre. Seine Schüler fassten seine Lehre im »Buch der Gespräche« zusammen.

Die Lehre des chinesischen Philosophen, der Konfuzianismus, hat bis heute in Ostasien viele Anhänger. Chinesischer Holzschnitt

Kongo [der], der zweitgrößte Strom Afrikas, 4374 km lang. Er hat zahlreiche Quellflüsse, Stromschnellen und Wasserfälle. Der Kongo mündet in den Atlantik.

Ländersteckbrief
Kongo, Dem. Rep.

Fläche:	2 344 858 km²
Einwohner:	59,3 Millionen = 25 je km²
Hauptstadt:	Kinshasa
Religion:	Christentum, Naturreligionen, Islam
Amtssprache:	Französisch
Währung:	Kongo-Franc

Kongo, *Demokratische Republik Kongo*, Staat in Zentralafrika.

Landesnatur: Die Kernlandschaft ist das 300–400 m hoch gelegene Becken des *Kongo*. Nach Süden steigt das Land zur 900 bis über 1500 m hohen *Lundaschwelle* an, nach Osten zu den Randgebirgen des Zentralafrikanischen Grabens (*Ruwenzori* 5110 m). Das Klima des Landes ist im Becken feucht und heiß; weiter nach Süden wird die Trockenzeit länger. Das Kongobecken ist nach dem Amazonasbecken das zweitgrößte Waldgebiet der Tropen. Dieser tropische Regenwald wird von einem Ring von Feuchtsavannen umgeben.

Bevölkerung: Die Bevölkerung (vorwiegend Christen) setzt sich zusammen aus verschiedenen Bantustämmen, Sudan-Gruppen und Niloten. Daneben gibt es 50 000 Pygmäen. Der Süden ist dichter besiedelt als der Norden des Landes.

Wirtschaft: Die Landwirtschaft baut für den Export Kaffee, Kakao, Kautschuk und Palmprodukte an und gewinnt Edelhölzer. Der Bergbau liefert mit Abstand den größten Teil der Ausfuhr. Es werden Kobalt (65% der Welterzeugung), Kupfer, Uran, Zink, Cadmium, Mangan, Zinn, Gold, Silber u. a. abgebaut. In Kasai liegt das bedeutendste Fundgebiet der Erde für Industriediamanten (61% der Gesamtausfuhr); im Küstengebiet Erdölförderung. – Wichtigste Häfen sind Matadi und Boma; internationale Flughäfen in Kinshasa und Lubumbashi.

Geschichte: Seit 1876 erwarb H. M. *Stanley* weite Teile des Kongo für König *Leopold II.* von Belgien. 1908 nahm Belgien das Gebiet in direkte Kolonialverwaltung (*Belgisch-Kongo*). 1960 wurde das Land als *Kongo-Kinshasa* (im Unterschied zum französischen *Kongo-Brazzaville*) unabhängig. Im selben Jahr erklärte sich die Provinz Katanga für unabhängig. 1963 beendeten UN-Truppen gewaltsam die Sezession Katangas. 1965 ergriff General G.-D. *Mobutu* die Macht und übernahm das Präsidentenamt. 1971 wurde Kongo-Kinshasa in *Republik Zaire* umbenannt. Mobutu schuf einen Einparteienstaat und regierte diktatorisch. Seit Beginn der 1990er Jahre formierte sich eine Demokratiebewegung. 1997 wurde Mobutu gestürzt. Der neue

Kongo: Der Nyiragongo ist einer der acht Virunga-Vulkane im tektonisch aktiven Ostafrikanischen Grabensystem.

Machthaber L. *Kabila* verfügte die Umbenennung Zaires in *Demokratische Republik Kongo.* 1998 brach ein Bürgerkrieg aus. Nach der Ermordung Kabilas im Januar 2001 wurde dessen Sohn J. *Kabila* Staatschef. Er bemühte sich mit internationaler Hilfe um eine politische Stabilisierung. 2006 trat eine neue Verfassung in Kraft und es wurden Wahlen abgehalten, bei denen die Bevölkerung Kabila im Amt bestätigte.

Ländersteckbrief
Kongo, Rep.

Fläche:	342 000 km²
Einwohner:	4,1 Millionen = 12 je km²
Hauptstadt:	Brazzaville
Religion:	römisch-katholische Kirche, Naturreligionen
Amtssprache:	Französisch
Währung:	CFA-Franc

Kongo, *Republik Kongo*, Staat in Zentralafrika.

Landesnatur: Das Küstenland geht in die durchschnittlich 500–800 m hohe Niederguineaschwelle über, die sich nach Nordosten zum Kongobecken abdacht. Der Norden des Landes hat feuchtheißes Klima. Im Süden tritt eine Trockenzeit auf. Das Beckeninnere und ein Teil der Schwelle sind mit Regenwald bedeckt, an der Küste gibt es Mangroven.

Kongo: Aus dem Chinarindenbaum wird das fiebersenkende Chinin gewonnen.

Bevölkerung: Die Bevölkerung gehört vorwiegend zu den Bantuvölkern. 47% sind Katholiken, der Rest Anhänger von traditionellen Religionen.

Wirtschaft: Die Pflanzungswirtschaft liefert Kaffee, Kakao, Ölfrüchte und Tabak für den Export. Die Fischerei und Industrie (Verarbeitung von Agrarprodukten) haben wachsende Bedeutung. Die Wälder erbringen Edelhölzer. An Bodenschätzen werden Erdöl (Hauptausfuhrgut), Blei, Zink, Diamanten und Gold gewonnen. – Im Norden sind der Kongo und einige Nebenflüsse die einzigen Verkehrswege; internationale Flughäfen: Brazzaville und Pointe-Noire.

Geschichte: 1880 sicherte P. *Savorgnan de Brazza* das Gebiet für Frankreich. Es wurde als Kolonie seit 1910 Teil von Französisch-Äquatorialafrika. Am 15. 8. 1960 wurde Kongo unabhängig, 1969 zur Volksrepublik erklärt. 1992 trat eine neue präsidialdemokratische Verfassung in Kraft. Staatspräsident wurde P. *Lissouba.* Aufgrund wirtschaftlicher Probleme und innenpolitischer Spannungen wurde er 1997 nach blutigen Auseinandersetzungen gestürzt, die Macht übernahm Oberst D. *Sassou-Nguesso.* Nach Inkrafttreten einer neuen Verfassung 2002 bestätigte die Bevölkerung Sassou-Nguesso in umstrittenen Wahlen im Präsidentenamt. 2002/2003 kam es erneut zu Kämpfen mit rebellierenden Milizen.

Kongress [der], **1.** eine Tagung zur Beratung und Regelung gemeinsamer Angelegenheiten. **2.** in den USA die beiden Kammern des Parlaments (Senat, Repräsentantenhaus).

Kongruenz [die, lat.], Deckungsgleichheit, Übereinstimmung. In der Geometrie nennt man die Figuren kongruent, die sich vollständig zur Deckung bringen lassen, d.h., die sich nicht durch ihre Größe und Form voneinander unterscheiden (Zeichen ≅).

König [der], der Träger der höchsten monarchischen Würde im Staat nach dem Kaiser. Das deutsche Königtum entwickelte sich aus dem fränkischen Königtum. Rechtlich war der deutsche König bis 1806 Wahlkönig, praktisch wurde die Königswürde aber seit 1438 im Hause Habsburg vererbt.

Königsberg, seit 1946 russisch *Kaliningrad,* Stadt in Ostpreußen, 437 000 Einwohner. Die Stadt wurde 1255 vom Deutschen Orden gegründet. 1808–1945 war sie Hauptstadt der preußischen Provinz Ostpreußen, 1946 wurde sie Russland eingegliedert.

Konjugation [die] → Flexion.

Konjunktion [die], *Bindewort,* eine Wortart, die Satzteile, Hauptsätze und Nebensätze verbindet (z. B. und, denn, aber, dass, weil, als).

Konjunktiv [der], die Möglichkeitsform von Verben. Hauptsächlich wird der Konjunktiv im Deutschen heute in der indirekten Rede verwendet (»er sagte, er werde kommen«) sowie in irrealen Bedingungssätzen (»wenn er käme …«).

Konjunktur [die], der zeitliche Ablauf des wirtschaftlichen Geschehens. Periodische Schwankungen der Konjunktur zeigen sich im Auf und Ab von Produktionsvolumen, Einkommen, Beschäftigtenzahl, Preisentwicklung, Auftragsbestand, Geldvolumen und anderen wirtschaftlichen Größen. Auswirkungen von Konjunkturschwankungen können sowohl Expansion, Boom und Hochkonjunktur als auch Krise, Rezession und Depression sein.

konkav, nach innen gekrümmt, z. B. eine optische Linse.

Konklave [das], die Versammlung der Kardinäle, die den Papst wählt.

Konkordat [das], ein Vertrag, der die Beziehungen zwischen einem Staat und dem Papst als Oberhaupt der katholischen Kirche regelt.

konkret, anschaulich, körperlich, greifbar; Gegensatz: *abstrakt.*

Konkurrenz [die, lat., »Wettlauf«], der Wettbewerb zwischen mehreren Anbietern, Bewerbern, Konkurrenten.

Konkurs [der], *Bankrott,* seit 1999 → Insolvenz.

Konsequenz [die], Folgerichtigkeit, Folge, Folgerung, unbeirrbare Entschlossenheit.

konservativ, am Bestehenden festhaltend, Neuem gegenüber zurückhaltend bis ablehnend. In der Politik ist ein *Konservativer* jemand, der Veränderungen und Reformen gegenüber zurückhaltend ist und stärker an Überliefertem in Geschichte, Politik und Kultur festhält.

Konservatorium [das], Hochschule für Musik.

Konservierung [die], das Haltbarmachen von Lebensmitteln durch Erhitzen, Trocknen, Räuchern, Einfrieren, Zuckern, Säuern, chemische Konservierungsstoffe und Bestrahlung.

konsistent, **1.** dicht, haltbar, dickflüssig. **2.** in der Logik widerspruchsfrei.

Konsole, aus einer Wandfläche hervorspringender Stein oder Holz- oder Metallteil als Träger anderer Bauglieder (Balken, Balkone u. a.) und frei stehender Gegenstände (z. B. Skulpturen)

Konsonant [der], *Mitlaut,* Sprachlaut (z. B. b, c, d, f, g), der nur in Verbindung mit einem *Vokal* oder einem *Diphthong* (doppelten Vokal wie ei, au) einen Klang erhält.

Konstante [die], ein feststehender, unveränderlicher Wert.

Wer war …
Konstantin I.

Konstantin I., der Große (*um 275, †337), war 306–337 römischer Kaiser. Während der Regierungszeit Konstantins begann der weltgeschichtlich bedeutsame Aufstieg des Christentums zur spätantiken Reichskirche, der Anfang einer Entwicklung *(konstantinische Wende)*, der die Beziehung von Staat und Kirche bis in die Neuzeit beeinflusste. Nach dem Tod seines Vaters *Constantius I.* wurde Konstantin 306 von seinen Soldaten zum Kaiser ausgerufen. Der Sieg über seinen Konkurrenten *Maxentius* an der Milvischen Brücke bei Rom 312 machte Konstantin zum Herrscher über den Westteil des Römischen Reichs. In der christlichen Überlieferung wird eine angebliche Kreuzesvision vor der Schlacht (»Unter diesem Zeichen siege!«) als Ursache der Begünstigung und Förderung der christlichen Religion durch Konstantin angesehen. 313 einigte er sich mit *Licinius*, dem Herrscher des Ostens, im sogenannten *Mailänder Edikt* auf ein religionspolitisches Programm, das dem Christentum Glaubensfreiheit zusicherte. Nach militärischen Siegen über Licinius war Konstantin 324 Alleinherrscher. Das Römische Reich wurde gegen die germanischen Franken (328) und Goten (332) gesichert, indem man sie als Verbündete ins Heer eintreten und den Grenzschutz übernehmen ließ. Innenpolitisch verstärkte Konstantin den Zwangsstaat mit strengem Hofzeremoniell. 330 machte er statt Rom Byzanz unter dem Namen *Konstantinopel* zur Hauptstadt. Konstantin ließ sich erst kurz vor seinem Tode christlich taufen.

Darstellung des Herrschers auf einem Medaillon

Konstantinopel → Byzantinisches Reich, → Istanbul.

Konstanz, Stadt in Baden-Württemberg, am Bodensee, 81 000 Einwohner.

Konstitution [die], **1.** die Satzung, die Verfassung eines Staates. **2.** die körperliche und psychische Verfassung eines Menschen.

Konsul [der], **1.** der Titel der zwei höchsten alljährlich gewählten Beamten in der altrömischen Republik. **2.** ein ständiger Vertreter eines Staates in den wichtigsten ausländischen Städten. Er hat die Aufgabe, die wirtschaftlichen und persönlichen Interessen seiner Landsleute zu wahren.

Konsum [der], der Verbrauch von Gütern, im Gegensatz zur Produktion. Die Käufer und Benutzer dieser Güter sind die *Konsumenten*. Siehe auch ZEIT-Beitrag → »Konsum: Haben, haben, haben!«, Seite 186–189.

Kontaktlinsen [Pl.], *Haftschalen*, dünne, durchsichtige Schalen aus Glas oder Kunststoff, die linsenförmig geschliffen sind. Sie dienen anstelle einer Brille zur Korrektur von Sehfehlern. Kontaktlinsen schwimmen auf dem Tränenfilm, der die Hornhaut benetzt.

Konterfei [das], ein Bildnis oder eine Abbildung.

Kontinent [der] → Erdteile.

Konto [das, ital., »Rechnung«], in der Buchführung und im Bankwesen die Gegenüberstellung von *Soll* (Belastungen) und *Haben* (Gutschriften). Der Kontostand ergibt sich aus der Differenz dieser beiden Summen.

Kontrabass [der], tiefstes und größtes Streichinstrument.

Kontrast [der], Unterschied, Gegensatz.

Konvention [die], Brauch, Sitte, Überlieferung; *konventionell:* der Konvention entsprechend.

Konversation [die], unterhaltsames Gespräch, geselliges Plaudern ohne geistigen Tiefgang.

konvex, nach außen gewölbt; z. B. eine optische Linse.

Konzentration [die], **1.** gesteigerte Aufmerksamkeit. **2.** Zusammenballung, Vereinigung, z. B. Truppenkonzentration. **3.** in der Chemie Maß für den Gehalt einer Lösung an gelöstem Stoff.

Konzentrationslager [das], Abkürzung KZ, ursprünglich ein Lager, in dem im Krieg Zivilpersonen (politische Gegner, unliebsame Bevölkerungsgruppen) gefangen gesetzt wurden. Das nationalsozialistische Regime in Deutschland begann 1933 mit der Errichtung von Konzentrationslagern, die seit 1934 von der SS verwaltet wurden. 1938 bestanden 4 Konzentrationslager: *Dachau, Sachsenhausen, Buchenwald* und *Lichtenburg;* 1944 waren es 20, darunter *Auschwitz, Bergen-Belsen, Theresienstadt.* Meist ohne Gerichtsverfahren wurden Angehörige besetzter Länder, Juden, Roma, Homosexuelle und politische Gegner inhaftiert. Bei unmenschlichen Haftbedingungen wurden von den Insassen große Arbeitsleistungen verlangt, die oft zum Tode führten. Ab 1941 wurden zur sogenannten *Endlösung* der Judenfrage Vernichtungslager, die nur zur Ermordung der Inhaftierten bestimmt waren, eingeführt. Das Zentrum war Auschwitz. Bis 1945 sind in diesen Lagern 5–6 Mio. Juden und 500 000 nichtjüdische Häftlinge umgekommen.

Konzentrationslager: Häftlinge in einer Schlafbaracke des KZ Buchenwald; 1942

Konzern [der], ein Zusammenschluss mehrerer rechtlich selbstständiger Unternehmen zu einer wirtschaftlichen Einheit unter einheitlicher Leitung.

Konzert [das], **1.** eine Veranstaltung, bei der Musikstücke vorgetragen werden. **2.** ein Musikstück für ein oder mehrere Soloinstrumente mit Orchesterbegleitung.

Konzession [die], Zugeständnis, Entgegenkommen, Bewilligung.

Konzil [das], eine Versammlung kirchlicher Würdenträger zur Beratung und Beschlussfassung über kirchliche Fragen.

Kooperation [die], gemeinsames Vorgehen, Zusammenwirken, Zusammenarbeit.

Koordinaten, Angaben zur Festlegung der Lage eines Punktes in der Ebene oder im Raum. In der Mathematik werden unterschieden: 1. kartesische Koordinaten: Zugrunde liegt ein rechtwinkliges oder schiefwinkliges *Koordinatensystem (Achsenkreuz)*, dessen gerichtete Achsen *Abszissen-* und *Ordinatenachse* (*x-* und *y-Achse*) heißen. In der Ebene benötigt man zwei Achsen, im Raum drei Achsen. Ein Punkt wird

Fortsetzung → Seite 190

Konsum als Selbstzweck: Man shoppt nicht, weil man etwas braucht, sondern weil man sonst nichts Besseres zu tun hat

Konsum

Haben, haben, haben!

Von Bernd Guggenberger

Was »Konsum« ist, glauben wir zu wissen: Sachen kaufen, Freizeitparks besuchen, Hamburger essen. Aber ist uns auch klar, dass zum Konsumieren immer und unauflöslich das Produzieren gehört? Dass alles, was wir kaufen und konsumieren, zuvor von anderen (manchmal auch von einigen von uns) hergestellt wurde: Eiscreme, Pizza, Klamotten, CDs, Computerspiele, Freizeitangebote bis hin zur Ferienreise, dem Discoabend und »Wetten, dass..?« im Fernsehen?

Produktion und Konsum sind siamesische Zwillinge, im Guten wie im Bösen aneinandergekettet: Wenn wir uns über Produkte ärgern, die nicht funktionieren, über Produkte, die dumm sind und dumm machen, die Gewalt verherrlichen, überflüssig sind oder die Umwelt belasten, dann sollten wir bedenken, dass es diese Produkte auf Dauer nur gibt, weil genügend Konsumenten sie immer wieder kaufen. Ein Freifahrschein für verantwortungslose Produzenten und korrupte Hersteller ist dies freilich noch lange nicht.

Eine schöne Bescherung

Ganz am Anfang unseres Lebens steht das schrankenlose Konsumieren: Dem Säugling fließen »Milch und Honig« förmlich in den Mund. Doch schon bald genügt ihm die Konsumerfahrung nicht mehr. Es drängt ihn immer mehr, sich auch als Produzent hervorzutun: Er ergreift Finger, lächelt, um angelächelt zu werden, er »produziert« Aufmerksamkeit durch Schreien – und irgendwann ahnt er, dass er auch das Würstchen in seiner Windel selbst hervorgebracht hat.

Diese erste wirkliche Erfahrung in der Rolle des Produzenten ist für seine Entwicklung so bedeutsam, dass Kinderpsychologen den Eltern raten, nicht zu schimpfen, sondern zu loben und sich mitzufreuen, statt »die Bescherung« allzu schnell im Windeleimer zu versenken. Denn erst wenn der Mensch den »aktiven Produzenten« in sich entdeckt, beginnt er auch zum sozialen Wesen heranzureifen. Er lernt, Interesse an anderen zu entwickeln und sich selbst für andere interessant zu machen. Er lernt, aktiv auf seine soziale Umgebung einzuwirken. Dies ist eine Erfahrung fürs Leben.

Werden wir zu Hausschweinen?

Konsum dagegen ist etwas Passives, er vereinzelt eher; er lässt Neid und Missgunst keimen (schaut mal auf den Hühnerhof, wenn morgens Futter gestreut wird!); er führt häufig dazu, dass Leute gierig werden und anzugeben beginnen. Das Verbindende, das Soziale dagegen entsteht aus Zuwendung, aus Interesse am anderen, also aus Aktivität, nicht aus Passivität. Der Nobelpreisträger Konrad Lorenz (der mit den Graugänsen) hat einmal das böse Wort von der »Verhausschweinung« des Konsummenschen gebraucht. Wenn man ein Hausschwein, das in der Mastfabrik feist seinem Ende entgegendämmert, davon überzeugen wollte, wie herrlich es ist, sich im kalten Bachbett zu suhlen und gemeinsam mit anderen Schweinen nach Schnecken und Wurzeln zu graben, dann würde es genervt aufstöhnen: »Wassertreten und wühlen? Igittigitt! Ich will gefälligst meine Infrarotbestrahlung und mein leckeres computergesteuertes Pillenmenü!«

Wer nur konsumiert, wer sich rundum versorgen lässt, wird abhängig und hörig. Konsum stärkt weder den Einzelnen noch die Gemeinschaft, noch weckt er den Appetit aufs Leben. Bei vielen der alten Jägerstämme findet sich deshalb ein merkwürdiger Brauch: das Verbot – selbst um den Preis des eigenen Hungertodes –, die selbst erlegte Jagdbeute zu verzehren. Das soll den Pakt mit den anderen Stammesmitgliedern unauflöslich machen. Die Lektion fürs Leben heißt: Du bist ein soziales Wesen; du brauchst die anderen, und die anderen brauchen dich. Viel wichtiger, als auf deinen eigenen Konsumvorteil zu sinnen, ist es, dich mit allen anderen zu verbinden.

Fette Beute: Auf die Jagd geht der moderne Mensch im Supermarkt

Heutzutage jedoch leben wir in einer sehr viel verwirrenderen Zeit: Am Arbeitsplatz oder auch in der Schule ist hohe Disziplin gefragt. Wir sollen verlässlich sein und pünktlich, sollen Verantwortung für andere übernehmen, schonend und sparsam mit Geräten und Material umgehen, uns respektvoll und hilfsbereit zeigen. Danach aber und an den Wochenenden gelten ganz andere Regeln: Jetzt ist der schnell entschlossene Käufer gefragt, ganz auf den eigenen Konsumvorteil bedacht; jetzt gewinnen die wendigen Austauscher, Wegwerfer und Verschwender. Essen, trinken, wohnen, sich kleiden, leben – alles ex und hopp!

Sparen und verschwenden

Eine Gesellschaft wie unsere, in der alles darauf gerichtet ist, möglichst großen Gewinn zu machen, braucht diese Abwechslung nach Feierabend. Sie braucht das Sparen *und* das Verschwenden, die Zusammenarbeit *und* den Egoismus, das Aktive *und* das passive Verhalten. Wir sind in ihr vereinzelte Konsumenten *und* Gemeinschaft stiftende Produzenten. Das ist zutiefst widersprüchlich! – und nicht zuletzt verdient auch der Staat kräftig dabei mit. Zum Beispiel wenn viele sich tabak-, alkohol- und spielsüchtig die Gesundheit und das Leben ruinieren. Denn auf ihren Konsum erhebt der Staat Steuern.

Nichts liefe mehr in Wirtschaft und Gesellschaft, wenn wir alle zu sparsamen, verantwortungsbewussten Verbrauchern würden, die sich nur an den eigenen Bedürfnissen orientierten. Nichts liefe mehr, wenn wir frei und unabhängig wären von den ständigen Verführungen in Werbung und Medien. Immer neue Anreize werden dort nämlich ersonnen, um den Konsumenten mit immer neuen Produkten zu ködern und ihm das Geld (für das er ganz unnötig lang gearbeitet hat!) aus der Tasche zu ziehen. Die Werbung verfolgt dabei nur ein Ziel: Sie will uns unzufrieden machen, damit wir etwas kaufen, von dem uns die Werbung verspricht, es mache uns endlich zufrieden. Aus aktiven Produzenten werden so nach Feierabend passive Konsumenten, die nur noch haben, haben, haben wollen.

Wenn der Mensch allerdings immer nur ein vorwiegend verzehrendes Raubtier gewesen wäre und nicht immer zugleich auch Neues hervorgebracht hätte, dann hätte es keine Entwicklung gegeben. Wir wären mehr oder weniger auf dem Stand von vor vier Millionen Jahren geblieben. Damals begann der Mensch mit einem gewaltigem Projekt: Er fing an, die Welt zu erobern und sich die Natur

Mit überlebensgroßen Versprechungen verführt uns die Werbung zum Kauf (Plakat von 1920)

Die Einkaufspassage als Kathedrale der modernen Zeit

zu unterwerfen. Im Laufe der Zeit sind wir in den letzten Erdenwinkel vorgedrungen und haben der Natur viele ihrer innersten Geheimnisse entrissen.

Der gedankenlose Konsument

Im selben Zuge betrat der passiv verzehrende, die Natur- und Erdvorräte gedankenlos verbrauchende Konsument die Bühne der Geschichte. Im Zeichen der Globalisierung scheint denn auch nicht mehr so sehr die schöpferische Seite unseres Wesens das einigende Band zu sein, welches sich um die Welt legt. Vielmehr stehen das Verzehren und Verbrauchen, der Massenkonsum und die allgegenwärtige Werbung im Mittelpunkt. Alles, so scheint es, dreht sich nur noch um käufliche Produkte: Starbucks, Nike, Playstation und iPod. Einst waren die Menschen ruhelose Entdecker und Eroberer. Heute sind wir rastlose Käufer, hochmobile Shopper und Prasser. Pausenlos sind wir unterwegs, um ja nichts zu verpassen. Das Wort Shoppen steht dabei für einen Konsum, der zum Selbstzweck geworden ist. Man shoppt nicht, weil man dringend etwas benötigt, sondern einfach so. Shoppen ist die Beschäftigung jener, die nichts zu tun haben. Doch erst als aktives, schöpferisches Wesen fühlt sich der Mensch wohl in seiner Haut. Shoppen zu gehen ist da nur ein verzweifelter Ersatz.

Das mag uns daran erinnern, dass die schönsten und bedeutendsten Dinge im Leben nichts kosten, oder genauer: Sie sind für Geld nicht zu haben. Liebe, Zuneigung, Sympathie, Freundschaften, Anerkennung und Bewunderung sind nicht käuflich. Auch die meisten Fähigkeiten, die uns erfreuen und Lust bereiten, kann man sich nicht kaufen, sondern muss sie sich erarbeiten. Wie zum Beispiel die Fähigkeit, Klavier zu spielen – oder mit dem Fußball den Gegner »auf einer Briefmarke« auszutricksen.

durch die Längen der durch ihn zu den Achsen gezogenen Parallelen festgelegt *(Abszisse* und *Ordinate)*. 2. Polarkoordinaten: Die Lage eines Punktes wird festgelegt durch die Entfernung *r* von einem festen Punkt (Ursprung) und den Winkel ϕ, den r mit einer Nullrichtung bildet; *r* heißt *Radiusvektor (Betrag)*, ϕ Abweichung (Argument). Die Polarkoordinaten lassen sich z. B. zu den räumlichen *Kugelkoordinaten* oder *Zylinderkoordinaten* erweitern.

koordinieren, beiordnen, zuordnen.

Kopenhagen, die Hauptstadt von Dänemark, am Öresund, 502 000 Einwohner.

Wer war …

Nikolaus Kopernikus

Der Astronom und Mathematiker Nikolaus Kopernikus (* 1473, † 1543) löste das geozentrische (ptolemäische) Weltsystem mit der *Erde* im Mittelpunkt durch ein heliozentrisches mit der *Sonne* im Mittelpunkt ab. Damit leitete er einen grundlegenden Wandel in der Selbsteinordnung des Menschen ein (wie später nur noch die Evolutionstheorie von C. *Darwin*). Kopernikus studierte zunächst in Krakau, ab 1496 in Bologna vor allem Rechtswissenschaften, ab 1501 in Padua Medizin und promovierte schließlich 1503 in Ferrara zum Doktor des Kirchenrechts. Nach Polen zurückgekehrt, bekleidete er sein Leben lang Kirchenämter (ab etwa 1512 als Domherr in Frauenburg, dem polnischen Frombork). Während seines Italienaufenthalts widmete er sich u. a. astronomischen Studien. Kurz nach seiner Rückkehr aus Italien (noch vor 1510) fasste Kopernikus seine Erkenntnisse der neuen Astronomie in der Schrift »Commentariolus« zusammen. Hier sind bereits sämtliche Grundzüge der Theorie *(kopernikanisches Weltsystem)* zu finden, die den Umsturz des bisherigen Weltbildes brachten: die zentrale Stellung der Sonne und die dreifache Bewegung der Erde (24-stündige Rotation, jährliche Bahnbewegung um die Sonne sowie die langperiodische Schwankung der Erdachse). Sein Hauptwerk »De revolutionibus orbium coelestium« (»Über die Kreisbewegungen der Weltkörper«), in dem er die gesamte Astronomie auf der Basis der heliozentrischen Auffassung mathematisch-geometrisch beschrieb, erschien erst kurz vor seinem Tode in Nürnberg. Der lutherische Theologe A. *Osiander* stellte ihm ein Vorwort voran, in dem er das heliozentrische Weltsystem – im Widerspruch zu Kopernikus – als ein rein hypothetisches auswies. Kopernikus löste zwar das geozentrische durch ein heliozentrisches Weltsystem ab, unterließ es jedoch, die physikalischen Grundlagen jenes Systems (z. B. die Kreisförmigkeit der Planetenbahnen) in Zweifel zu ziehen.

Kopernikus erkannte, dass die Planeten um die Sonne kreisen.

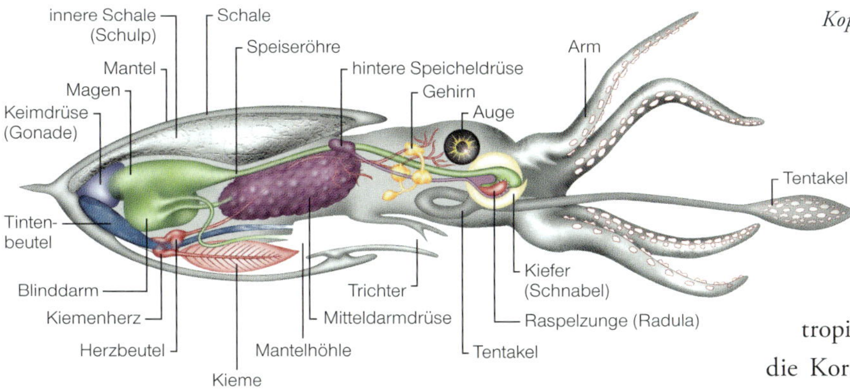

Kopffüßer mit 8 Armen und 2 Tentakeln, von denen durch den Längsschnitt nur die Hälfte dargestellt sind.

Kopffüßer [Pl.], *Tintenfische,* hoch entwickelte Weichtiere, die im Meer leben. Sie sind mit sehr beweglichen Fangarmen ausgestattet (acht bei den *Kraken,* zehn bei *Kalmaren* und *Sepien),* die mit zahlreichen Saugnäpfen bedeckt sind und den Kopffüßern das charakteristische Aussehen geben. Der Körper ist bei den bodenlebenden Kopffüßern einfach sackförmig (Kraken, Sepien), bei guten Schwimmern torpedoförmig (Kalmare). Eine äußere Schale ist bei Kopffüßern mit Ausnahme der ursprünglichen Gattung der *Perlboote* nicht vorhanden, lediglich ein innerer Kalkschalenrest (Schulp). Kopffüßer haben hoch entwickelte Augen. Der Fuß ist zu einem Trichter umgebildet, durch den das Atemwasser mit großer Gewalt ausgestoßen wird. Die Tiere schwimmen durch Rückstoß. Viele Arten sind mit »Tintenbeuteln« versehen (Anhang des Enddarms), durch deren Entleerung das Wasser trübe gefärbt wird. Auf diese Weise sichern die Tiere ihre Flucht.

Kopten [arab., »Ägypter«], die christlichen Nachkommen der alten Ägypter mit eigener Schrift.

Korallen [die], *Korallentiere, Blumentiere,* in tropischen Meeren lebende Hohltiere, die sich am Meeresboden festsetzen. Es gibt große Einzelpolypen wie *Seerosen* und *Seeanemonen* und koloniebildende Arten wie die *Edelkorallen.* Letztere scheiden Kalkskelette ab, die untereinander verbunden sind und sich mit der Zeit zu enormer Höhe und Mächtigkeit auftürmen. Auf diese Weise entstehen die *Korallenriffe* in tropischen Meeren. Unten sterben die Korallen ab, übrig bleiben nur die Kalkskelette, während die lebenden Korallen sich immer nur an der Oberfläche befinden.

Koran [der, arab., »Vortrag, Lesung«], die heilige Schrift des Islam, in dem die Offenbarungen des Propheten *Mohammed* gesammelt sind. Der Koran gilt als

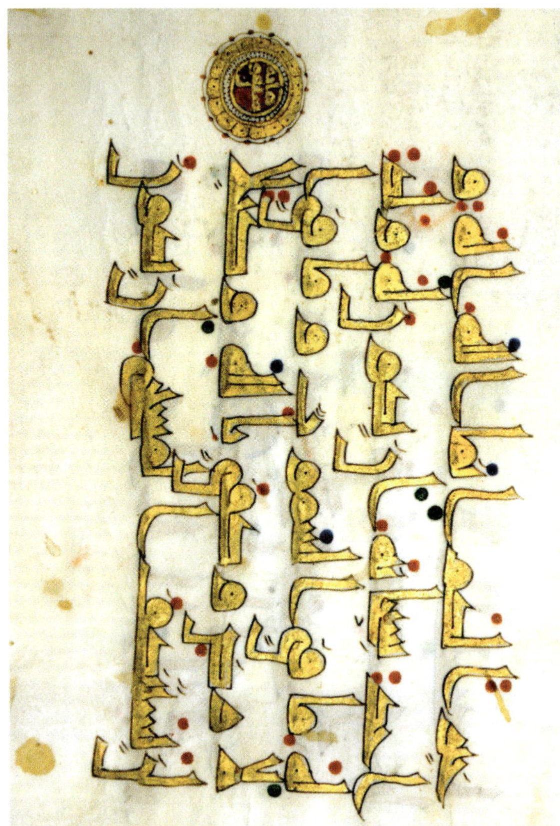

Koran: Seite aus dem Koran. Kuwait, Nationalmuseum

das Wort Allahs, er ist eingeteilt in 114 *Suren* (Kapitel) und für den gesamten Orient von großer religiöser und politischer Bedeutung.

Korczak ['kɔrtʃak], Janusz, eigentlich *Henryk Goldszmit*, * 1878, † 1942; polnischer Arzt und Pädagoge. Er war 1912–1942 Leiter eines Waisenhauses in Warschau und begleitete die ihm anvertrauten Kinder freiwillig in das Vernichtungslager Treblinka. Als Kinderbuchautor wurde er mit der Erzählung »König Hänschen« bekannt.

Kordilleren [kɔrdil'jeːrən], der längste Gebirgszug der Erde, rund 15 000 km lang, er durchzieht den amerikanischen Kontinent von der Südspitze bis Alaska. Die südamerikanischen Kordilleren werden als *Anden* bezeichnet. Die nordamerikanischen Kordilleren teilen sich in mehrere Gebirgszüge, darunter die *Rocky Mountains*. Die höchste Erhebung ist der *Aconcagua* (6960 m) in Argentinien.

Korea, Halbinsel in Ostasien, politisch geteilt in die beiden Staaten *Nordkorea* und *Südkorea*.

Das Land ist überwiegend gebirgig mit den höchsten Erhebungen im Norden (bis 2744 m). Die West- und Südküste sind stark gegliedert, im Südosten fällt die Küste im *Taebaeksanmaekgebirge* steil zum Japanischen Meer ab. Das Klima weist erhebliche Temperaturschwankungen und eine ungleichmäßige jahreszeitliche Verteilung der Niederschläge auf. – Die Bewohner sind Koreaner. Sie gehören vorwiegend dem Buddhismus, Konfuzianismus und dem Christentum an.

Geschichte: Die legendäre Gründung des koreanischen Staats *Choson* geht zurück auf *Tangun*, 2333 v. Chr. Um 194 v. Chr. entstanden im Süden drei Han-Reiche *(Sam-Han)*, während der Norden in chinesische Abhängigkeit geriet. Ein koreanischer Einheitsstaat unter chinesischem Einfluss kam 668 unter *Silla* zustande. *Yi Songgye* (Herrschername *Taejo*) begründete die Dynastie Yi (1392–1910). Nach japanischen Invasionen im 16. Jh. begann 1640 die über 200 Jahre

Nordkoreas Hauptstadt Pjöngjang am Fluss Taedonggang; im kulturellen und wirtschaftlichen Zentrum des Landes leben 2,8 Mio. Menschen.

währende Abschließung Koreas (bis 1876). 1910 wurde Korea von Japan, 1945 von der UdSSR und den USA besetzt, die das Land längs des 38. Breitengrads in eine nördlich sowjetische und eine südlich US-amerikanische Interessensphäre aufteilten. Im Süden wurde am 15. 8. 1948 die *Republik Korea* gegründet. Der Norden rief am 9. 9. 1948 die *Volksdemokratische Republik Korea* aus. Am 25. 6. 1950 begann mit dem Einmarsch nordkoreanischer Truppen in Südkorea der Korea-Krieg (1953 *Waffenstillstand von Panmunjom*). Seither waren der Norden und der Süden hermetisch voneinander getrennt. Erst 1985 konnten Vereinbarungen über humanitäre Fragen getroffen werden. 1991 wurde ein Versöhnungsvertrag geschlossen. 2000 fand ein Gipfeltreffen der beiden Staatschefs statt.

Alles beherrschender Politiker *Nordkoreas* war von 1945 bis zu seinem Tode 1994 *Kim Il Sung*. Ihm folgte sein Sohn *Kim Jong Il*. Die internationale Isolierung des Landes beeinträchtigte die Versorgung der Bevölkerung. Das nordkoreanische Nuklearprogramm führte zum außenpolitischen Konflikt mit den USA.

Syngman Rhe, der erste Präsident *Südkoreas*, errichtete ein autoritäres Präsidialregime. *Park Chung Hee* (seit 1963 Präsident) wurde 1979 ermordet. *Roh Tae Woo*, 1988–1993 Präsident, leitete eine Liberalisierung ein. Seine Nachfolger *Kim Young Sam* und *Kim Dae Jung* bemühten sich um Reformen und Entspannung mit dem Norden. 2004 scheiterte ein Amtsenthebungsverfahren gegen *Roh Moo Hyun* (Präsident seit 2003).

Ländersteckbrief
Korea, Nordkorea

Fläche:	120 538 km²
Einwohner:	22,6 Millionen = 187 je km²
Hauptstadt:	Pjöngjang
Religion:	Buddhismus, Konfuzianismus
Amtssprache:	Koreanisch
Währung:	1 Won = 100 Chon

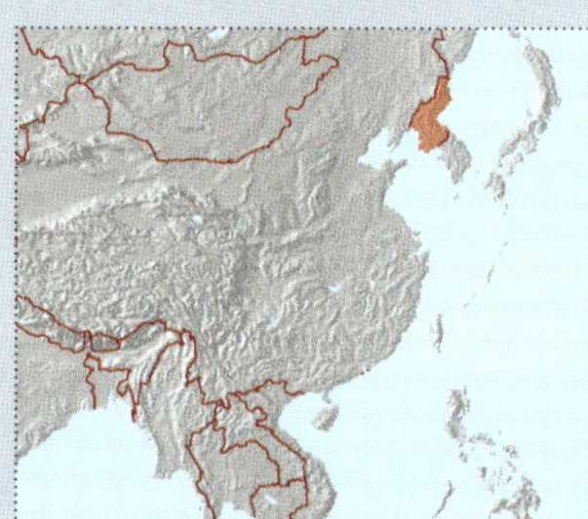

Korea, Nordkorea, Staat in Ostasien.

Wirtschaft: Die Landwirtschaft wird in Kollektiv- oder Staatsbetrieben betrieben. Sie erzeugt Reis, Gerste, Weizen, Sojabohnen, Tabak, Mais, Baumwolle u. a. Wichtig ist die Fischerei. Die reichen Bodenschätze (Kohle, Eisen, Gold, Kupfer u. a.) werden erst z. T. abgebaut. Wirtschaftlich bedeutend sind v. a. Eisen- und Stahl-, Maschinenbau-, Textil- und chemische Industrie. – Haupthäfen sind Chongjin, Heungnam, Najin, Nampo und Wonsan.

Ländersteckbrief
Korea, Südkorea

Fläche:	99 538 km²
Einwohner:	48 Millionen = 482 je km²
Hauptstadt:	Seoul
Religion:	Buddhismus, Christentum, Konfuzianismus
Amtssprache:	Koreanisch
Währung:	1 Won = 100 Chon

Korea, Südkorea, Staat in Ostasien.

Wirtschaft: Hauptanbauprodukt ist Reis. Bedeutung haben auch Viehzucht und Hochseefischerei.

Südkorea: Wichtigstes Produkt der Landwirtschaft ist das Grundnahrungsmittel Reis.

Kormorane sind weltweit verbreitet und leben an Gewässern und Meeresküsten jeder Art.

Die Industrie hat sich stark entwickelt. Sie umfasst v.a. Schiffbau, Auto-, elektronische und chemische Industrie sowie die Eisen- und Stahlerzeugung. Die Stromgewinnung basiert zunehmend auf der Kernenergie. – Haupthäfen sind Incheon, Busan, Gunsan und Mokpo. Dem Luftverkehr kommt wachsende Bedeutung zu.

Kork [der], ein schützendes pflanzliches Abschlussgewebe aus abgestorbenen Pflanzenzellen. Kork wird besonders aus der Rinde der Korkeiche gewonnen, die im Mittelmeerraum heimisch ist. Die Korkschicht wird alle 8–12 Jahre von den Bäumen geschält. Kork wird besonders für Flaschenkorken und als Wärmeisolierung genutzt.

Kormorane [Pl.], eine Vogelfamilie mit rund 30 Arten, die zur Ordnung der *Ruderfüßer* gerechnet werden. Typisch für diese großen Wasservögel ist ihre Ernährungsweise, denn ihre Nahrung – fast ausschließlich Fische – erbeuten sie schwimmend und sogar tauchend, wobei sie ihren kräftigen, hakenförmigen Schnabel als Greifwerkzeug einsetzen. Manche Kormorane veranstalten regelrechte Gemeinschaftsjagden, wobei sie ihre Beute einkesseln. Bekannt sind auch die dressierten Kormorane, die von vielen asiatischen und afrikanischen Völkern zum Fischfang eingesetzt werden.

Korps [koːr, das], ein Truppenverband des Heeres aus mehreren Divisionen.

Korrektur [die], Berichtigung, Verbesserung.

Korrosion [die, lat., »Zernagung«], die allmähliche Zerstörung von Gesteinen oder Werkstoffen durch das Einwirken von Wasser, Säuren, Laugen oder Gasen.

Korruption [die], Bestechlichkeit.

Korsika, zu Frankreich gehörende Mittelmeerinsel, Hauptstadt ist *Ajaccio.* Auf der gebirgigen Insel herrschen milde, regenreiche Winter und trockenwarme Sommer.

Kosaken [Pl.], seit dem 15. Jh. bestehende Reiterverbände an Wolga, Don und Dnjepr, die aus Unzufriedenen verschiedener Völkerschaften, oft flüchtigen leibeigenen Bauern, bestanden, die hier weitgehend unabhängige Kosakenreiche mit einem gewählten Führer errichteten. Im 17./18. Jh. wurden sie von den russischen Zaren unterworfen.

Korsika: Die zerklüftete Steilküste am Golf von Porto im Nordwesten der Insel

Kosovo: Die türkische Brücke und die Sinan-Pascha-Moschee in Prizren

Kosmetik [die], *Schönheitspflege,* die Kunst, die Schönheit des Körpers zu erhalten und zu fördern.

Kosmopoliten [Pl.], Menschen, die sich der gesamten Menschheit zugehörig fühlen (Weltbürger).

Kosmos [der], das Weltall.

Kosovo, Provinz im Süden Serbiens, 10 887 km^2, 1,99 Mio. Einwohner, davon 10% Serben, rund 90% Albaner, Hauptstadt *Priština*. Im 14. Jh. war das Kosovo Teil des Großserbischen Reiches. 1389 wurde es dem Osmanischen Reich tributpflichtig, dem es 1469 ganz einverleibt wurde. Im 18. Jh. kam es zu einer starken albanischen Zuwanderung. Seit dem 20. Jh. gehörte das Kosovo zu → Jugoslawien. 1963 erhielt es den Status einer eigenständigen Provinz. Nach 1980 steigerten sich die Spannungen zwischen der albanischen Bevölkerungsmehrheit und der serbischen Minderheit. Mit der serbischen Verfassung von 1990 wurde die Autonomie wieder aufgehoben. Auseinandersetzungen zwischen jugoslawisch-serbischen Truppen und der *Befreiungsarmee des Kosovos* (UÇK) führten 1998 zum offenen Konflikt. Friedensvorschläge wurden von der jugoslawischen Führung nicht akzeptiert. Daraufhin begann die NATO im März 1999 einen Luftkrieg gegen Jugoslawien, das verschärft gegen die albanische Bevölkerung im Kosovo vorging. Hunderttausende flohen aus dem Krisengebiet. Im Juni 1999 stellte die NATO ihre Luftangriffe ein, weil sich Jugoslawien zum Abzug aller bewaffneten Kräfte aus dem Kosovo verpflichtet hatte. Die UNO-Mission für das Kosovo (UNMIK) übernahm zunächst die politische Gewalt in der Krisenregion. Eine internationale Friedenstruppe unter Führung der NATO (Kosovo Force, *KFOR*), der auch deutsche Soldaten angehörten, bemühte sich um die Wiederherstellung der öffentlichen Ordnung. 2004 kam es zu schweren Ausschreitungen gegen die serbische Bevölkerung. 2007 legte der UN-Sonderbeauftragte M. *Ahtisaari* einen Vorschlag für die politische Zukunft der Provinz vor (international überwachte Eigenständigkeit; Sonderrechte für die serbische Minderheit). Die serbische Regierung lehnte diesen Vorschlag ab.

KP, Abkürzung für Kommunistische Partei, mit dem Zusatz des entsprechenden Landes, z. B. KPD: Kommunistische Partei Deutschlands.

Krabben [Pl.], eine große Gruppe der Krebse (rund 4500 Arten) mit stark verbreitertem Kopfbruststück und kurzem Hinterleib, der nach vorn unter die Bauchseite geklappt wird. Krabben tragen meist große Scheren und können sehr schnell seitwärts laufen. An

Krabben: Die Scheren der Winkerkrabben-Weibchen sind im Gegensatz zu denen der Männchen gleich groß ausgebildet.

Kraftwerk das mit Erdgas arbeitet (Schema): Das Erdgas wird in der Brennkammer in verdichteter Luft verbrannt. Die dabei entstehenden heißen Gase werden im Wärmetauscher genutzt, Wasser zu Dampf zu erhitzen. Der Dampf gibt seine Energie in Turbinen ab, die einen Generator antreiben. Kraftwerke dieses Typs verwandeln fast 50% der Energie aus dem Gas in elektrischen Strom.

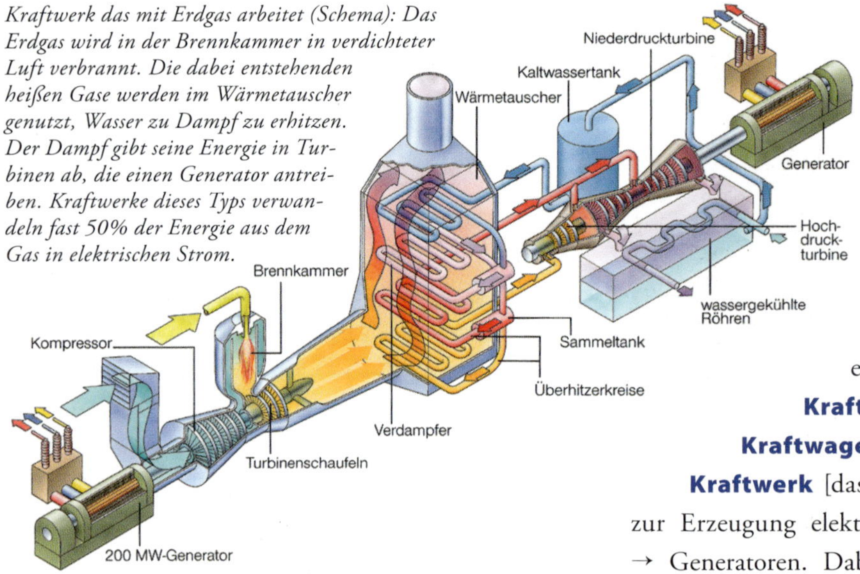

der Nordseeküste leben *Taschenkrebs* und *Strandkrabbe,* in vielen unserer Flüsse lebt die *Wollhandkrabbe.* Fälschlicherweise wird auch die Nordseegarnele als Krabbe bezeichnet.

Kraft [die], eine Größe in der Physik, die nur an ihrer Wirkung zu erkennen ist; sie ist die Ursache für die Bewegungs- oder Lageänderung aller Körper. Jede Kraft ist durch ihre Größe und Richtung bestimmt. Daher gilt: Kraft ist das Produkt aus Masse und Beschleunigung. Die Einheit der Kraft ist 1 Newton (N). Ein Newton ist diejenige Kraft, die der Masse 1 kg die Beschleunigung 1 m pro s^2 erteilt.

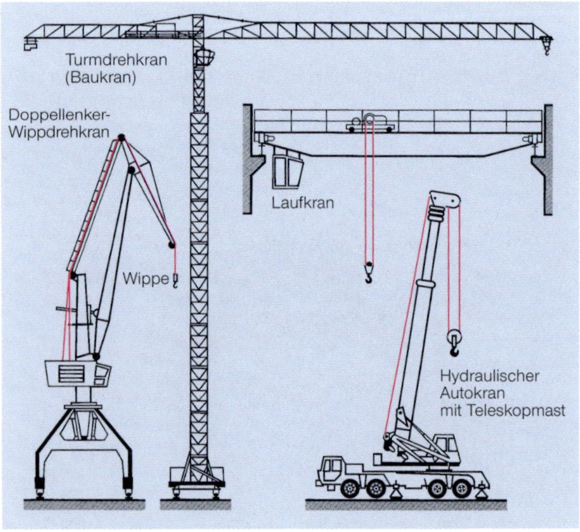

Kräne gibt es in verschiedenen Konstruktionsformen.

Kraftrad [das] → Motorrad.

Kraftwagen [der] → Auto.

Kraftwerk [das], *Elektrizitätswerk,* ein Betrieb zur Erzeugung elektrischer Energie mit Hilfe von → Generatoren. Dabei können verschiedene Energieformen genutzt und in elektrische Energie umgewandelt werden. *Dampfkraftwerke* verbrennen Kohle, Erdgas oder Erdöl und nutzen die Energie, die in diesen fossilen Brennstoffen steckt. *Kernkraftwerke* nutzen die Energie, die bei der Kernspaltung frei wird. *Geothermische Kraftwerke* nutzen die Erdwärme zur Erzeugung von Wasserdampf. *Wasserkraftwerke* verwenden die Energie, die in gestautem Wasser steckt, *Gezeitenkraftwerke* nutzen die unterschiedlichen Wasserstände bei Ebbe und Flut aus. *Windkraftanlagen,* die wie große Windmühlen aussehen, werden mit Hilfe der Windgeschwindigkeit betrieben und *Solarkraftwerke* nutzen die Energie des Sonnenlichts.

Krähen [Pl.], mittelgroße Arten aus der Familie der Rabenvögel, wobei größere Formen direkt als *Raben* bezeichnet werden. Die meist tiefschwarzen Vögel sind bekannt für ihre Neugierde, ihre schnelle Auffassungsgabe und große Anpassungsfähigkeit, weshalb sie auch in der Nähe menschlicher Behausungen gut zurechtkommen.

Krampf [der], das plötzliche schmerzhafte Zusammenziehen bestimmter Muskeln, hervorgerufen durch einen örtlichen Reiz (z. B. Wadenkrampf in kaltem

Kronenkraniche leben das ganze Jahr über in Afrika südlich der Sahara.

Wasser), durch eine Stoffwechselstörung (z. B. Absinken des Blutcalcium- oder des Blutzuckerspiegels), durch Vergiftungen (z. B. Strychnin) oder Überbeanspruchung.

Krater: Nach dem Ausbruch eines Vulkans hat sich dieser Krater in der Auvergne in Frankreich gebildet.

Kran [der], eine Arbeitsmaschine zum Heben, Senken und Transportieren von Lasten auf kurzen Strecken in Fabrikhallen, Häfen, auf Baustellen usw.

Kraniche [Pl.], langbeinige Vögel mit langen Hälsen, die sie im Flug gerade nach vorn strecken (im Gegensatz zu Reihern). Kraniche sind in Sumpf- und Moorgebieten der ganzen Erde beheimatet. Es sind Zugvögel, die im Herbst in V-Formation oder gestaffelt in ihre warmen Winterquartiere in Afrika und Asien ziehen. Bei uns kommen Kraniche vor allem noch in den nördlichen neuen Bundesländern vor, gelten aber als vom Aussterben bedroht.

Krankheit [die], eine Störung der Lebensvorgänge in einzelnen Organen oder dem gesamten Organismus, die sich durch körperliche, seelische oder geistige Veränderungen ausdrückt.

Krater [der], **1.** die trichterförmige Öffnung eines Vulkans. **2.** Meteoritenkrater, → Meteor.

kreativ, schöpferisch, einfallsreich.

Was ist … Krebs

Krebs ist die allgemein gebräuchliche Bezeichnung für bösartige Tumoren. Krebs ist in Deutschland nach den Herz-Kreislauf-Erkrankungen die zweithäufigste Todesursache. Die Wahrscheinlichkeit, an Krebs zu erkranken, wächst mit zunehmendem Alter. So führt die gestiegene Lebenserwartung dazu, dass immer mehr Menschen Krebs entwickeln. Die häufigste Krebserkrankung ist beim Mann der Prostatakrebs, bei Frauen der Brustkrebs. Bei beiden Geschlechtern folgt Darmkrebs auf Platz zwei und Lungenkrebs auf Platz drei.

Eigenschaften und Krebsarten: Tumoren bestehen aus entarteten Zellen, was ihnen besondere Eigenschaften verleiht: Sie sind autonom (selbstständig), das heißt, sie wachsen schrankenlos auf Kosten des Organismus; sie dringen in die gesunde Umgebung ein und zerstören dabei das normale Körpergewebe; die meisten Tumoren bilden frühzeitig Tochtergeschwülste (Metastasen), indem sie Krebszellen über das Blut oder die Lymphe in andere Organe absiedeln. Nach dem Gewebe, aus dem sich Tumoren entwickeln, werden Karzinome und Sarkome unterschieden. *Karzinome* entstehen aus entarteten Deckzellen der Haut und der Schleimhaut sowie aus Drüsenzellen. *Sarkome* entstehen aus entarteten Bindegewebs-, Muskel-, Fett- und Knochenzellen. Außerdem gibt es noch die bösartigen Erkrankungen des Blutes und der blutbildenden Organe wie z. B. *Leukämien.*

Ursache: Die Ursache der Krebsentstehung sind Mutationen, also Erbgutänderungen, die sich über Jahre und Jahrzehnte in einer Zelle anhäufen und die Erbsubstanz mehr und mehr verändern. Dabei können Erbanlagen, sogenannte Kontrollgene, die die Zellteilung normalerweise steuern, so verändert werden, dass sie ihre Funktion nicht mehr erfüllen können mit dem Ergebnis, dass die Zelle sich nun unbegrenzt teilt. Solche Mutationen können ohne äußere Ursache bei der normalen Zellteilung auftreten, werden aber in weit größerem Umfang durch verschiedene äußere Einflüsse, sogenannte *Kanzerogene,* ausgelöst. Als solche wirken: 1. chemische Substanzen, 2. Viren und 3. Strahlen. Dabei kommt den chemischen Substanzen die größte Bedeutung zu. So verursacht Tabakrauch nachweislich Lungenkrebs, und Tabakrauch in Verbindung mit Alkohol wird für die meisten Krebserkrankungen der Mundhöhle, des Rachens, des Kehlkopfes und der Speiseröhre verantwortlich gemacht. Eine zu fette Ernährung mit sehr viel Fleisch kann zur Entstehung von Darmkrebs beitragen. UV-Strahlen können Hautkrebs verursachen. Einige Arten von Krebs wie Darmkrebs und Formen von Brustkrebs treten familiär gehäuft auf, das heißt, hier spielt die genetische Disposition (Anlage) eine bedeutsame Rolle.

Diagnose: Frühzeitige Krebserkennung ist die Voraussetzung einer erfolgreichen Krebsbehandlung. Regelmäßige Vorsorgeuntersuchungen dienen der Frühdiagnose. Es gibt Anzeichen, die zwar auch bei anderen Krankheiten vorkommen können, aber vor Krebs warnen und eine ärztliche Untersuchung angeraten erscheinen lassen. Zu ihnen gehören tastbare Knoten oder Verhärtungen (z. B. der weiblichen Brust, der Haut, der Zunge), Veränderungen an Warzen, Muttermalen und Leberflecken, oberflächliche Wunden, Geschwüre und Schwellungen, die nicht oder nur schlecht abheilen, anhaltende Verdauungs- und Schluckbeschwerden, anhaltende oder wiederholte Blutbeimischungen im Stuhl, zu starke Menstruationsblutungen, Bluthusten, Blut im Harn, chronische Heiserkeit und Husten, anhaltender Gewichtsverlust ohne einen ersichtlichen Grund.

Therapie: Da es viele verschiedene Arten von Krebs gibt, muss die Behandlung individuell erfolgen. Die drei Säulen der Krebstherapie sind aber nach wie vor die möglichst vollständige *chirurgische Entfernung* des Tumors, die Zerstörung der Krebszellen durch energiereiche Strahlen *(Strahlentherapie)* und die Schädigung der Krebszellen durch besondere Medikamente *(Chemotherapie).* In einigen Fällen kann auch eine *Hormontherapie* sinnvoll sein. Meistens kommt eine Kombination verschiedener Therapien zum Einsatz. Unterstützende Maßnahmen in Form von sozialer Hilfe, psychologischer Betreuung, Bewegungstherapie, Gymnastik oder eine wirksame Schmerztherapie in fortgeschrittenen Stadien können hinzukommen.

Krebse [Pl.], eine Klasse der Gliederfüßer, die in Süßwasser und Meerwasser, selten auch auf dem Land vorkommen. Bei den Krebsen sind Kopf und Teile des Rumpfes zum Kopfbruststück verschmolzen. Sie haben zwei Paar Kopffühler (Antennen), zahlreiche Beinpaare, von denen einige als Mundwerkzeuge, andere als Greifscheren, Laufbeine, Schwimmflossen oder Atmungsorgane umgebildet sein können. Der aus Chitin bestehende Panzer ist durch Kalkeinlagerungen verstärkt und wird beim Wachstum in regelmäßigen Abständen abgeworfen (Häutung). Krebse pflanzen sich durch Eier fort, aus denen eine Larve schlüpft, die sich erst über mehrere Larvenstadien zum erwachsenen Krebs entwickelt. Auch → »Genauer betrachtet«.

Genauer betrachtet … Krebse

Der *Palmendieb*, ein etwa 32 cm großer Einsiedlerkrebs und damit der größte Vertreter seiner Familie, lebt auf den Inseln Südostasiens und Ozeaniens. Bei der Nahrungssuche in Küstennähe erklettert er mühelos mit Hilfe seiner ungeheuer kräftigen Scheren und langen Schreitbeine 20 m hohe Sago- und Kokospalmen. Oben angelangt, schneidet er junge Kokosnüsse ab, die er genüsslich verzehrt, sobald er – kopfabwärts – zur Erde zurückgekehrt ist.

Kredit [der], das Ausleihen von Geld für eine bestimmte Zeit. Der Geldgeber (z. B. eine Bank) erhält dafür Zinsen.

Kreditkarte [die], eine Karte, die man als Mitglied in einem Kreditkartensystem bekommt, wenn man Aufnahmegebühr sowie einen Mitgliedsbeitrag bezahlt. Kann man sich mit dieser Karte ausweisen, werden Leistungen und Lieferungen zunächst von der Kreditkartenorganisation bezahlt. Die Organisation lässt diese Auslage dann in der Regel monatlich vom Kreditkarteninhaber begleichen.

Krefeld, eine Stadt in Nordrhein-Westfalen, Rheinhafen, 239 000 Einwohner.

Kreide [die], **1.** ein Abschnitt des Erdmittelalters (→ Erdzeitalter, Tabelle). **2.** ein weißer, weicher Kalkstein, der aus den Kalkschalen einzelliger Meerestiere entstanden ist. Kreide wird als Färbemittel (Anstrichfarben) oder als Schlämmkreide in Zahnpasten, Kitten und als Poliermittel verwendet.

Kreis [der], eine ebene, geschlossene Kurve, deren Punkte vom Mittelpunkt die gleiche Entfernung r *(Radius)* haben. Jede durch den Mittelpunkt gehende Strecke zwischen 2 Kreispunkten heißt *Durchmesser*. Flächeninhalt und Umfang eines Kreises berechnen sich nach den Formeln $F=\pi r^2$ und $U=2\pi r$. Dabei ist

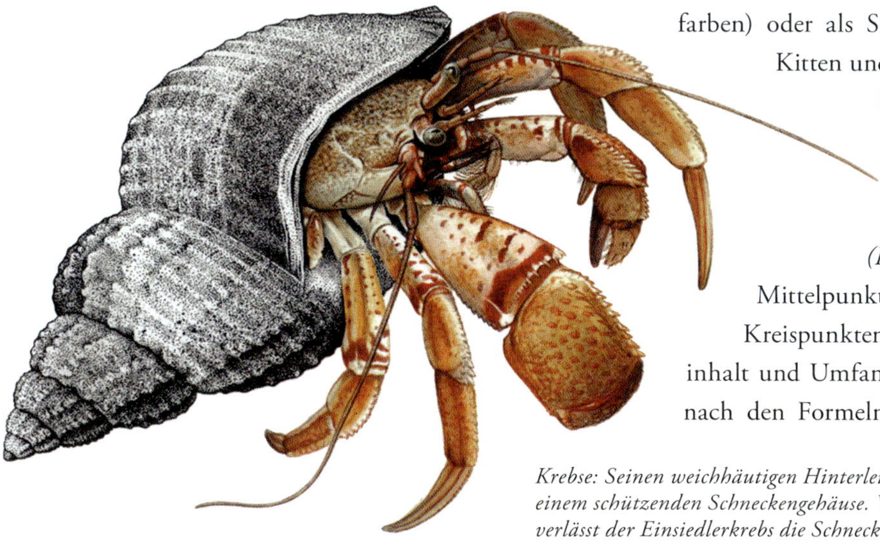

Krebse: Seinen weichhäutigen Hinterleib versteckt der Einsiedlerkrebs in einem schützenden Schneckengehäuse. Wird die alte Behausung zu klein, verlässt der Einsiedlerkrebs die Schneckenschale und sucht sich eine neue.

Kreml: Blick auf die vergoldeten Zwiebeltürme des Moskauer Kreml

→ Pi eine konstante Größe, die man zur Berechnung der Kreisfläche benötigt.

Kreisky, Bruno, * 1911, † 1990; österreichischer Politiker (SPÖ). Kreisky war 1970–1983 Bundeskanzler.

Kreislauf [der] → Blutkreislauf.

Krematorium [das, lat. *cremare* »verbrennen«], eine Anlage zur Feuerbestattung.

Kreml [der], in altrussischen Städten die Burg; besonders der Moskauer Kreml, der zunächst die Residenz des russischen Zaren und hoher Kirchenfürsten war. In der Sowjetunion war er Regierungssitz.

Kreuzspinne: Mehr als 25 Arten sind in Deutschland vertreten, zum Beutefang legen sie ein radförmiges Netz an.

Kreolen [Pl.], die Nachkommen spanischer oder französischer Einwanderer in Mittel- und Südamerika.

Kreta, größte Insel Griechenlands, Hauptort *Herakleion*. Im frühen Altertum war die Insel der Mittelpunkt der minoischen Kultur.

Kreuz [das], zwei sich rechtwinklig oder schräg schneidende Balken oder Striche, als Ornament oder Symbol schon seit mehr als vier Jahrtausenden in vielen Kulturen verwandt. Für die Christen ist das Kreuz Sinnbild für Jesus Christus und dessen Kreuzestod.

Kreuzotter: Die Kreuzotter ist eine unserer wenigen heimischen Giftschlangen.

Kreuzotter [die], eine in Mitteleuropa verbreitete giftige Vipernart. Sie wird bis 85 cm lang und zeigt ein Zickzackband auf dem Rücken. Die Kreuzotter ernährt sich von Kleinsäugern und Echsen. Ihr Biss ist zwar auch für den Menschen gefährlich, aber nur selten tödlich. Bei uns ist die Kreuzotter stark gefährdet und steht daher unter Schutz.

Kreuzspinne [die], eine bei uns heimische Radnetzspinne mit weißer kreuzartiger Zeichnung auf dem Hinterleibsrücken; sie steht unter Schutz.

Kreuzung [die], in der Tier- und Pflanzenzucht die bewusste Paarung bestimmter Zuchttiere oder Zuchtpflanzen.

Was waren die … Kreuzzüge

Kreuzzüge waren Kriegszüge, die zwischen dem 11. und dem 13. Jh. vom christlichen Europa aus unternommen wurden, um Palästina, das *Heilige Land,* zu erobern und die heiligen Stätten aus den Händen der Muslime zu befreien.

Ursachen: Anlass für die Kreuzzugsbewegung war die Eroberung des Heiligen Landes durch die türkischen *Seldschuken* im 11. Jh. Ihre Expansion bedrohte das *Byzantinische Reich,* das um die militärische Hilfe des Abendlandes nachsuchte. Diese politischen Ursachen verstärkten in der christlichen Bevölkerung die Auffassung, einen »heiligen Krieg« führen zu müssen. Gleichzeitig versprachen sich die *Kreuzfahrer* die Mehrung von Ruhm und Besitz. Die vom Papst gewährten Ablässe und Privilegien trugen ebenfalls zur Förderung des Kreuzzugsgedankens bei.

Die Kreuzzüge: 1095 rief Papst *Urban II.* zum Krieg gegen die Muslime auf, woraufhin sich nord- und südfranzösische, lothringische, flämische, und normannische Ritter unter Führung *Gottfrieds von Bouillon,* des Herzogs von Niederlothringen, zum *1. Kreuzzug* (1096–1099) formierten, der mit der Eroberung Jerusalems sowie der Errichtung eines christlichen Königreichs und kleinerer *Kreuzfahrerstaaten* endete. In Deutschland fand der Kreuzzugsgedanke erst durch die Predigten des Kirchenlehrers *Bernhard von Clairvaux* Anklang; er bewog König *Konrad III.* zum *2. Kreuzzug* (1147–1149), der militärisch allerdings scheiterte. Die Eroberung Jerusalems durch den osmanischen Sultan *Saladin* (1187) war der Anlass zum *3. Kreuzzug* (1189–1192), an dem sich Kaiser *Friedrich I. Barbarossa,* der englische König *Richard I. Löwenherz* und der französische König *Philipp II. August* beteiligten. Durch den plötzlichen Tod des Kaisers (1190) verlor dieser Kreuzzug seinen Führer, doch konnte Akko in Nordisrael erobert (1191) und ein Küstenstreifen gesichert werden. Die Teilnehmer des *4. Kreuzzugs* (1202–1204) erreichten das Heilige Land nicht, sondern eroberten im Auftrag Venedigs Zara an der dalmatinischen Küste und die byzantinische Hauptstadt Konstantinopel, wo sie das *Lateinische Kaiserreich* errichteten. 1212 kam es zu einem verlustreichen *Kinderkreuzzug.* Auf dem *5. Kreuzzug* (1228/1229) brachte Kaiser *Friedrich II.*

Szene aus dem 7. Kreuzzug des französischen Königs Ludwig IX.

Jerusalem wieder in christlichen Besitz (bis 1244). Der *6.* und der *7. Kreuzzug* (1248–1254 bzw. 1270) des französischen Königs *Ludwig IX.* nach Ägypten bzw. Tunis endeten in militärischen Katastrophen. 1291 wurde durch die muslimische Eroberung Akkos die letzte christliche Bastion im Heiligen Land beseitigt.

Auswirkungen: Die politischen Bestrebungen einer dauerhaften Herrschaft über das Heilige Land scheiterten. Gleichzeitig verschlechterten die Kreuzzüge das Verhältnis zwischen christlicher und muslimischer Welt nachhaltig. Sie verstärkten die Judenfeindschaft und lösten grausame Massenmorde an der jüdischen Bevölkerung aus. Die Machtstellung des Byzantinischen Reichs wurde entscheidend geschwächt. Weitere Folgen der Kreuzzüge waren die Entstehung der geistlichen Ritterorden (u.a. *Templer, Johanniter* und *Deutscher Orden*) sowie die wirtschaftliche Begünstigung der italienischen Stadtrepubliken durch die Ausweitung des Fernhandels. Der Kontakt mit dem byzantinischen Osten und dem islamischen Orient brachte dem Abendland starke kulturelle und wissenschaftliche Impulse.

Kricket [das], ein besonders in England beliebtes Ballspiel (Kombination von Tor- und Schlagballspiel) zwischen zwei Mannschaften von je elf Spielern (eine Schlagmannschaft und eine Feldmannschaft).

Kriechtiere [Pl.], der deutsche Name für → Reptilien.

Krieg [der], die Austragung eines Konflikts zwischen Staaten oder Staatengruppen mit Waffengewalt. Bewaffnete Auseinandersetzungen innerhalb eines Staates zwischen verschiedenen Volksgruppen nennt man *Bürgerkrieg.*

Kriegsdienstverweigerung [die], *Wehrdienstverweigerung,* das Recht jedes Wehrpflichtigen, den Dienst an der Waffe aus Gewissensgründen abzulehnen. Kriegsdienstverweigerer müssen *Zivildienst* leisten.

Kriemhild, die weibliche Hauptgestalt in der Nibelungensage, die Gattin Siegfrieds.

Krim [die], eine Halbinsel in der Ukraine, die ins Schwarze Meer vorspringt.

Kriminalpolizei [die], Kurzwort Kripo, → Polizei.

Kristall [der], ein fester Körper, der von gleichmäßig angeordneten ebenen Flächen begrenzt wird. Die Atome und Moleküle sind gitterartig in einer regelmäßigen räumlichen Struktur angeordnet. Kristalle entstehen bei der Verfestigung von chemischen Stoffen.

Kristallnacht [die], *Reichskristallnacht, Reichspogromnacht,* die Nacht vom 9. zum 10. 11. 1938, in der in Deutschland über 250 Synagogen sowie viele jüdische Geschäfte und Wohnungen zerstört und geplündert wurden. Viele Juden wurden getötet, und mehr als 25 000 wurden in Konzentrationslager verschleppt. Damit begann der radikale Abschnitt der nationalsozialistischen Judenverfolgung.

Kriterium [das], ein wesentliches Kennzeichen, Unterscheidungsmerkmal.

Kritik [die], jede objektive Beurteilung anhand von festgelegten Maßstäben (Kriterien). In diesem Sinn ist Kritik ein Grundelement der Wissenschaft und des aufgeklärten Denkens.

kritisch, gewissenhaft prüfend, streng urteilend; auch gefährlich, eine Entscheidung bringend.

Kricket: Der Spielgedanke ähnelt dem des Baseball; der Schlagmann versucht, den Ball mit dem Schlagholz abzuwehren und möglichst weit ins Feld zu schlagen.

Ländersteckbrief **Kroatien**

Fläche:	56 542 km^2
Einwohner:	4,6 Millionen = 81 je km^2
Hauptstadt:	Zagreb
Religion:	römisch-katholische Kirche, orthodoxe Kirche
Amtssprache:	Kroatisch
Währung:	1 Kuna = 100 Lipa

Kroatien, Staat in Südosteuropa.

Landesnatur: Kroatien besteht im Nordosten aus *Niederkroatien*, einem fruchtbaren Tiefland zwischen Save, Drau und Donau, im Westen und Nordwesten aus dem Großteil der Halbinsel Istrien und dem stark verkarsteten Gebirgsland *(Hochkroatien)* in Dalmatien. Der Adriaküste sind zahlreiche Inseln vorgelagert. An der Küste herrscht Mittelmeerklima, nach Osten nimmt das Klima kontinentale Züge an.

Bevölkerung: Die Bevölkerung besteht zu 90% aus römisch-katholischen Kroaten, ferner orthodoxen Serben (4,5%) in der Krajina und Banija sowie in Slawonien.

Wirtschaft: Die Industrie (Maschinen-, Schiffbau, chemische, Textil-, Nahrungsmittelindustrie) beschäftigt rund 30% der Erwerbstätigen. In der Landwirtschaft werden Getreide, Wein, Obst und Zuckerrüben angebaut, im Gebirge Holzwirtschaft und Viehzucht. An Bodenschätzen sind v.a. die Bauxit-, Erdöl- und Erdgasvorkommen von Bedeutung. Der Tourismus ist Kroatiens wichtigster Devisenbringer.

Geschichte: Im Altertum war Kroatien von Illyrern besiedelt, die später von Kelten überlagert wurden. Die im 7. Jh. einwandernden slawischen Kroaten wurden vom Frankenreich bzw. Byzanz abhängig. 925 entstand ein eigenständiges kroatisches Königreich, das 1102 in Personalunion mit Ungarn verbunden wurde (bis 1918). 1527 wurden die Habsburger als Herrscher anerkannt, Kroatien ging aber bis zum Ende der Türkenkriege 1699 fast ganz an das Osmanische Reich verloren. Dalmatien gehörte 1420–1797 zur Republik Venedig und kam, wie Istrien, im 19. Jh. zur Monarchie Österreich-Ungarn. 1918 erklärten die Kroaten ihre Vereinigung mit Slowenen und Serben zum Staat *Jugoslawien*. 1941–1945 bestand ein formal selbstständiges Kroatien unter A. *Pavelić*, der eine Vertreibungs- und Vernichtungspolitik gegenüber der serbischen Bevölkerung betrieb. Nach 1945 wurde Kroatien erneut jugoslawische Teilrepublik. Die Unabhängigkeitsbestrebungen Kroatiens und Sloweniens führten 1991 zum jugoslawischen Bürgerkrieg. Mehr als ein Drittel des kroatischen Gebietes wurde von Serben besetzt.

Kroatien: Die Ortschaft Jablanica liegt an einer Bucht, die tief in das Küstengebirge Velebit einschneidet.

Krokodile: Das Nilkrokodil zählt zu den Echten Krokodilen. Es kann sogar ausgewachsene Kaffernbüffel erlegen.

Die am 25. 6. 1991 von Kroatien erklärte Unabhängigkeit wurde am 15. 1. 1992 international anerkannt. Die UNO stationierte 1992 Friedenstruppen in den serbisch besetzten Gebieten Kroatiens. 1995 gelang den Kroaten die Rückeroberung Westslawoniens und der Krajina. Dadurch wurde eine Massenflucht der serbischen Bevölkerung ausgelöst. Im selben Jahr konnte das unter Vermittlung der USA zustande gekommene Friedensabkommen von Dayton unterzeichnet werden. 1996 schlossen Kroatien und Jugoslawien ein Abkommen zur Normalisierung ihrer Beziehungen. In der Außenpolitik stand danach die Annäherung an NATO und EU im Vordergrund. 2005 begannen die Beitrittsverhandlungen mit der EU. Von 1990 bis zu seinem Tod 1999 war F. *Tudjman* Staatspräsident. Nachfolger wurde S. *Mesić*. Ministerpräsident ist seit 2003 I. *Sanader*.

Krocket [das], ein Rasenspiel, bei dem mit einem Holzhammer Kugeln (7,5 cm Durchmesser) durch kleine Tore aus Metallbügeln zu einem Zielpfosten zu treiben sind. Der Aufbau der zehn Tore ist nicht vorgeschrieben, die Spielerreihenfolge (2 oder mehr Spieler) wird jedoch vorher festgelegt.

Krokodile [Pl.], eine Ordnung der Reptilien. Es sind 1,5–7 m lange, stark gepanzerte Tiere mit einem seitlich abgeplatteten Ruderschwanz. Sie leben in den Tropen und den Subtropen in und am Wasser und ernähren sich von Fischen, kleinen oder größeren Säugetieren, Vögeln und Schildkröten. Im Erdmittelalter waren sie in großer Anzahl bekannt, heute gibt es nur noch 3 Familien: *Alligatoren, Echte Krokodile* und *Gaviale.*

Krokus [der], eine Frühjahrsblume, die durch Zucht in den verschiedensten Farben blüht, ursprünglich jedoch nur weiße und violette Blüten trug. Der kurze Trieb entwickelt sich aus einer Knolle.

Kronzeugen [Pl.], Hauptzeugen in einem Gerichtsverfahren; auch Mittäter, die gegen andere Mittäter belastend aussagen und dafür Strafminderung erfahren.

Kropf [der], **1.** eine Speiseröhrenerweiterung bei manchen Vogelarten zur vorübergehenden Aufnahme der Nahrung. **2.** beim Menschen eine krankhafte Schilddrüsenvergrößerung, die eine Anschwellung am Hals zur Folge hat.

Kröten [Pl.], eine weltweit (außer Australien) verbreitete Familie der Froschlurche. Kröten sind Bodenbewohner, überwiegend nachtaktiv, sie haben einen gedrungenen Körper, kurze Beine, warzige Haut, oft mit Giftdrüsen ausgestattet. Sie ernähren sich von

Kröten: Mit Hilfe der aufgeblähten Schallblase erzeugt die Pantherkröte den Paarungsruf.

Krypta im Kaiserdom zu Speyer

Würmern, Schnecken und Insekten. Zur Paarung suchen sie das Wasser auf. Ihre Eier legen sie in Schnüren ab. Aus ihnen schlüpfen die Larven (Kaulquappen), die sich im Wasser erst allmählich zu erwachsenen Kröten entwickeln. Bei uns leben *Erdkröte, Kreuzkröte* und *Wechselkröte.*

Krupp, Alfred, *1812, †1887; deutscher Unternehmer. Er erweiterte die von seinem Vater Friedrich Krupp übernommene Gussstahlfabrik in Essen zu einem Weltunternehmen der Stahlindustrie.

Kruse, Max, *1921; deutscher Schriftsteller. Seit 1952 ist er als erfolgreicher Kinderbuchautor tätig, dessen Werke besonders durch die Inszenierungen der Augsburger Puppenkiste bekannt wurden: z. B. »Der Löwe ist los«, »Urmel aus dem Eis«.

Krypta [die], eine unterirdische Kammer, Grabkammer unter einer Kirche, ursprünglich mit dem Grab eines Märtyrers, dem die Kirche geweiht war, später auch Grabstätte für hohe Würdenträger.

Krypton [das], ein chemisches Element mit dem Zeichen Kr, ein Edelgas.

KSZE, zum 1. 1. 1995 in → OSZE umbenannt.

Kuala Lumpur, Hauptstadt von Malaysia, 1,3 Mio. Einwohner.

Ländersteckbrief
Kuba

Fläche:	110 860 km²
Einwohner:	11,3 Millionen = 102 je km²
Hauptstadt:	Havanna
Religion:	römisch-katholische Kirche
Amtssprache:	Spanisch
Währung:	1 Kubanischer Peso = 100 Centavos

Kuba, Staat in der Karibik.

Landesnatur: Der Inselstaat der Großen Antillen wird vorwiegend von Tiefebenen und Hügelländern eingenommen; im Südosten erhebt sich die Sierra Maestra bis 1994 m. Das Klima ist tropisch warm.

Kuba: Ein Tabakbauer in der Provinz Pinar del Río; in Kuba liegen die Ursprünge der Zigarrenproduktion.

Bevölkerung: Die Bevölkerung setzt sich aus rund 88% Weißen und Mulatten, 11% Schwarzen sowie 1% Chinesen zusammen. Drei Viertel der Bewohner leben in Städten.

Wirtschaft: Die Landwirtschaft baut für den Export v. a. Zuckerrohr, Tabak, Kaffee, Früchte und Gemüse an. Von Bedeutung sind auch Viehwirtschaft und Fischerei. Die Industrie erzeugt in erster Linie Zucker für den Export sowie Maschinen, Tabakwaren, Textilien u. a. Konsumgüter. An Bodenschätzen gibt es v. a. Nickel, außerdem Chrom, Kobalt, Kupfer und Erdöl. Der Tourismus ist von stetig wachsender Bedeutung.

Geschichte: Die Insel wurde 1492 von Kolumbus entdeckt, seit 1511 war sie spanisch. 1898 wurde Kuba an die USA abgetreten, 1902 formell selbstständig (bis 1934 Interventionsrecht der USA). Der seit 1933 regierende Diktator F. *Batista* wurde 1959 durch F. *Castro* gestürzt, der einen sozialistischen Staat aufbaute. Durch die Stationierung sowjetischer Raketen auf der Insel kam es 1962 zur *Kubakrise*. Kuba unterstützte in der Folgezeit revolutionäre Bewegungen in der Dritten Welt. Staatsoberhaupt, Regierungschef und erster Sekretär des Zentralkomitees der kubanischen Kommunistischen Partei ist F. Castro. 2006 übertrug er seine politischen Befugnisse krankheitsbedingt auf seinen Bruder Raúl.

Kubik-, Vorsilbe bei Maßen zur Bezeichnung der räumlichen Größe.

Kubismus [der], eine Stilrichtung in der modernen Malerei, die 1907/1908 von P. *Picasso* und G. *Braque* in Weiterentwicklung der Malweise von P. *Cézanne* begründet wurde. Alles Dargestellte geht auf geometrische Formen wie Kreis, Würfel, Kegel oder Kugel zurück.

Kuckuck [der], bei uns heimischer Vogel, 35 cm lang, mit grauem Gefieder. Namengebend war der melodische Ruf des Männchens, der im Frühjahr zur Paarungszeit erschallt. Der Kuckuck ist ein Brutparasit, der seine Eier einzeln in die Nester kleiner Singvögel legt und von diesen ausbrüten lässt. Sobald der junge Kuckuck ausgeschlüpft ist, wirft er alle übrigen Jungvögel oder Eier aus dem Nest, so dass er alles Futter bekommt, das die Zieheltern herbeischaffen.

Kugel [die], ein Körper, bei dem die Punkte der Oberfläche von einem Punkt *M (Mittelpunkt)* die

Kuckuck: Ein Junges wird von einem Zaunkönig (links) gefüttert.

Kugelstoßen: Vor dem Wurf wird die Kugel in der Schlüsselbeingrube angesetzt.

gleiche Entfernung, nämlich den *Radius r* haben. Zur Berechnung von Oberfläche und Volumen gelten die Formeln: $O=4\pi r^2$ und $V={}^4/_3\pi r^3$. Wie beim → Kreis spielt auch hier die konstante Größe π (→ Pi) eine Rolle.

Kugellager [das], ein Maschinenteil, das eine Welle führt. Zwischen zwei Laufringen sind eine oder zwei Reihen Kugeln (oder Rollen: Rollenlager) verteilt. Bei Kugellagern ist im Gegensatz zu anderen Lagern die Reibung herabgesetzt.

Kugelstoßen [das], ein leichtathletischer Wettbewerb, bei dem eine Metallkugel aus einem Kreisring zu stoßen ist.

Ku-Klux-Klan [selten ist die engl. Aussprache 'kjuː 'klʌks 'klæn, der], ein terroristischer Geheimbund in den USA. Er

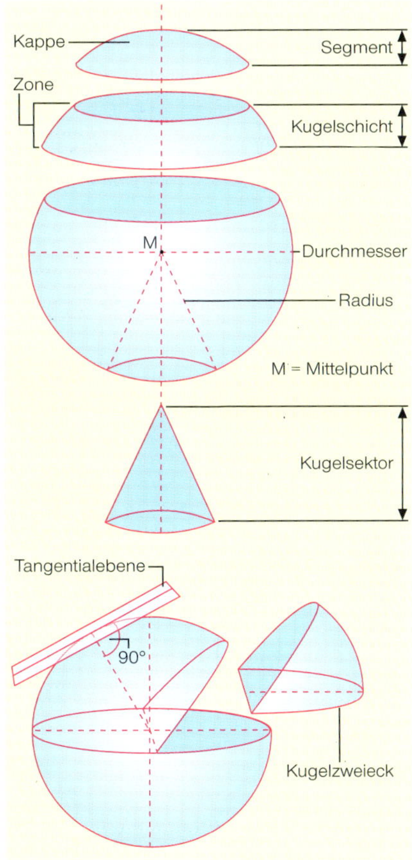

Kugel und die in ihr enthaltenen Elemente

wurde 1867 in den Südstaaten gegründet und wollte Schrecken unter den schwarzen Bürgern verbreiten, die nach dem Bürgerkrieg frei geworden waren. Der Bund wurde 1871 verboten und 1915 in den Nordstaaten neu gegründet. Kleinbürgerliche protestantische Weiße kämpften im Klan (Verband) gegen andere soziale Gruppen wie Schwarze, Juden oder Katholiken. Nach 1926 ging die Macht des Klans allmählich zurück. In den Auseinandersetzungen um die Rassenfrage trat er jedoch zeitweilig wieder in Erscheinung.

Kulisse [die], eine Wand, die zur Dekoration einer Bühne benutzt wird und die mit bemalter Leinwand, Pappe oder Papier bespannt ist.

Kulmination [die], das Erreichen eines Höhepunkts.

Kult [der], die Ehrung eines Gottes. Im übertragenen Sinn spricht man auch von Personenkult, Starkult.

Kultur [die, lat., »Ackerbau«], **1.** allgemein die Veränderung der Natur durch den Gebrauch von Werkzeugen und die darauf beruhenden Lebensformen einer menschlichen Gruppe. Im Laufe der Zeit dehnte sich der Kulturbegriff auch auf soziale Einrichtungen, Gebräuche und geistige Leistungen (Kunst, Religion, Recht, Technik) aus. **2.** geistige und seelische Bildung, verfeinerte Lebensart. **3.** die Züchtung von Bakterien in Nährboden. **4.** junge Waldbestände, die angepflanzt wurden.

Genauer betrachtet …
Kunst

Epochen und Stile der darstellenden Kunst

Name	Zeitraum	Architekturmerkmale	Merkmale der Malerei und Plastik
Romanik	1000–1250	römische Merkmale wie Rundbogen und Säule	lineare Strenge und flächenhafte Darstellung
Gotik	1150–1500	bunte Glasfenster und Spitzbogen	Figuren mit fließenden Gewändern, religiöse Themen
Renaissance	14.–16. Jh.	antike Elemente wie z. B. Säulen	plastische Figuren, Natur als wichtiges Thema
Barock	1600–1750	repräsentative, reich geschmückte Bauten	bewegte Personen mit wallenden Gewändern, sehr farbig
Rokoko	1720–1775	verspielt, dekorativ mit Ranken und Schnörkeln	helle Farben, sinnenfreudige Motive
Klassizismus	18.–19. Jh.	antike Elemente, sachlich-nüchtern	strenge, kühle Kompositionen
Jugendstil	Ende 19. Jh.	flächenhafte, geometrische Dekoration, Pflanzenornamente	geometrischer Schmuck, Pflanzenornamente
Impressionismus	ca. 1870–1900	–	leuchtende Farben, lockere Malweise, Darstellung eines flüchtigen Augenblicks
Kubismus	ca. 1900–1914	–	Bildgegenstände werden in geometrische Formen zerlegt, gedämpfte Farben
Expressionismus	ca. 1905–1930	klare Linien, kleine Ornamente, Stahlbeton, Backstein	leuchtende, z. T. grelle Farben, Darstellung seelischer Vorgänge, soziale Kritik
Surrealismus	ca. 1915–1940	–	traumhaft-fantastische Bildmotive
Popart	Mitte 20. Jh.	–	bildet alltägliche Dinge ab, klare Farben, comichafter Malstil
Postmoderne	ab ca. 1970	Mischung verschiedener Stile	Mischung verschiedener Stile, Einbeziehung der Massenmedien

Kunst [die], allgemein ein zu Meisterleistungen entwickeltes Können. Darüber hinaus alles, was der Mensch schöpferisch gestaltet. Man gliedert die Kunst in Baukunst, Plastik, Malerei, Grafik, Musik, Literatur, Theater und Tanz. In neuerer Zeit werden auch der Film und die Fotografie dazugerechnet. Ein anderes Gebiet ist das *Kunsthandwerk* oder *Kunstgewerbe,* das die künstlerische Gestaltung von Gebrauchsgegenständen umfasst. Ursprünglich war die Kunst eng mit Kulten und der Religion verbunden. Seit dem Mittelalter haben sich die einzelnen Kunstrichtungen jedoch von einer religiösen Zweckbestimmung gelöst. Auch → »Genauer betrachtet«.

künstliche Intelligenz [die], Bereich der Computerforschung (Informatik), der sich mit der Entwicklung von Computerprogrammen beschäftigt, die ähnlich hohe Intelligenzleistungen vollbringen wie jene, zu denen Menschen fähig sind. Mit derartigen Computern sind Gespräche möglich, sie können lernen und unterscheiden eine Vielzahl von Formen und Mustern.

Kunststoffe [Pl.], künstlich hergestellte Werkstoffe, die entweder durch die chemische Veränderung von Naturstoffen (Cellulose) oder aus anorganischen und organischen Rohstoffen gefertigt werden. Kunststoffe treten in verschiedener Gestalt auf: flüssig, fest, als klebrige Masse, Folien und Fasern. In der Umgangssprache werden Kunststoffe auch als Plastik bezeichnet. Die Ausgangsstoffe für die meisten Kunststoffe sind Erdöl und Kohle sowie gasförmige Kohlenwasserstoffe, die meist zu großen Molekülen zusammengesetzt werden. Kunststoffe eignen sich besonders für die Massenproduktion. Die meisten sind beständig gegen Oxidation, Fäulnis, Witterungseinflüsse und viele Chemikalien. Ein Nachteil der Kunststoffe ist, dass sie nicht sehr hitzebeständig sind.

Kupfer [das], ein chemisches Element mit dem Zeichen Cu. Kupfer ist ein hellrotes, relativ weiches, zähes, dehnbares Metall, so dass es sich zu feinem Draht und dünnen Blättchen formen lässt. An der Luft oxidiert es zu rotem Kupferoxid. Kupfer kommt in reiner Form in Nordamerika, Chile und Australien vor. Kupfer wird zur Herstellung von Legierungen vor allem mit Zink (Messing), Zinn (Bronze), Aluminium (Aluminiumbronze) und Nickel (Konstantan) verwendet. Wegen seiner hervorragenden elektrischen Leitfähigkeit wird es besonders zur Herstellung elektrischer Leitungen verwendet.

Kupferstich [der], eine grafische Technik, die um 1430 in Deutschland entstand. Auf eine Kupferplatte, die mit Wachs oder einem anderen säurefesten Material beschichtet ist, sticht beziehungsweise ritzt der Kupferstecher mit einer Stahlnadel (Radiernadel) eine Zeichnung ein. Sie wird in das Metall eingeätzt. Die Vertiefungen lassen sich mit Druckfarbe füllen, die das aufgelegte Papier unter hohem Druck annimmt. Der Abzug wird ebenfalls Kupferstich genannt. Meister des Kupferstichs waren u. a. *Dürer* und *Rembrandt.*

Kupplung [die], eine der Kraftübertragung dienende feste oder ausrückbare Verbindung zwischen zwei Maschinenteilen (z. B. zwischen Getriebe und Fahrwerk eines Autos). Feste Kupplungen verbinden z. B.

Kupferstich: Albrecht Dürer, Ritter, Tod und Teufel; 1513

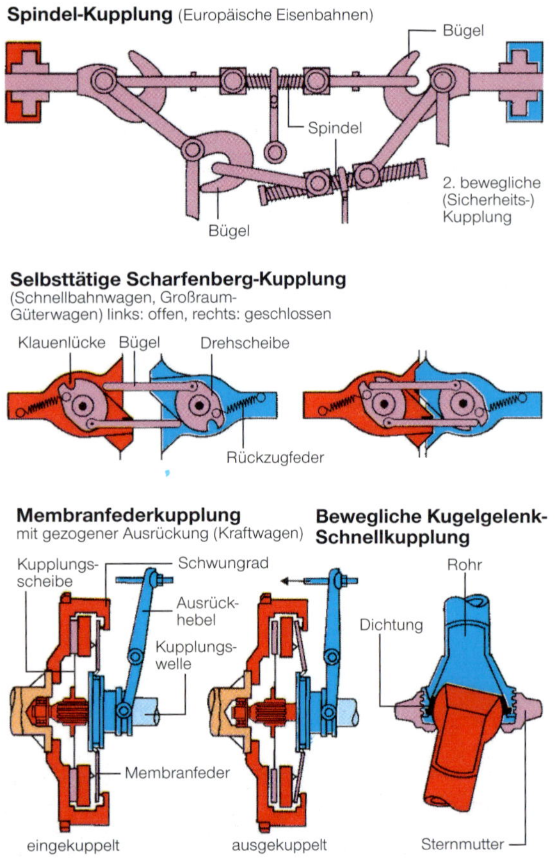

Kupplung: Schemazeichnungen verschiedener Konstruktionsweisen einer Kupplung

zwei Wellen einer Maschine oder zwei Eisenbahnwagen. Ausrückbare Kupplungen können mit Klauen ausgerüstet sein, die beim Einkuppeln ineinandergreifen, oder mit Scheiben, die gegeneinandergepresst werden. Automatische Kupplungen halten eine Verbindung während einer bestimmten Drehzahl aufrecht.

Kurden [Pl.], ein Bergvolk, das im Westiran, in Armenien, im nördlichen Irak, im nordöstlichen Syrien und in der östlichen Türkei lebt. Die meisten Kurden sind Muslime und leben von Ackerbau und Viehzucht. Aufgrund starker Unabhängigkeitsbestrebungen kam es besonders im Irak und der Türkei mehrfach zu bewaffneten Aufständen der Kurden.

Kurfürsten [Pl.], Fürsten, die im alten Deutschen Reich (bis 1806) zur Königswahl berechtigt waren. Durch die *Goldene Bulle* von 1356 wurden die Kurfürsten genau bestimmt: drei geistliche (Erzbischöfe von Mainz, Köln, Trier) und vier weltliche Fürsten (König von Böhmen, Pfalzgraf bei Rhein, Herzog von Sachsen und Markgraf von Brandenburg). Im 17. Jh. bekamen noch Bayern und Hannover die Kurwürde.

Kurie [die], die Verwaltungsbehörde des Papstes.

Kurzgeschichte [die, engl. »short story«], eine kleine Erzählung, die ein in sich abgeschlossenes Erlebnis behandelt und oft zu einem unerwarteten Ergebnis führt. Bekannte Autoren der Kurzgeschichte sind vor allem Mark *Twain,* Jack *London* und Ernest *Hemingway.*

Kurzschluss [der], unbeabsichtigte leitende Verbindung zwischen zwei stromführenden Teilen. Die dabei entstehenden starken Ströme setzen große Wärmemengen frei (Beschädigung von elektrischen Geräten, Brandgefahr). Elektrische Anlagen werden deshalb durch *Sicherungen* oder Schutzschalter gegen Kurzschluss abgesichert.

Kurzschrift [die], *Stenografie,* eine Schrift aus Kurzzeichen von Lauten, Silben und Wörtern, die

Kurden: Kurdische Familie im Osten der Türkei; das Volk der Kurden kämpft um einen eigenen Staat.

zum schnellen Mitschreiben von Reden, Diktaten und Ähnlichem entwickelt wurde. Mit der Verbreitung elektrischer Geräte wie Tonbändern hat die Bedeutung der Kurzschrift abgenommen.

Kurzwellen [Pl.], Abkürzung KW, weitreichende elektromagnetische Wellen mit Wellenlängen von 10 bis 100 m. Sie werden besonders im Funkverkehr eingesetzt.

Küste [die], die Grenzzone zwischen Land und Meer, die verschiedene Formen haben kann (u. a. *Steilküste, Flachküste, Fjordküste*). Die Küsten sind veränderlich wie kaum ein anderer Bereich der Erdoberfläche durch Hebungen und Senkungen des Festlandes, Auswirkungen der Gezeiten, durch Stürme, Regen, Eis und andere Naturgewalten.

Ländersteckbrief
Kuwait

Fläche:	17 818 km²
Einwohner:	2,8 Millionen = 155 je km²
Hauptstadt:	Kuwait
Religion:	Islam
Amtssprache:	Arabisch
Währung:	1 Kuwait-Dinar = 1000 Fils

Kuwait, Staat in Vorderasien.

Das arabische Scheichtum am Persischen Golf besteht vorwiegend aus Kies- und Sandwüsten mit wenigen Oasen; an der Küste herrscht feuchtheißes, im Innern trockenheißes Klima. – 59% der Bewohner sind Ausländer. – Wichtigster Wirtschaftszweig ist die Erdölförderung (91% der Gesamtausfuhr). An Industrie gibt es Meerwasserentsalzungsanlagen sowie chemische und Baustoffindustrie; zahlreiche Erdölraffinerien; Fischerei. – Haupthäfen sind Shu'aybah, Shuwaykh und Minah Al Ahmadi; internationaler Flughafen in Kuwait.

Geschichte: Kuwait war 1899–1961 britisches Protektorat. 1961 wurde es unabhängig. Kuwait ist ein erbliches Scheichtum. 1990 wurde Kuwait vom Irak besetzt und im Golfkrieg 1991 befreit.

Kybernetik [die], ein Wissenschaftszweig, der die Gesetzmäßigkeiten bei Regel- und Steuerungsvorgängen in der Technik in Beziehung setzt zu ähnlichen Vorgängen in der Medizin, Biologie und Soziologie.

KZ, Abkürzung für → Konzentrationslager.

Kuwait: Die Hauptstadt ist ein bedeutendes Handels- und Finanzzentrum mit modernem Stadtbild, wie hier am Al-Safat-Platz.

L

l, Kurzzeichen für → Liter.

L, **1.** zwölfter Buchstabe des Alphabets (Konsonant). **2.** römisches Zahlzeichen, L = 50.

Label ['lɛibəl, das], ein Etikett, das auf einer Verpackung oder dem Produkt klebt, der Firmenname auf einem Etikett, besonders bei Schallplattenfirmen.

labil, leicht beeinflussbar, schwankend (z. B. ein labiler Charakter); Gegensatz: *stabil.*

Laboratorium [das, lat. laborare, »arbeiten«], kurz *Labor,* ein Arbeitsraum für chemische, physikalische, biologische, medizinisch-technische oder fotografische Arbeiten, der mit den entsprechenden Einrichtungen zur Durchführung von Versuchen ausgestattet ist.

Laboratorium: Blick in ein modernes Forschungslabor der pharmazeutischen Industrie.

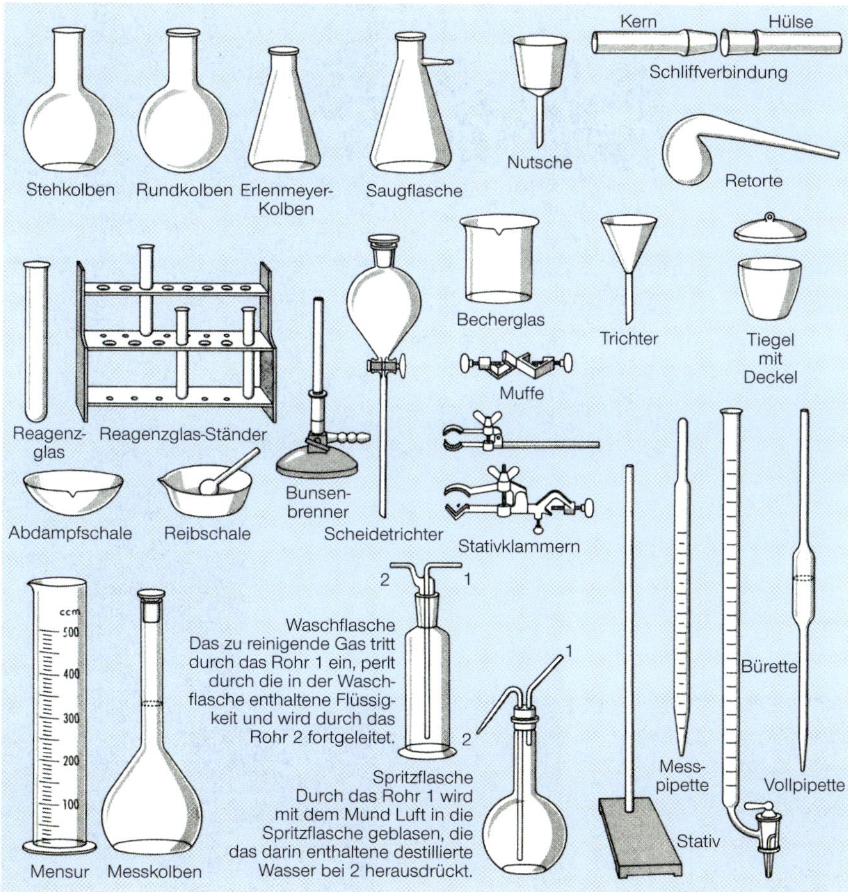

Laboratorium: verschiedenste Geräte, die man für Laborarbeiten benötigt

Labrador, große, waldreiche Halbinsel in Kanada (Nordosten), kaltgemäßigtes, subarktisches Klima.

Labyrinth [das], **1.** ein Gebäude oder Garten mit unübersichtlichen Gängen. Ein solches Labyrinth ließ der kretische König *Minos* der griechischen Sage nach als Behausung für den wilden Stier *Minotaurus* bauen. **2.** der innerste Teil des Ohres.

Lachgas [das], ein farbloses Gas, das schwach süßlich riecht. Lachgas hat eine leicht narkotisierende Wirkung.

Lachs [der], *Salm,* ein bis 1,5 m langer, bis über 35 kg schwerer Raubfisch der nördlichen Meere. Er laicht im Fließgewässer

(Süßwasser), wo die Jungen 1–5 Jahre leben und dann ins Meer ziehen. Zum Laichen wandern die Lachse dann wieder in die Flüsse zurück (oft mehrere 1000 km), in denen sie aufgewachsen sind. Der Lachs ist ein beliebter Speisefisch.

Lack [der], eine Lösung von Harzen oder Kunstharzen in einem leicht flüchtigen Lösungsmittel wie Terpentin oder Alkohol. Lacke dienen dem Schutz und der Veredelung von Oberflächen.

Lackmus [das], ein organischer Farbstoff, der aus verschiedenen Flechtenarten gewonnen wird; er dient als → Indikator für Säuren und Laugen. Ein mit Lackmus gefärbtes Papier wird in alkalischer Lösung blau, in saurer Lösung rot.

Ladung [die], **1.** *elektrische Ladung* → Elektrizität. **2.** im Rechtswesen die Aufforderung, vor Gericht zu erscheinen. **3.** bei Waffen die Füllung von Patronen oder Granaten.

La Fontaine [la fɔ̃'tɛ:n], Jean de, *1621, †1695; französischer Dichter. Er verfasste in 12 Büchern Fabeln mit Stoffen aus der Weltliteratur. Dabei zeichnete er ein ironisches Bild der Gesellschaft.

Lagerlöf, Selma, *1858, †1940; schwedische Schriftstellerin. Schon durch ihren ersten Roman (»Gösta Berling«) wurde sie berühmt. Ihre Jugendbücher sind von der nordischen Märchen- und Sagenwelt beeinflusst, z. B. »Wunderbare Reise des kleinen Nils Holgersson mit den Wildgänsen«. 1909 erhielt sie den Nobelpreis für Literatur.

Lagos, größte Stadt und Haupthafen von Nigeria, 13,4 Mio. Einwohner (mit Vororten).

Lagune [die], durch einen Landstreifen (Nehrung, Lido) oder Inseln vom offenen Meer getrennte flache Bucht; an der Ostsee werden diese Strandseen als *Haff* bezeichnet.

Lahn [die], rechter Nebenfluss des Rheins, 245 km lang, entspringt im Rothaargebirge und mündet bei Niederlahnstein.

Laich [der], Gelege von Tieren, die ihre Eier ins Wasser abgeben, d. h. *laichen* (z. B. Fische, Frösche, Kröten). Laich besteht meist aus ganzen Klumpen von Eiern und einer gallertigen Verbindungsmasse.

Laien [Pl.], Nichtfachleute. In der katholischen Kirche Gläubige, die nicht dem *Klerus* angehören.

Laienspiel [das], von nicht berufsmäßigen Schauspielern (z. B. von Schülern, Jugend- und Erwachsenengruppen) ausgeübtes Theater. Die *Mysterienspiele* im Mittelalter waren die ersten Laienspiele.

lakonisch, wortkarg, kurz und bündig.

Lama [das], Gattung höckerloser Kamele. Die graubraunen Wildarten *Guanako* und *Vikunja* bewohnen die Steppen und Halbwüsten Südamerikas. Schon vor der Entdeckung Amerikas wurde das Lama bei den Inka als Haustier gezüchtet und als wichtigstes Lasttier eingesetzt. Als Haustiere werden auch die *Alpakas* gehalten, die bedeutende Wolllieferanten sind.

Lamaismus [der], eine Sonderform des Buddhismus in Tibet. Sie ist eine Verschmelzung mit tibetischen Kulten. An der Spitze des Lamaismus stehen der *Dalai-Lama* als Verkörperung der weltlichen Macht und der *Panchen-Lama* als Träger der geistlichen Macht.

Lama: Das Vikunja ist aufgrund seiner seidigen Wolle heute fast ausgerottet.

Seit der Eroberung Tibets durch China (1950/1951) ist der Lamaismus in Tibet entmachtet.

LAN, Abkürzung für englisch **L**ocal **A**rea **N**etwork, ein lokales Rechnernetzwerk.

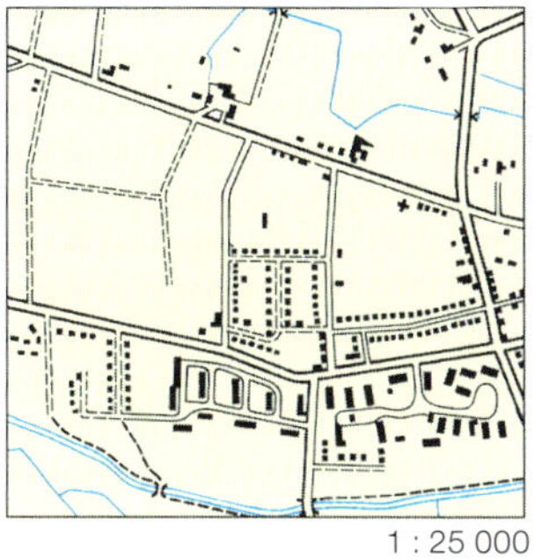

Landkarte: Je größer der Maßstab ist, desto mehr Details können dargestellt werden.

Landkarte [die], ein verkleinertes Grundrissbild eines Ausschnitts der Erdoberfläche. Die Fülle des Dargestellten erfordert eine *Legende,* d.h. eine knappe Erläuterung der verwendeten Zeichen, Symbole und Abkürzungen. Der *Maßstab* gibt das Verhältnis der abgebildeten verkleinerten Strecke zur natürlichen Ausdehnung wieder. Bei einem Maßstab 1:100 000 entspricht 1 cm auf der Karte 100 000 cm = 1 km in der Natur. Je kleiner der Maßstab ist, desto strenger ist die Auswahl des Darzustellenden. Man teilt Karten aber nicht nur nach ihrem Maßstab ein, sondern auch nach ihrem Inhalt (z. B. topographische Karten), ihrer Herkunft (z. B. amtliche Karten) oder ihrer Darstellungsform (z. B. politische Karten).

Landschaftsschutz [der], alle Maßnahmen, die der Erhaltung und dem Schutz nicht bebauter Flächen dienen. Landschaftsschutzgebiete sind unter Naturschutz gestellt, um ihre besonderen Eigenarten vor Eingriffen und Änderungen zu schützen (z. B. Zersiedelung, Flurbereinigung).

Landtag [der], in Deutschland und Österreich die Volksvertretungen (Parlamente) der Bundesländer. In Bremen und Hamburg nennt man sie *Bürgerschaft,* in Berlin *Abgeordnetenhaus.*

Landwirtschaft [die], die Nutzung des Bodens durch Ackerbau und Tierzucht. Die Formen der landwirtschaftlichen Nutzung und die Höhe der Erträge werden von der Art des Bodens und vom Klima beeinflusst. Erst durch den Einsatz eines Pfluges und eines Zugtiers (Pferd, Rind u. Ä.) wurde es möglich, in der Landwirtschaft mehr zu erzeugen als für die Eigenversorgung notwendig ist. Die zunehmende Technisierung in der Landwirtschaft, der Einsatz von Maschinen, hat zur Aufgabe vieler kleiner Betriebe geführt. Zur weiteren Ertragssteigerung wurden Flurbereinigungen durchgeführt und in hohem Maße Kunstdünger und Pflanzenschutzmittel sowie Arzneimittel in der Viehzucht eingesetzt, was zu einer nachhaltigen Umweltbelastung führte und die Natur aus dem Gleichgewicht brachte.

Lang, Fritz, * 1890, † 1976; österreichischer Filmregisseur. Er war Vertreter des expressionistischen Films und schuf die ersten Monumentalfilme. Mit »Dr. Mabuse«, »Metropolis« oder »M – Eine Stadt sucht einen Mörder« schrieb er Filmgeschichte. Seit 1933 lebte und arbeitete er in den USA, ab 1956 erneut in Deutschland.

Längenkreis [der], ein Meridian, → Gradnetz.

Landwirtschaft: Die moderne Agrarwirtschaft arbeitet zumeist mit Vollerntemaschinen wie diesem Mähdrescher, der das Getreide mäht und im selben Arbeitsgang ausdrischt.

Langeoog, eine Ostfriesische Insel, → Friesische Inseln.

Langobarden [Pl.], ein germanischer Volksstamm, der nach Wanderungen durch Nord- und Ostdeutschland in Böhmen und Mähren ansässig wurde. Seit dem 7. Jh. eroberten sie Oberitalien und gründeten dort ein Königreich. 774 besiegte *Karl der Große* die Langobarden und gliederte ihr Reich dem Frankenreich an.

Languste [die], ein Krebstier, das dem Hummer ähnlich ist. Die Languste ist im Atlantik und im Mittelmeer verbreitet. Sie wird bis zu 45 cm lang und bis 8 kg schwer.

Langwellen [Pl.], Abkürzung LW, elektromagnetische Wellen mit Wellenlängen zwischen 1 und 10 km. Sie dienen der Übertragung von Rundfunksendungen.

LAN-Party, Party, bei der besonders Jugendliche an mehreren vernetzten Computern mit- und gegeneinander Computerspiele spielen.

Ländersteckbrief
Laos

Fläche:	236 800 km²
Einwohner:	6,1 Millionen = 26 je km²
Hauptstadt:	Vientiane
Religion:	Buddhismus, Naturreligionen
Amtssprache:	Lao
Währung:	Kip

Laos: Gemüsehändler verkaufen ihre Waren auf dem Markt.

Laos, Staat in Südostasien.

Landesnatur: Im Norden und an der Ostgrenze ist das Land gebirgig, sonst mit Ausnahme einiger Flussebenen hügelig oder plateauartig. Das Klima ist feuchtheiß mit sommerlichem Monsunregen. 55% des Landes sind mit Wald bestanden.

Bevölkerung: Die Bevölkerung besteht vorwiegend aus *Lao* u.a. Thai-Völkern. 58% sind Buddhisten, 34% Anhänger traditioneller Religionen. Hauptsiedlungszone ist das Tal des *Mekong*.

Wirtschaft: Die Landwirtschaft liefert für den Export Kaffee, Tee, Gewürze und Baumwolle. Laos ist einer der wichtigsten Weltlieferanten von Rohopium. Die Wälder bringen Nutz- und Edelhölzer (30% der Gesamtausfuhr). Die Industrie ist noch wenig entwickelt. – Internationaler Flughafen in Vientiane.

Geschichte: 1355 begründete der Lao-Prinz *Fa Ngum* (1353–1373) auf dem Gebiet des heutigen Laos das Königreich *Lan Chang*. Die nachfolgenden, miteinander rivalisierenden Reiche wurden ab 1829 von

Siam erobert. 1893 erzwang Frankreich von Siam die Abtretung des Gebiets. Seit 1941 unter japanischer Besatzung, erklärte sich Laos 1945 für unabhängig, wurde jedoch von französischen Truppen besetzt. 1949 erhielt es die Autonomie, 1954 die völlige Unabhängigkeit. 1954–1973 eroberte die kommunistische Partisanenbewegung des *Pathet-Lao* einen großen Teil des Staatsgebiets. 1975 wurde die Demokratische Volksrepublik ausgerufen (neue Verfassung 1991). 1997 trat Laos der ASEAN bei. Staatsoberhaupt ist seit 2006 C. *Sayasone*.

Lao Zi, *Lao-tse,* chinesischer Philosoph und Weiser, der nach der Tradition 604 v. Chr. geboren sein soll, aber wahrscheinlich im 4. bis 3. Jh. v. Chr. lebte. Er gilt – vermutlich fälschlicherweise – als Verfasser des philosophischen Buches »Dao De Jing«. Der Grundgedanke seiner Lehre ist das »Nichthandeln«, d.h. das Handeln ohne Absicht im Einklang mit den Naturgesetzen. Der → Daoismus (Taoismus), ursprünglich ein auf Lao Zi zurückgehendes chinesisches Philosophie-System, ist seit dem 2. Jh. v. Chr. eine mit magischen Elementen durchsetzte Volksreligion mit zahlreichen Gottheiten und Heiligen.

Lao Zi: In dieser Zeichnung aus dem 18. Jh. reitet der Philosoph auf einem Büffel.

La Paz, Regierungssitz der südamerikanischen Republik Bolivien, die höchstgelegene Großstadt Südamerikas (3600 bis 4000 m ü. M.), 793 000 Einwohner.

Lappen [Pl.], eigener Name *Samen,* ein Volk, das nördlich des Polarkreises in Norwegen, Schweden und Finnland lebt. Ursprünglich waren sie Nomaden, heute sind die meisten sesshaft geworden und leben von Viehzucht (besonders Rentiere), Jagd, Ackerbau und Fischfang.

Lappen in nationaler Tracht mit einem Rentier; die Rentierhaltung ist die Haupterwerbstätigkeit der Lappen (Samen).

Laptop ['læptɔp, der, engl.], Kunstwort aus den englischen Wörtern Lap (Schoß) und Desktop (Schreibtisch). Ein Laptop ist ein leichter, transportabler, batteriebetriebener Computer in der Größe eines Aktenkoffers.

Lärche [die], ein bis zu 40 m hoher sommergrüner Nadelbaum, der im Herbst seine Nadeln abwirft. Die *Europäische Lärche* stammt aus den trockenen Zentralalpen.

largo [ital.], in der Musik eine Bezeichnung für langsam, breit, getragen. Als *Largo* wird der langsame Satz einer Sinfonie oder einer Sonate bezeichnet.

Lärmschutz [der], *Schallschutz,* alle Maßnahmen, die den Lärm vermindern wie Schallschutzwände, der

Gebrauch von Gehörschutz oder lärmmindernde Betriebsweisen und Verfahren.

Larve [die], die Jugendform mancher Tiere, die bei der Reifung eine Verwandlung (→ Metamorphose) durchmachen, z. B. die Raupe beim Schmetterling, die Made bei der Fliege oder die Kaulquappe beim Frosch.

Laser ['lɛizə, der], Abkürzung für **L**ight **a**mplification by **s**timulated **e**mission of **r**adiation, zu deutsch »Lichtverstärkung durch stimulierte Emission von Strahlung«, eine erstmals 1960 verwirklichte Lichtquelle, die ein einfarbiges und fast paralleles Strahlenbündel aussendet. Hauptteil des Lasers als verstärkendes Medium sind Kristalle, Gase, Flüssigkeiten und Halbleiter. Die Atome oder Moleküle dieses Mediums werden durch eine äußere Energiequelle (Blitzlicht, elektrische Entladung, Laserlicht) in einen Zustand höherer Energie versetzt. Tritt eine Lichtwelle, deren Frequenz der Energiedifferenz zwischen dem angeregten und einem energetisch tiefer liegenden Zustand entspricht, mit einem angeregten Atom in Wechselwirkung, so wird dieses zum Übergang in den niedrigeren Energiezustand gezwungen (stimuliert). Das Ergebnis sind zwei Wellen gleicher Frequenz und Ausbreitungsrichtung, die im Gleichtakt schwingen (kohärent sind) und ihrerseits weitere Atome zur Abgabe ihrer Anregungsenergie zwingen können. Vorausgesetzt es gibt genügend angeregte Atome, kann sich die Intensität der Strahlung lawinenartig aufschaukeln. Das Lasermedium befindet sich in einem *optischen Resonator,* das sind meist zwei parallele Spiegel, zwischen denen das Licht vielfach hin und her reflektiert und bei jedem Durchlauf ein wenig mehr verstärkt wird. Indem man einen der Spiegel etwas durchlässig macht, verlässt ein Teil der Strahlung den Resonator als nutzbarer intensiver Laserstrahl. Laser werden u. a. in der Messtechnik, der Informationsübertragung durch Glasfasern, der Holographie, der Materialbearbeitung (zum Bohren, Schneiden, Schweißen) und in der Medizin eingesetzt.

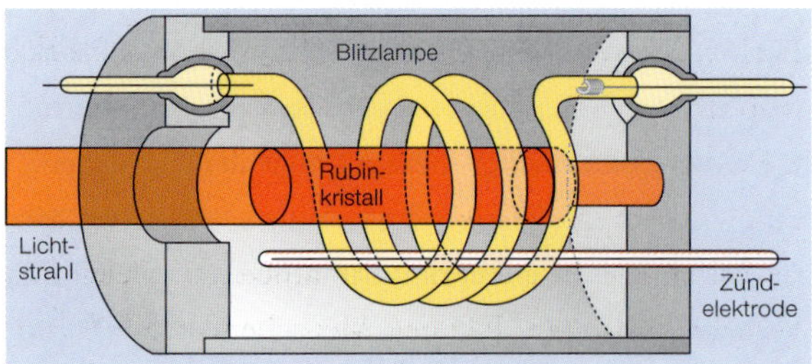

Laser: Schematischer Aufbau des ersten Rubin-Lasers, der 1960 gebaut wurde. Er besteht aus einem Rubinkristall, der von einer spiralförmigen, gasgefüllten Blitzlampe umgeben ist. Die Endflächen des Kristalls stehen senkrecht auf seiner Längsachse. Beide Stirnflächen sind verspiegelt, doch eine reflektiert nur rund 90%, lässt also einen Teil der Strahlung passieren. Da die Endflächen des Kristalls parallel zueinander sind, bilden sich stehende Wellen aus. Es entsteht ein intensiver Strahl kohärenten Lichts, der z.T. aus der durchlässigen Stirnfläche austritt.

Lassalle, Ferdinand, * 1825, † 1864; deutscher Politiker. Er war führende Persönlichkeit der deutschen Arbeiterbewegung neben K. *Marx* und F. *Engels* und Mitbegründer der Sozialdemokratie in Deutschland.

Lasso [das, spanisch, »Schlinge«], von den Rinderhirten (Cowboys) verwendetes Wurfseil mit Schlinge zum Einfangen von Rindern und Pferden.

Latein [das], *Lateinisch,* die Sprache der Latiner und alten Römer, die durch die Ausdehnung des Römischen Reichs über die Grenzen Europas hinaus verbreitet war. Im Mittelalter war Latein die Kirchen- und Gelehrtensprache. Heute wird die Sprache von keinem Volk mehr gesprochen, viele wissenschaftliche Fachausdrücke sind jedoch lateinischen Ursprungs. Darum sind Lateinkenntnisse auch heute noch Voraussetzung für einige Hochschulstudiengänge.

Lateinamerika, *Iberoamerika,* Bezeichnung für die Länder Mittel- und Südamerikas, in denen Spanisch oder Portugiesisch gesprochen wird (Sprachen, die auf das Lateinische zurückgehen).

latent, versteckt, unsichtbar wirkend, z. B. latente Gefahr.

Lasso: Das Wurfseil ist ein Leder- oder Hanfriemen, dessen Schlinge sich selbst zuzieht, wenn sie sich um den Hals oder das Bein des zu fangenden Tieres legt.

Latiner [Pl.], im Altertum Bewohner Mittelitaliens, das Latium genannt wurde. Eine der ältesten Siedlungen der *Latiner* befand sich in Rom. Um das Jahr 340 v. Chr. wurden die Latiner von den Römern unterworfen.

Latinum [das], ein Zeugnis über mindestens fünfjährige *(Großes Latinum)* oder mindestens dreijährige *(Kleines Latinum)* erfolgreiche Teilnahme am Lateinunterricht oder eine entsprechende Ausbildung mit Prüfung.

Laubfrosch [der], ein bis 5 cm großer Frosch aus Mittel- und Südeuropa. Er ist grün oder dunkelbraun gefärbt und lebt vorwiegend im Gebüsch oder Schilf. Seinen Laich legt er im Wasser ab.

Laubhölzer [Pl.], Bäume und Sträucher mit flächig ausgebildeten Blättern (im Gegensatz zu den *Nadelhölzern*). Die meisten Arten (z. B. Ahorn, Birke, Buche) verlieren im Herbst ihr Laub und bekommen im Frühling neue Blätter.

Laubhüttenfest [das], das jüdische Erntedankfest, das an mehreren Tagen von Ende September bis Anfang Oktober gefeiert wird.

Laufen [das], eine der Hauptgruppen der Leichtathletik und die Grundlage vieler anderer Sportarten. Laufwettbewerbe gab es bereits in der Antike. In der modernen Leichtathletik teilt man die Laufwettbewerbe in *Kurzstreckenläufe* (50–400 m), *Mittelstreckenläufe* (800–1500m) und *Langstreckenläufe* (2000–30 000 m) ein. Außerdem unterscheidet man *Hürdenlauf* (in bestimmten Abständen aufgestellte Hürden müssen beim Laufen übersprungen werden), *Hindernislauf* (Hindernisse wie Gräben oder Hürden müssen beim Laufen überwunden werden), *Staffellauf* (dabei müssen mehrere Läufer einer Mannschaft Abschnitte einer Strecke laufen und innerhalb eines begrenzten Abschnitts ein Staffelholz an den nächsten Läufer übergeben). Die Strecke für den *Marathonlauf* beträgt 42,195 km. Eine weitere Form ist der *Gelände-Cross-Lauf.*

Laugen [Pl.], *Basen,* wässrige Lösungen von alkalisch reagierenden Stoffen. Sie bilden mit Säuren unter Wasserabspaltung Salze. Laugen färben Lackmus blau und Phenolphthalein rot.

Lausanne [lo'zan], die Hauptstadt des schweizerischen Kantons Waadt, am Genfer See, 117 000 Einwohner.

Läuse [Pl.], etwa 1–6 mm große Insekten. Sie haben einen abgeflachten Körper und Klammerbeine und sind als blutsaugende Schmarotzer an vielen Säugetieren zu finden. Für den Menschen sind *Filzläuse, Kleiderläuse* und *Kopfläuse* gefährlich, da sie Krankheitsüberträger sind.

Laute [die], ein altes, aus Vorderasien stammendes Zupfinstrument, das der Gitarre ähnlich ist, aber im Gegensatz zu dieser einen bauchigen, halbbirnenförmigen Resonanzkasten, eine Rosette als Schallloch und einen abgeknickten Wirbelkasten hat.

Lautsprecher [der], ein Gerät, das elektrische Schwingungen in mechanische Schwingungen der Lautsprechermembran im hörbaren Frequenzbereich (30–20 000 Hz) umwandelt. Verbreitet ist der *dynamische Lautsprecher,* bei dem eine in einen Dauermagneten eintauchende Spule mit einer Membran verbunden ist. Fließt ein modulierter Wechselstrom durch diese Spule, wird die Membran im Takt des Wechselstroms angeregt und in Schwingungen versetzt. Das gesamte Tonfrequenzspektrum wird optimal durch *Zwei-* oder *Dreiwegeboxen* übertragen, bei denen der modulierte Wechselstrom durch Frequenzweichen in geeignete Frequenzbereiche aufgeteilt und den entsprechenden Lautsprechern (Hochtöner, eventuell Mitteltöner und Basslautsprecher) zugeführt wird.

Lava [die, ital., »Regenbach«], heiße Gesteinsschmelze (1000–1300 °C), die bei Vulkanausbrüchen an die Erdoberfläche gelangt und dort schnell zu einem feinkörnigen, oft blasigen Ergussgestein erstarrt.

Lava: glühende, fließende Lava auf Hawaii, einem Gebiet mit aktiven Vulkanen

Lavendel [der], ein buschiger Strauch mit graugrünen, schmalen Blättern. Aus den blassvioletten Blüten wird das in der Parfümerie verwendete Lavendelöl gewonnen.

Lavendel wird in Südeuropa auf großen Feldern angebaut.

Lawine [die], von steilen Berghängen herabstürzende und dabei an Umfang zunehmende Schnee- oder Eismassen im Hochgebirge. Lawinen entwickeln hohe Geschwindigkeiten und können oft ganze Dörfer unter sich begraben. Auch für Skifahrer sind sie, besonders bei Tauwetter, eine große Gefahr.

Lay-out [lɛiˈaut, das], *Layout,* der Entwurf für die Text- und Bildgestaltung einer Drucksache (z. B. Anzeige, Buch- oder Zeitschriftenseite).

Lazarett [das], ein Krankenhaus für die Heilung und Pflege erkrankter oder verwundeter Soldaten.

LCD, Abkürzung von englisch **L**iquid **C**rystal **D**isplay, → Flüssigkristallanzeige.

Leasing [ˈliːziŋ, das, engl.], das Mieten oder Vermieten von Gegenständen über einen bestimmten Zeitraum hinweg, z. B. von Maschinen, Werksanlagen, Kraftwagen, Fernsehgeräten.

Lebenslauf [der], die schriftliche Darstellung der wichtigsten Daten und Ereignisse des eigenen Lebens. Bei Bewerbungen gehört dazu auch eine kurze Schilderung des Bildungsganges und besonderer Kenntnisse und Fähigkeiten.

Lebensqualität [die], im Gegensatz zu dem meist rein wirtschaftlich definierten Begriff des → Lebensstandards umfasst der Begriff der Lebensqualität auch Faktoren wie die Wohnbedingungen, den Gesundheitszustand der Bevölkerung, das Erziehungswesen und das Maß an sozialer Sicherheit in einer Gesellschaft.

Lebensstandard [der], Bezeichnung für die Menge und die Qualität von Waren, öffentlichen Einrichtungen und anderen Lebensbedingungen, die einer Person zur Verfügung stehen. Bei einem niedrigen Lebensstandard werden nur die einfachen Bedürfnisse eines Menschen, wie z.B. Nahrung, Wohnung, Kleidung, befriedigt. Spricht man von einem hohen Lebensstandard, dann ist gemeint, dass auch zusätzliche Lebensbedürfnisse und Wünsche, wie etwa Körper- und Gesundheitspflege, Freizeit, Reisen, befriedigt werden.

Leber [die], ein großes Organ in der Bauchhöhle der Wirbeltiere und des Menschen. Neben der Erzeugung von Galle hat sie wichtige Stoffwechselaufgaben zu erfüllen. Sie speichert überschüssigen Traubenzucker in Form von Glykogen und gibt ihn bei Bedarf wieder an das Blut ab. Sie baut Körpereiweiß auf und auch wieder ab, wobei Harnstoff entsteht, der über die Nieren ausgeschieden wird. Am Abbau überalterter roter Blutkörperchen ist sie ebenfalls beteiligt.

Lebertran [der], aus der Leber von Kabeljau, Heilbutt und Schellfisch gewonnenes fettes Öl mit einem hohen Gehalt an Vitamin A und D. Es dient als Stärkungsmittel bei Kinderkrankheiten und Unterernährung.

Lawinen können enorme Schäden anrichten. Hier wird ein Haus in einem Schweizer Bergdorf von Schneemassen bedrängt.

Lech [der], rechter Nebenfluss der Donau, 263 km lang, entspringt in den Lechtaler Alpen und mündet östlich von Donauwörth.

Le Corbusier [lə kɔrby'zje], eigentlich Charles-Édouard *Jeanneret,* * 1887, † 1965; französisch-schweizerischer Architekt. Mit seiner Skelettbautechnik, bei der Stützen ein Haus tragen und Wände jederzeit versetzt werden können, war er ein Wegbereiter der modernen Architektur. Er war auch als Städteplaner und Möbeldesigner tätig (besonders Stahlrohrmöbel).

Leder [das], von Haaren befreite und gegerbte, meist auch gefettete und gefärbte Tierhaut.

Lee [die oder das], die vom Wind abgekehrte Schiffsseite; Gegensatz: *Luv.*

Leeuwenhoek ['le:vənhuk], Antony van, * 1632, † 1723; niederländischer Naturforscher. Er baute das erste Mikroskop und machte wichtige biologische Entdeckungen (Bakterien, Einzeller, Blutzellen).

legal, gesetzmäßig, gesetzlich.

Legasthenie [die], eine Lese- und Rechtschreibschwäche bei sonst normaler Intelligenz. Legastheniker können häufig ähnlich lautende Buchstaben wie »b« und »p« nicht unterscheiden. Heute nimmt man an, dass Legasthenie durch einen Fehler bei der Lautverarbeitung im Gehirn entsteht. Legasthenie lässt sich durch intensive Übungen abbauen.

legato, in der Musik die Anweisung, die Töne gebunden zu spielen; Gegensatz: *staccato.*

Legende [die], **1.** Unterschrift bei Bildern, erläuternder Text zu Karten; Umschrift bei Münzen. **2.** ursprünglich Lesung ausgewählter Stücke aus der Lebensbeschreibung eines Heiligen; im weiteren Sinne eine religiöse volkstümliche Erzählung.

Legierung [die], das Ergebnis des Zusammenschmelzens zweier oder mehrerer Metalle, bisweilen unter Beigabe anderer Stoffe. Legierungen zeichnen sich gegenüber den Grundmetallen häufig durch erhöhte Festigkeit, Härte oder Korrosionsbeständigkeit

Leguane: Der Grüne Leguan ist mit über 2 m Gesamtlänge der stattlichste Vertreter der Leguanfamilie.

aus. Bekannte Legierungen sind u. a. Bronze (aus Kupfer und Zinn) oder Messing (aus Kupfer und Zink).

Legion [die], im römischen Altertum die oberste militärische Truppeneinheit, die etwa 4000–6000 Mann umfasste.

Legislative [die], die gesetzgebende Gewalt in einem Staat, in dem das Prinzip der *Gewaltenteilung* vorherrscht, auch die Institution der Gesetzgebung, meist das Parlament.

legitim, rechtmäßig, richtig, veraltet auch für ehelich; Gegensatz: *illegitim.*

Legitimation [die], Ausweis, Beglaubigung, Berechtigungsnachweis.

Leguane [Pl.], Familie der Echsen mit mehr als 700 Arten. Sie leben überwiegend in Nord- und Südamerika. Zu ihnen gehören alle Leguane im engeren Sinne sowie *Anolis, Basilisken, Kielschwanz-* und *Stachelleguane.*

Lehnswesen [das], im frühen Mittelalter entstandene Staats- und Gesellschaftsordnung. Land oder bestimmte Rechte (z. B. Erhebung von Steuern und Zöllen) wurden dem *Lehnsmann* durch den *Lehnsherrn* zur Nutzung übergeben. Die Gegenleistung *(Lehnsdienst)* bestand in Kriegs- oder Hofdienst oder in bestimmten Abgaben. Oberster Lehnsherr war der König.

Lehnwort [das] → Fremdwort.

Leibeigenschaft [die], im Mittelalter die persönliche Abhängigkeit eines Menschen von einem Herrn. Im Gegensatz zum nur wirtschaftlich abhängigen *Hörigen* war der Leibeigene (oft mit seiner Familie) von seinem Herrn persönlich abhängig (keine Freizügigkeit, Vorschrift der Heiratsgenehmigung für sich und seine Kinder). Erst im 18. Jh. begann die Abschaffung der Leibeigenschaft.

Wer war … Gottfried Wilhelm Leibniz

Gottfried Wilhelm Leibniz (* 1646, † 1716), war ein deutscher Philosoph und Wissenschaftler. Er entwickelte als letzter europäischer Universalgelehrter ein philosophisches Weltsystem, das Mathematik und Naturwissenschaften mit der Metaphysik verband. Mit ihm fand der *Rationalismus,* der die Vernunft zur Grundlage allen Wissens erhob, seinen Abschluss. In der Mathematik schuf Leibniz – zur gleichen Zeit wie I. *Newton,* aber unabhängig von ihm – die Grundlagen der Differenzial- und Integralrechnung. Daneben betätigte er sich als Naturforscher, Philologe, Historiker, Jurist und Theologe. Im Zentrum seiner Philosophie steht die Lehre von den Monaden, unzähligen geistigen Atomen, aus denen sich die gesamte materielle Welt zusammensetzen würde. Sie seien dank göttlicher Vorherbestimmung vollkommen aufeinander abgestimmt (prästabilierte Harmonie) und bildeten daher ein harmonisches Ganzes. So konnte Leibniz